POCHES ODILE JACOB

LA PEUR DES AUTRES

DES MÊMES AUTEURS
chez Odile Jacob

Christophe André, François Lelord, *Comment gérer les person-nalités difficiles*, 1996, « Poches Odile Jacob », 2000.
Christophe André, François Lelord, *L'Estime de soi*, 1998, « Poches Odile Jacob », 2002.
Christophe André, François Lelord, *La Force des émotions*, 2001, « Poches Odile Jacob », 2003.
Patrick Légeron, *Le Stress au travail*, 2001, « Poches Odile Jacob », 2003.

CHRISTOPHE ANDRÉ
PATRICK LÉGERON

LA PEUR DES AUTRES

TRAC, TIMIDITÉ ET PHOBIE SOCIALE

Préface du
Pr Jean-Pierre Lépine

Odile Jacob

poches

© ÉDITIONS ODILE JACOB, 1995, 1998, FÉVRIER 2003
15, RUE SOUFFLOT, 75005 PARIS

www.odilejacob.fr

ISBN : 2-7381-1236-6
ISSN : 1621-0654

*À tous ceux qui, un jour,
ont surmonté leur peur
pour venir nous parler
de leur peur des autres.*

Préface

Dans le langage courant, le terme « anxiété » est souvent banalisé. Émotion ressentie par tout être humain, elle revêt des connotations différentes en fonction des événements que nous vivons ou que nous redoutons. Chez certains, elle représente une forte stimulation, bénéfique, nécessaire à l'accomplissement de nos actes, pensées ou idées créatives. À l'inverse, chez d'autres ou à d'autres moments, elle représente un frein qui paralyse et engendre une souffrance subjective dont le retentissement dans la vie quotidienne est majeur. Dans le domaine de l'anxiété, la frontière entre le normal et le pathologique a suscité de nombreux points de vue contradictoires. Cependant, la plupart s'accordent à dire qu'en présence d'une détresse importante, lorsque les fonctions ou les pensées du sujet sont altérées, mais également lorsque les capacités adaptatives de l'individu sont manifestement dépassées, nous ne sommes plus dans le registre de l'anxiété normale, existentielle dirions-nous. Coexistent alors des manifestations quantitativement plus importantes et qualitativement distinctes de l'anxiété au sens usuel du terme. Les multiples signes physiques qui l'accompagnent, les comportements inadaptés qui en témoignent, voire les véritables terreurs dont souffrent certains individus, soulignent le fait que, par-delà la simple discussion sur les frontières de l'anxiété normale, ces manifestations nécessitent une aide spécifique. Le caractère excessif et parfois aigu de ces troubles est source d'une grande souffrance et d'une solitude entretenue par le sujet avec lui-même et vis-à-vis des autres.

Quelle personne n'a pas connu une gêne pour aborder un inconnu, des difficultés pour faire part à ses proches des pensées qui lui sont chères, voire défendre des idées ou des actes qui lui tiennent à cœur devant un groupe de personnes plus ou moins attentif ? Nous vivons parfois avec une certaine appréhension les transactions que nous menons avec les autres, notamment lors de l'initiation de ces comportements. Cette appréhension, somme toute naturelle, devient un handicap majeur quand la peur des autres, les inhibitions, voire dans certains cas les phobies, c'est-à-dire l'évitement quasi systématique de certaines situations sociales, bouleversent profondément nos schémas émotionnels et nos relations sociales.

Cependant, les psychologues, les médecins et les psychiatres ne se sont intéressés que depuis peu au champ de l'anxiété sociale et des phobies sociales. La timidité était connue de longue date et a été essentiellement étudiée par les éducateurs, les sociologues et dans une moindre mesure par les psychologues. Ressentie par de très nombreux sujets (30 % de la population dans certaines enquêtes), elle n'est pas considérée comme une manifestation pathologique en soi. De même, le trac, forme limitée de l'anxiété de performance, apparaissant dans certaines situations spécifiques, n'est pas en soi une manifestation pathologique dès lors que ses conséquences ne seront pas invalidantes pour le sujet. Il en va tout autrement dans le domaine des phobies sociales, forme d'anxiété sociale beaucoup plus invalidante, mais qui, malheureusement, encore à l'heure actuelle, est mal perçue voire ignorée par les médecins et les psychologues.

Les comportements d'inhibition dans les relations sociales, les manifestations physiques et psychiques qui les accompagnent ainsi que les conduites d'évitement et leurs conséquences sociales sont pourtant de mieux en mieux connues. Certains ont avancé l'idée que ces phobies étaient d'apparition récente. En fait, dès 1846, Casper rapportait le récit autobiographique d'un jeune médecin qui décrivait l'apparition à l'âge de dix ans d'idées obsédantes puis, trois ans plus tard, la peur de rougir et l'apparition vers l'âge de seize ans d'idées de suicide qui, quelques années plus tard, le conduiront de fait à la mort par suicide. Actuellement, on sait que cette forme la plus sévère d'anxiété sociale se rencontre à une fréquence d'environ 1,8 à 3,5 % dans la population générale à un moment donné alors qu'environ 6 à 8 % des sujets de la population en souffrent de manière intense à un moment de leur vie. Des chiffres plus élevés ont été rapportés chez les adolescents. Certaines personnes souffrent leur vie durant de ces manifestations phobiques, d'autres rapportent un début dans la prime adolescence comme si l'émergence de nouvelles interactions sociales, de nouveaux rôles sociaux ne faisait que réactiver une vulnérabilité plus grande qui jusqu'alors ne s'était jamais révélée. Il convient également d'avoir à l'esprit certaines manifestations anxieuses extrêmement marquées qui peuvent survenir dans le comportement de certains enfants et qui les conduisent, dans certains cas, à des refus ou à un absentéisme scolaire, manifestations qui semblent liées non seulement à la peur des enseignants, mais aussi à celle de leurs pairs.

Ces manifestations anxieuses et ces comportements

phobiques ne sont pas l'apanage de l'être humain ;
certains éthologistes ont mis en parallèle des comportements animaux marqués, notamment, par l'évitement du
regard qui peuvent se retrouver dans certaines relations de
dominance.

Au cours des dernières années, les chercheurs ont
essentiellement insisté sur l'évaluation des différents facteurs pouvant être associés à ces phobies sociales. Des facteurs familiaux ont été retrouvés dans les formes les plus
sévères de phobie sociale et de personnalité évitante. Chez
les apparentés de ces sujets, on retrouve peu en effet de
phobies spécifiques (peur par exemple limitée à la prise de
parole en public) mais ils souffrent de manière beaucoup
plus importante que les apparentés de sujets témoins de
phobie sociale généralisée invalidante et de personnalité
évitante. Des comportements d'apparition très précoce,
pouvant être des traits de tempérament marquant la vulnérabilité à ces phobies, ont également été retrouvés ; il
s'agit principalement des comportements d'inhibition face
à la nouveauté ou aux environnements non familiers. Ces
traits de tempérament ne constituent pas, par eux-mêmes,
des prédispositions pathologiques, mais pourraient, selon
les hypothèses les plus récentes, être des marqueurs d'une
certaine vulnérabilité qui, chez certains sujets, lors d'expériences traumatiques, pourraient faciliter l'émergence de
phobies sociales. Les styles parentaux, émotionnels, sociologiques, mais également éducatifs, pourraient aussi jouer
un rôle de renforcement de ces manifestations de tempérament et faciliter l'adaptation du sujet et la disparition de
ses craintes voire à l'inverse les renforcer et majorer le
risque d'apparition, à l'âge adulte, des traits phobiques.
Les études conduites chez des sujets présentant des phobies sociales montrent que le risque de développer des
états dépressifs et, assez souvent, des conduites d'alcooli-

sation sont des éléments aggravant l'évolution de ces états. Un des points constants retrouvés chez les sujets présentant ces difficultés est la gêne, qu'on pourrait dire constitutive à ces manifestations, à pouvoir en parler à autrui et, en particulier, aux médecins ou aux psychologues. Pour bon nombre d'entre eux, surtout lorsque l'apparition en a été très précoce, il semble extrêmement délicat d'envisager même une aide ; ne s'agit-il pas en effet d'un trait stable et immuable de leur personnalité ? Surtout, ils éprouvent une honte certaine à parler de difficultés qui leur paraissent insolubles.

C'est le grand mérite et la qualité du livre de Christophe André et Patrick Légeron de décrire, à l'aide d'exemples multiples et concrets et à partir de leur riche expérience clinique et de leurs réflexions, la souffrance trop longtemps inavouée d'innombrables sujets et de mettre en exergue, avec un souci pédagogique et didactique constant, les différentes aides et les ressources thérapeutiques, réelles et efficaces, actuellement mises à leur disposition.

Jean-Pierre LÉPINE
Professeur de psychiatrie,
Université Denis-Diderot,
Paris.

Introduction
« C'est à vous… »

Son tour approchait et il sentait les battements de son cœur s'accélérer. Ses mains étaient moites et laissaient des auréoles de sueur sur le vernis de la table de réunion. Ses voisins avaient-ils repéré son inquiétude ? Oui, son vis-à-vis l'observait et venait de détourner vivement son regard. Qu'était-il en train de penser ? Dans quelques minutes, ce serait à lui. Ses idées, si claires il y a quelques heures, étaient désormais confuses, embrouillées. Quelle impression allait-il donner s'il ne parvenait pas à s'exprimer sans se troubler, sans patauger ? Sa gorge se nouait ; sa bouche était de plus en plus sèche. Évidemment, on n'avait pas prévu de verre d'eau dans la salle de réunion, mais, de toute façon, quelqu'un remarquerait forcément le tremblement de ses mains s'il s'aventurait à tenter de saisir quelque chose. D'ailleurs, tout le monde avait dû voir qu'il était mal à l'aise. « C'est absurde de me mettre dans des états pareils, on ne va pas me manger tout de même. J'ai juste à présenter mon rapport annuel. Il ne peut rien

m'arriver, bon sang. » Son estomac était noué et,
quand son voisin de droite éternua, il sursauta.
Quelques regards se tournèrent vers lui, et il essaya
de sourire pour se donner une contenance. « C'est à
vous, Dubois », lui lança le directeur général. Il se
leva, les genoux dans du coton. Ça allait être la
catastrophe...

Tout le monde ou presque a connu, un jour ou l'autre,
ce genre de situation. Tout le monde a, un jour ou l'autre,
éprouvé de l'appréhension au moment de prendre la parole
en public, de rencontrer des personnes impressionnantes,
de faire une déclaration d'amour ou plus prosaïquement
d'aller réclamer de l'argent à quelqu'un. De toutes nos
peurs, celle que nous avons de nos semblables est sans
aucun doute la plus répandue [1]. Elle survient lorsque nous
sommes soumis au regard et à l'évaluation supposée d'une
autre personne, ou pire, d'un groupe de personnes. Ses
formes sont multiples : on l'éprouve dans des situations
sociales aussi banales que parler devant un groupe, marcher devant une terrasse de café noire de monde, rappeler
un serveur pour lui demander de changer un plat au restaurant, etc.

Cette peur des autres, les médecins et psychologues
l'appellent « anxiété sociale ». Elle revêt parfois des
formes graves, particulièrement douloureuses, qui sont
proches de la pathologie. C'est le cas des phobies sociales.
Les phobiques éprouvent une peur panique de certaines
situations en apparence anodines. Par exemple, certaines
personnes ne supportent pas d'être observées en train de
manger. Elles préfèrent encore s'abstenir. C'est le cas
aussi de ce que les psychiatres nomment les « personnalités évitantes » : ces individus craignent presque sans
cesse d'être jugés négativement par les autres, ce qui les

conduit à fuir, à se replier sur eux-mêmes, à éviter les contacts.

D'autres formes d'anxiété sociale relèvent, quant à elles, de la simple gêne quotidienne. Ainsi le banal trac ou encore la timidité. Où se situe la limite entre ce qui est pathologique et ce qui ne l'est pas ? Et ces manifestations sont-elles si bénignes ? On peut en douter : dans la vie professionnelle ou sentimentale, lorsqu'il s'agit de défendre ses intérêts, les occasions de se trouver en difficulté sont trop nombreuses pour qu'un dysfonctionnement, si minime soit-il en apparence, ne finisse pas par créer un malaise profond. De fait, nombre de déprimés et d'alcooliques sont à l'origine des anxieux sociaux [2]. Beaucoup de vies « ratées » ont pour cause le manque d'aisance et d'efficacité dans les rapports avec les autres.

Dans tous les cas, l'équation de base est la même : on redoute une situation sociale (ou même plusieurs) ; la confrontation avec elle entraîne un sentiment de gêne, d'inconfort qui peut aller jusqu'à l'angoisse et même à la panique ; ces désagréments sont suffisamment marqués pour susciter des répercussions sur le comportement, par exemple, en évitant d'affronter la situation redoutée ; on se dévalorise, on a honte.

Pourquoi donc éprouvons-nous cette peur des autres ? Les mécanismes qui président à son apparition sont passionnants à plus d'un titre. Facteurs génétiques, processus biologiques, modes d'éducation, pressions culturelles ou éléments de l'histoire individuelle, de nombreux éléments semblent impliqués dans la genèse de l'anxiété sociale. Si leurs rapports et leur poids respectifs ne sont pas encore clairement élucidés, de nombreux travaux sont en cours qui nous permettront d'en savoir plus. L'étude des manifestations de l'anxiété sociale met cependant en évidence le fait qu'elle va souvent de pair avec une évaluation par autrui et qu'elle survient lorsque, souhaitant produire sur autrui une impression favorable, nous pensons ne pouvoir y parvenir [3]. Elle est donc très intimement liée au regard que les autres portent sur nous et se trouve finalement au cœur de la nature humaine et de la relation avec nos semblables [4].

Dès lors, peut-on imaginer la voir un jour disparaître ? Peut-on imaginer qu'un jour le regard d'autrui puisse ne plus être porteur de critique ? Il faudrait pour cela que les rapports sociaux laissent une plus grande part à l'honnêteté et à la franchise, mais aussi permettent à chacun de s'exprimer plus pleinement lui-même. C'est peut-être une chimère, un vœu pieux. En attendant, on s'aperçoit que l'anxiété sociale ne crée pas seulement une gêne, parfois même une souffrance pour les individus, elle pèse aussi sur le fonctionnement social dans son ensemble et représente une entrave au bon déroulement des rapports humains dans tous les domaines.

Pourtant, des solutions existent. La psychothérapie comportementale et cognitive dispose d'outils d'une grande efficacité et scientifiquement validés expérimentalement tant pour la prévention que pour le traitement des difficultés liées à l'anxiété sociale. Divers médicaments s'avèrent eux aussi efficaces pour les formes plus invalidantes.

Tel est précisément le but de cet ouvrage : non seulement explorer le monde passionnant de nos peurs sociales, en expliquer les causes et les mécanismes élémentaires, mais aussi indiquer à chacun les voies qu'il doit suivre pour s'en sortir. Autrement dit, aider chacun à mieux vivre, à mieux être lui-même *avec* les autres*.

* Vous trouverez à la fin de cet ouvrage un questionnaire vous permettant de mieux définir votre éventuelle « peur des autres ».

PREMIÈRE PARTIE

Nos peurs sociales et leurs manifestations

Chapitre 1

Des situations et des hommes

> « Ils ne mouraient pas tous,
> mais tous étaient frappés. »
>
> Jean de La Fontaine

Étienne, cinquante-six ans, cadre dans une grande entreprise :

« J'ai horreur d'être en point de mire, sous le regard des autres. Pour moi, l'exemple type de la situation pénible, c'est lorsque j'arrive en retard dans un endroit où tout le monde est déjà assis et que l'on me regarde entrer et m'installer. Dans un avion, par exemple : ces rangées de fauteuils, avec des dizaines de têtes qui dépassent, et leurs yeux qui me dévisagent, m'observent, me scrutent ; et les hôtesses ou les stewards qui me regardent arriver du bout du couloir, l'air gauche, avec mon sac, marchant en crabe dans le couloir. Si possible, je préfère être dans les premiers arrivés au cinéma, au théâtre, dans les réunions de travail, dans les soirées... Quand j'étais

étudiant, je ne supportais pas d'aller m'asseoir au premier rang de l'amphi, devant tous les autres : j'avais l'impression que des centaines de regards m'écrasaient la nuque... »

Virginie, vingt-six ans, secrétaire :

« Je ne suis pas timide, enfin je ne crois pas. Mais parfois, je me sens drôlement coincée. Chaque fois que je dois parler d'argent, par exemple, je suis assez tendue et mal à l'aise. J'y pense trois jours à l'avance et, le moment venu, j'ai une espèce de boule dans la gorge et d'énervement intérieur, c'est une situation qui me stresse. Alors, la plupart du temps, je préfère laisser courir : réclamer de l'argent que l'on me doit, ou exiger une augmentation de mon salaire, ce sont des choses dont je ne suis pas capable... Au début, ça m'agaçait beaucoup, je prenais ça pour une faiblesse de caractère, mais j'ai fini par m'y faire. Je n'en suis pas fière, mais c'est comme ça. J'ai le sentiment que je n'arriverai jamais à changer... »

Claudine, quarante-deux ans, mère de famille :

« Mes enfants commencent à être grands, j'ai davantage de temps pour m'occuper de moi. Je voudrais faire du théâtre, de la politique... Mais je crois que je n'y arriverai pas toute seule : depuis toujours, je suis incapable de parler face à un groupe. À l'école, j'étais paralysée lorsque je devais passer au tableau, aucun professeur n'a pu m'y faire prononcer un mot ; j'ai échoué dans mes études car mes examens à l'oral étaient des catastrophes. Même bour-

rée de tranquillisants, je ne pouvais articuler le moindre mot. J'ai toujours été passionnée de politique, mais aux réunions, parmi les militants, je n'ai jamais osé prendre la parole. Quand on me sollicitait, c'était pitoyable : je bredouillais quelques phrases embrouillées d'une voix blanche. Il me tardait d'en finir, de me rasseoir ; ensuite, je n'osais plus regarder les gens en face de peur de lire de la pitié dans leurs yeux... »

Stéphane, dix-huit ans, lycéen en terminale :

« Avec les filles, c'est épouvantable. Jusqu'à ces dernières années, j'avais pu donner le change. On était toujours en groupe avec les copains et les copines. Je m'arrangeais pour ne jamais me retrouver seul avec une fille. Mais depuis l'année dernière, ça devient difficile. Les autres garçons invitent souvent les filles à aller prendre un verre en tête à tête à la sortie des cours. J'en suis incapable. Je les vois, sûrs d'eux, leur faisant la cour... Lorsqu'une fille m'adresse la parole, s'il s'agit des cours, ça peut aller. Je sais à peu près tenir la conversation. Mais si elle commence à parler d'autre chose, de cinéma, de musique, alors je commence à paniquer. J'ai l'impression qu'on entre dans la "drague" et qu'il faut que je sois à la hauteur. Je sens bien que je deviens maladroit, comme un gamin, et je n'ai plus qu'une obsession, éviter qu'elle ne le remarque, qu'elle pense que j'ai des problèmes, que je ne suis pas un vrai homme. »

Des situations sociales dérangeantes

Beaucoup de situations sociales peuvent déclencher en nous des sentiments de gêne, d'inconfort ou d'embarras. Il semble même que la majorité des personnes ressentent fréquemment de l'appréhension face à certaines circonstances sociales précises.

Ainsi, dans un sondage sur « les peurs des Français », 51 % environ des personnes interrogées mentionnent la crainte d'être dévisagées ou de parler en public [1]. Il s'agit sans doute d'une des trois peurs les plus courantes, avec celle des serpents et celle du vide ! De nombreux travaux scientifiques confirment que la crainte de parler face à un groupe est l'une des peurs les plus répandues dans n'importe quelle population d'adultes « normaux », autrement dit qui ne présentent pas de troubles psychologiques particuliers.

Mais beaucoup d'autres situations sociales peuvent revêtir un caractère dérangeant ou même angoissant. Bien que plus discrètes et banales, elles sont tout aussi gênantes, car beaucoup plus quotidiennes : certaines rencontres, certaines démarches, certains contextes, inévitables dans une journée d'être humain vivant en société, s'avèrent ainsi, selon les personnes et les moments, déstabilisants. Et ce, le plus souvent sans raison évidente, sans qu'il existe une menace apparente ou un danger quelconque : que peut redouter notre cadre lorsqu'il est observé par les autres passagers de l'avion, ou notre mère de famille au moment de parler devant ses amis militants politiques ? Le caractère absurde et irrationnel de ces moments d'anxiété sociale les rend particulièrement irritants aux yeux de ceux qui en sont victimes. « Je me demande toujours pourquoi je me mets dans des états pareils. Et depuis que je me pose la question, je n'ai toujours pas trouvé la réponse… », se demandent la plupart des personnes sujettes à ce type de malaise.

Une vieille histoire

Dans le chant VII de l'*Odyssée*, Ulysse connaît un moment d'intimidation avant de rencontrer le roi Alkinoos : « Il fit halte un instant : que de trouble en son cœur, devant le seuil de bronze ! » C'est le genre d'émotion que nous pourrions ressentir avant d'être reçu pour la première fois par un haut personnage : roi, président, ministre, mais aussi PDG, directeur, simple chef ou sous-chef… Bref, tout individu doté à nos yeux d'un peu de pouvoir ou de prestige ! C'est dire qu'éprouver de l'anxiété sociale n'est pas seulement le propre des timides et des âmes sensibles, puisque même l'intrépide guerrier et l'audacieux explorateur que fut Ulysse put en être victime ! Les exemples littéraires n'ont pas manqué depuis Homère, pour décrire sensations de trac ou moments d'intimidation.

Dans ses *Confessions*, Rousseau raconte par exemple comment il appréhende de rentrer dans une boutique : « Mille fois, durant mon apprentissage, et depuis, je suis sorti dans le dessein d'acheter quelque friandise. J'approche de la boutique d'un pâtissier, j'aperçois des femmes au comptoir ; je crois déjà les voir rire et se moquer du petit gourmand. Je passe devant une fruitière, je lorgne de l'œil de belles poires, leur parfum me tente ; deux ou trois jeunes gens tout près de là me regardent ; un homme qui me connaît est devant sa boutique ; je vois venir de loin une fille ; n'est-ce point la servante de la maison ? Ma vue me fait mille illusions. Je prends tous ceux qui passent pour des gens de ma connaissance ; partout je suis intimidé, retenu par quelque obstacle ; mon désir croît avec ma honte, et je rentre enfin comme un sot, dévoré de convoitise, ayant dans ma poche de quoi la satisfaire, et n'ayant osé rien acheter. »

Baudelaire parle ainsi d'un proche : « Un de mes amis, timide au point qu'il baisse les yeux même devant les regards des hommes, à ce point qu'il lui faut rassembler toute sa pauvre volonté pour entrer dans un café ou passer devant le bureau d'un théâtre, où les contrôleurs lui paraissent investis de la majesté de Minos, d'Éaque et de Rhadamanthe... »

Peu à peu, les médecins se sont intéressés au phénomène. Un grand psychologue français du début du siècle, Pierre Janet, injustement éclipsé par Freud, décrivit le premier dès 1909 les « phobies des situations sociales » : « Le caractère essentiel qui se retrouve toujours dans ces phénomènes terrifiants, c'est le fait d'être devant des hommes, d'être en public, d'avoir à agir en public. Aussi on pourrait ranger dans le même groupe les phobies du mariage qui sont si fréquentes, les phobies de certaines situations sociales, comme celle du professeur, du conférencier, la peur des domestiques, la terreur du concierge, etc. Toutes ces phobies sont déterminées par la perception d'une situation sociale et par les sentiments auxquels elle donne naissance [2]. »

Aujourd'hui, médecins et chercheurs s'efforcent d'expliquer de manière précise comment il se peut que, dans certaines situations sociales, nous nous sentions soudainement gênés et mal à l'aise, voire totalement bloqués, même si nous ne sommes pas vraiment timides.

Les situations en cause

Pour ressentir de l'anxiété sociale, il faut être en présence de quelqu'un ! Sur son île, Robinson Crusoé n'a jamais connu cette émotion pénible... du moins jusqu'à l'arrivée de Vendredi. Dès que nous avons un ou plusieurs interlocuteurs, les conditions sont réunies pour engendrer de l'anxiété et, ce, dans pratiquement toutes les situations sociales. Mais certaines sont plus fréquentes que d'autres.

Ainsi, le regard d'un groupe et la rencontre, surtout avec des personnes inconnues ou impressionnantes, représentent à première vue les principales situations sources d'appréhension sociale. En fait, une analyse plus fine des circonstances entraînant une anxiété sociale permet d'en identifier diverses catégories. Tout un courant de travaux portant sur les situations les plus redoutées par les personnes phobiques sociales, c'est-à-dire présentant une anxiété sociale très violente, a permis de les classer en quatre grandes familles [3]. Le tableau ci-après en résume les principales caractéristiques (voir p. 28).

L'anxiété de performance

« Dans les réunions de travail, j'ai souvent la bonne idée avant tout le monde, mais je n'ose pas l'exprimer : le regard et le jugement du groupe me paralysent. Le scénario est toujours le même : l'idée me vient, je me dis que je vais prendre la parole pour la proposer, et là, tout dégringole : mon cœur s'accélère, mes pensées s'embrouillent... Du coup, j'ai pris l'habitude d'entendre systématiquement un autre la proposer et recueillir les compliments... »

Les quatre grandes familles de situations sources d'anxiété sociale

Familles de situations	Exemples	Exigences supposées de la situation	Craintes
Accomplir une prestation ou une performance sous le regard d'autrui	Exposé ou lecture en public, tour de table ou prise de parole en réunion, examen oral, entretien d'embauche...	Être, ou paraître, performant	Peur de perdre ses moyens, de mal faire, de donner une mauvaise image de soi
Avoir une discussion informelle, superficielle ou approfondie	– Bavarder ou parler de la pluie et du beau temps avec un voisin, un collègue, un commerçant... – Faire la connaissance d'une personne inconnue, exprimer ses sentiments à quelqu'un...	Avoir quelque chose d'intéressant à dire	Peur de se révéler sans intérêt, sans conversation, sans repartie
Se faire entendre et faire passer son point de vue	Donner son avis, exprimer son désaccord, faire une réclamation...	Se montrer sûr de soi, et s'imposer	Peur d'échouer ou de déclencher de l'agressivité
Accepter d'être observé dans ses gestes quotidiens	Marcher, conduire, travailler sous le regard de quelqu'un...	Paraître à l'aise et naturel	Peur de révéler son émotivité et son malaise intérieur (en tremblant, rougissant, ayant l'air bizarre...)

Ces situations sont sans doute les plus redoutées par la majorité d'entre nous. Elles se définissent par les caractéristiques suivantes : le sujet a un message à transmettre, ou une tâche à effectuer en présence d'une personne ou d'un groupe qui sont là pour écouter ce message ou observer sa performance ; délivrant son message, le sujet est en point de mire du ou des auditeurs ; ceux-ci sont à même d'évaluer la qualité de sa prestation, tant dans son contenu que dans son contenant : la pertinence de ce qu'il exprime, et ses compétences à l'exprimer clairement, sans perturbation émotionnelle. Ces situations concernent surtout les prises de parole en groupe, mais des situations de prise de parole lors de tête-à-tête formalisés peuvent aussi s'avérer stressantes. Il n'existe pas alors un véritable « public », mais un interlocuteur habilité à évaluer et à juger : c'est le cas des examens oraux, des entretiens d'embauche, par exemple.

C'était le problème d'Émile, brillant chercheur en physique, qui rencontrait les plus grandes difficultés à trouver un emploi : à chaque entretien d'embauche, il perdait ses moyens de façon systématique, au point de donner de lui une image peu attractive. Comment cet homme rougissant et balbutiant, s'empêtrant dans un discours confus et des phrases interminables, allait-il pouvoir diriger une équipe de chercheurs et d'étudiants ?

Il est également possible de classer ces situations en deux familles, selon leur degré d'interactivité : après que le sujet a parlé ou agi, face au silence du ou des observateurs, y aura-t-il, dans un second temps, des questions, des réflexions, des remarques, etc. ? Certaines personnes redoutent surtout les situations interactives (entretiens d'embauche, débats, réunions, tables rondes, etc.) parce qu'elles craignent les propos critiques, agressifs, déstabilisants. D'autres sont plutôt mal à l'aise dans des situations non interactives (conférences ou cours à donner, texte à lire ou à réciter, partition à interpréter, etc.) parce qu'il leur est difficile de se trouver seul face à un public silencieux, ne montrant pas clairement ses réactions.

L'*appréhension de la prise de parole en public* a fait la fortune de beaucoup de monde : les livres, les méthodes, les stages et les séminaires proposant des techniques infaillibles pour la dominer sont foison... Les situations concernées ne le sont pas moins : prise de parole en milieu professionnel (donner son avis lors d'une réunion de travail, faire un exposé face à des collègues ou à des clients, etc.), en en milieu associatif (intervenir lors d'une réunion de copropriété, s'exprimer dans un groupe de militants), parmi des amis (le fameux « Un discours ! Un discours ! »), cours à donner, soutenances de thèse, opinion personnelle à exprimer sous le regard d'un groupe, lors de réunions « informelles », par exemple autour du distributeur de café de l'entreprise ou de la faculté...

La capacité à s'emparer de la parole devant ses pairs pour communiquer ses idées et ses convictions est une des caractéristiques des hommes de pouvoir. Jusqu'à une période récente, la rhétorique, l'art de convaincre, était une matière enseignée dans les universités. Il est paradoxal qu'à notre époque de communication exacerbée cet art de la prise de parole et de la persuasion soit réservé à ceux qui ont les moyens de se payer un conseil en communication... La difficulté de sortir du troupeau passif des visiteurs ou des spectateurs pour devenir acteur est bien traduite par Éric, un étudiant : « Quand je prends la parole dans un groupe, c'est comme si je me lançais dans le vide sans filet : tous les regards se tournent vers moi, mais si je tombe, personne ne me plaindra, surtout pas ceux qui sont restés tranquillement accrochés aux branches... »

Le trac des étudiants au moment de l'oral et celui des candidats au permis de conduire le jour de l'examen s'apparentent eux aussi à cette vaste famille de situations anxiogènes : combien de candidats recalés, non en raison de compétences insuffisantes, mais parce qu'ils se sentent paralysés au point de « perdre tous leurs moyens » ?

Mais l'anxiété n'est pas que du côté des élèves. Combien d'enseignants appréhendent la situation de devoir donner des cours ? Derrière des attitudes de sévérité se cache bien souvent la peur de ne pas « tenir sa classe ». Nous avons eu l'occasion de soigner un jeune instituteur venu nous consulter à l'origine pour un problème d'alcool ; après plusieurs consultations, il est apparu que sa crainte d'affronter des classes difficiles de banlieue, et aussi des parents d'élèves pas toujours aimables et avenants, était à l'origine de ses tendances à boire : il se sentait moins mal lorsqu'il avait un peu bu. La guérison de son alcoolisme impliquait au préalable celle de son anxiété sociale… Antoine, un autre de nos patients, enseignant dans un lycée, vivait un enfer lors des conseils de classe : alors qu'échanger des informations sur les élèves avec ses collègues entre deux portes ne lui posait aucun problème, donner ces mêmes informations devant le cercle solennel du proviseur et de tous les professeurs réunis autour d'une table le paralysait.

L'anxiété sociale pousse à rester dans le rang : combien d'élèves participant peu à l'oral se cantonnent pour le restant de leurs jours dans le rôle de spectateurs passifs des événements auxquels ils seront confrontés ? La route du pouvoir est comme jonchée d'obstacles pour les anxieux sociaux, et il leur faut des compétences extrêmes pour arriver malgré tout en haut de la pyramide. Philippe Pinel, le fondateur de la psychiatrie moderne, qui libéra les aliénés de leurs chaînes et se battit contre leur enfermement dans les prisons, faillit ainsi voir sa carrière compromise par sa timidité naturelle et un bégaiement assez pénible [4].

Particulièrement étudiée chez les personnes dont le métier leur impose de fournir des performances en public, nous l'avons vu pour les enseignants, l'anxiété sociale concerne aussi de très près le monde des acteurs et des musiciens : on peut alors parler d'*anxiété de la prestation artistique.*

Tout le monde connaît la repartie de Sarah Bernhardt, répondant à une jeune comédienne se vantant de ne jamais connaître le trac : « Cela vous viendra avec le talent. » Nombreux sont les comédiens à ressentir de manière incontrôlée une appréhension irrésistible avant de monter en scène. Le grand violoncelliste Pablo Casals déclarait : « La nervosité et le trac ne m'ont jamais quitté tout au long de ma carrière. » Carly Simon, une chanteuse américaine, dut abandonner sa carrière durant près de six années : « Lors du premier concert, après deux chansons, je ressentais encore des palpitations. J'ai bien cru que j'allais m'effondrer devant le public... Avant la seconde représentation, je me suis évanouie alors que dix mille personnes m'attendaient dans la salle. Plus le public était important, plus j'étais sûre de ne pas y arriver. »

L'*anxiété de la prestation sportive* n'est pas moins courante. En 1992, avant de remporter la finale du quatre cents mètres féminin aux jeux Olympiques de Barcelone, Marie-Josée Perec vomit dans les vestiaires, comme avant chaque grande épreuve. Comme d'autres, les sportifs sont soumis à l'anxiété sociale. Pas seulement eux d'ailleurs, puisque un arbitre international de football, avouait : « Il m'est arrivé, avant certains matchs... d'avaler une petite rasade de cognac, d'en imbiber deux sucres que je croquais, tout simplement parce que j'avais peur des joueurs et que je craignais de ne pas être à la hauteur. » C'est chez les sportifs que ce type de difficultés, que les spécialistes appellent « anxiété de performance », trouve son expression la plus claire et la plus spectaculaire. Perturbant un individu à chaque fois qu'il est conduit à effectuer une

prestation évaluable par un public, une performance explicite ou implicite, cette anxiété sociale n'est pas seulement
liée à ce qu'il y a d'objectivement impressionnant dans
une situation donnée. Le monde du sport nous en fournit
un bon exemple. Le trac du sprinter au moment de la
finale olympique du cent mètres se comprend : le regard
des quatre-vingt mille spectateurs du stade, celui de millions de téléspectateurs représentent une pression compréhensible. En revanche, celui qui saisit le joueur de tennis
du dimanche lors du petit tournoi de son club et qui lui
donne le « petit bras » ou les « jambes de plomb » est nettement plus subjectif : pas de foule frémissante, pas
d'enjeu capital, pas de conséquences négatives sur sa carrière en cas d'échec… Pourtant, la peur de perdre ou celle
de gagner le font jouer comme un pied. D'où le succès de
divers gourous et autres conseillers qui gravitent autour
des sportifs de haut niveau.

Les situations d'échange et de contact

Autant l'anxiété due à une prestation sous le regard
d'autrui peut paraître compréhensible, autant celle que
nous allons évoquer maintenant est plus déconcertante. Il
s'agit de situations d'interaction où un dialogue et un
échange sont nécessaires, où il n'y a ni performance ni
prestation à réussir et où on est censé adopter une attitude
active. Les exemples sont nombreux : engager la conversation avec une personne inconnue (un voisin de siège
dans l'avion, une personne avec qui l'on partage une
table dans un restaurant bondé…) ; être présenté à
quelqu'un et avoir ensuite à conduire une conversation
(lors d'un repas chez des amis, ou d'une réception) ;
flirter ; bavarder de tout et de rien avec des voisins croi-

sés dans l'escalier, des commerçants de son quartier, etc. Dans certains cas, il s'agit d'échanges sociaux superficiels : échanger des informations banales, avec des commerçants, des voisins, des inconnus, débuter une conversation, ou tout simplement y participer en répondant aux questions ou commentaires de l'interlocuteur. Dans d'autres cas, on peut être amené à aborder des informations plus intimes, revoir des personnes déjà rencontrées une fois, parler de soi, etc., voire très intimes comme d'exprimer ses sentiments, se dévoiler à quelqu'un que l'on aime... Certaines personnes sont mal à l'aise dans un cas mais pas dans l'autre.

Rémi, quarante-six ans, est directeur de grande surface. Il éprouve le plus grand mal à dialoguer avec son personnel.

> « Une fois que je leur ai dit bonjour, je ne vois plus très bien quoi ajouter : soit nous avons à parler du travail, et dans ce cas, aucun problème, soit ce n'est pas le cas, et je ne sais jamais sur quoi embrayer, de quoi parler. Je ne veux pas parler de banalités, comme du temps ou du film à la télé la veille au soir... Je n'aime pas du tout ce genre de moments, j'essaie d'ailleurs de les éviter au maximum. Je pense que mes salariés s'en sont aperçus. Mais je sais que beaucoup d'entre eux prennent ça pour du mépris. Ce n'est pas du tout ça. Mais comment leur expliquer ? »

Édith, informaticienne, nous expliquait fort bien à quel point elle redoutait les conversations qui s'éternisent.

> « Au début, tout va bien. Quand je rencontre un col-
> lègue dans les couloirs, nous échangeons quelques
> phrases. Je m'arrange ensuite pour vite conclure,
> sinon je vais commencer à me demander de quoi
> nous allons bien pouvoir parler et je vais me sentir
> très mal à l'aise... Jamais plus d'une ou deux
> minutes avec les gens... On m'imagine toujours
> pressée, débordée, et je préfère ça ! »

Marie-Odile est assistante de direction. Parmi les situations qu'elle redoute tout particulièrement figure l'accueil
des visiteurs de son patron. Lorsque ceux-ci se présentent
dans le hall de l'immense building de verre et d'acier qui
abrite en front de Seine la grande entreprise où elle travaille, elle doit aller les chercher et les conduire dans le
dédale des couloirs et des ascenseurs. Que dire alors ?
Comment meubler la conversation ?

> « Ne rien dire, c'est encore plus gênant pour moi
> que pour eux. Mais de quoi leur parler ? Je ne les
> connais pas, je vais passer quelques minutes avec
> eux, puis une heure après les reconduire dans l'autre
> sens... J'ai horreur de ces moments-là. »

Le trouble et la gêne sont bien entendu encore amplifiés
lorsque l'échange à mener se déroule auprès d'une personne pour qui l'on éprouve des sentiments. Stendhal
notait dans son journal intime : « Lorsque je vais faire une
visite à une femme que j'aime, le résultat de tout cela est
qu'avec elle, le premier quart d'heure, je n'ai que des mouvements convulsifs, ou une faiblesse subite et générale... »
Patrice nous racontait combien il appréhendait les rapports avec les petits commerçants.

« *Chaque fois que je le peux, je préfère aller dans les grandes surfaces. Je suis sûr que les hypermarchés, et de façon générale tous les libres-services, font des affaires en or grâce à des gens comme moi. Je suis totalement bloqué pour bavarder avec les commerçants : ça me coince, ça m'agace, ça me stresse à l'avance... En fait, je suis affreusement mal à l'aise dans ces situations : ces échanges convenus de banalités, ces phrases toutes faites, ces dialogues dont vous connaissez les répliques avant même qu'elles aient été prononcées... Je sais que ça n'a aucune importance, que ce sont des rituels sociaux, mais moi, ça me pèse. Le pire, c'est chez le coiffeur : subir les questions et la conversation, habillé d'une blouse grotesque en nylon, la tête penchée en arrière, avec les clients suivants qui écoutent... S'il existait des salons tenus par des sourds-muets, je serais client !* »

La compréhension de l'anxiété qui peut surgir dans ce type d'interaction passe clairement par la notion d'intimité. En fait, ce qui est redouté, ce ne sont pas seulement les personnes inconnues, mais finalement tout rapport humain nécessitant de s'impliquer personnellement, à un degré mineur (parler du temps qui n'est plus ce qu'il était avec un commerçant) ou plus important (exprimer ses sentiments ou dévoiler sa personnalité à quelqu'un). C'est ainsi que certaines personnes sont justement plus à l'aise avec des inconnus. Pour certains, ce ne sont pas les premières rencontres qui sont les plus délicates, mais les suivantes.

C'était le cas de Catherine :

« *Mon problème, c'est de revoir les gens. J'arrive à bien gérer toutes les "premières fois", je donne l'impression d'être à l'aise, et d'ailleurs je crois que je le suis à peu près. Dans ces moments-là, je n'ai pas encore l'impression qu'on me juge, c'est trop tôt... Les problèmes viennent ensuite. Quand je les revois, j'ai l'impression que les gens attendent alors quelque chose de moi, et que, s'ils ne l'obtiennent pas, ils vont porter sur moi un regard critique. Et je sais, ou j'ai l'impression en tout cas, que le risque de les décevoir est de plus en plus grand au fur et à mesure que nous nous revoyons. Ce qui est terrible, c'est que ça s'applique aussi bien à mon boulanger qu'à mes liaisons sentimentales. Je préfère faire des kilomètres pour éviter d'aller trop souvent chez le même commerçant : je ne veux pas devenir une "bonne cliente", à qui il se sentirait obligé de faire la conversation. Avec les hommes, c'est pareil : plus notre liaison avance, plus j'ai peur d'avoir épuisé tout ce qui est intéressant en moi. C'est comme si je ne disposais que d'une quantité limitée d'intérêt aux yeux des autres, qui se dilapiderait très vite... »*

Il est clair que le problème posé par la *quantité d'intimité supportable* et la durée possible de celle-ci recoupe dans bien des cas celui de l'anxiété de performance : mais ici, la performance attendue n'est pas clairement définie, comme lors d'un examen à passer. La difficulté rencontrée dans ces situations est double : quel degré d'intimité est tolérable, et surtout que risque de révéler à l'interlocuteur cette intimité ? Ce qui est en jeu ici, c'est finalement la peur de la « transparence » face aux regards des autres. Nous redoutons parfois que nos interlocuteurs ne puissent lire en nous comme dans un livre grand ouvert. Qu'ils ne puissent y lire nos émotions intimes, nos pensées, nos intentions : d'où, par exemple, l'appréhension d'aborder quelqu'un qui nous attire, avec l'intention de lui plaire, mais aussi parfois simplement pour lui demander l'heure. La situation est alors un peu la même que celle qui arrive aux enfants ou aux adolescents qui ont volé un bonbon ou un jouet : à partir du moment où l'objet du délit est dans leur poche, ils ont le sentiment que tous les regards qui convergent vers eux sont porteurs de réprobation ou lisent leur trouble et leur forfait. On éprouve alors la peur d'être démasqué et de décevoir en révélant sa nature profonde, sa vraie valeur.

Ces craintes gravitent, selon les situations, autour de trois dimensions : peur de révéler des manques, peur de révéler un secret culpabilisant, peur de révéler une anormalité sociale. La crainte que l'on s'aperçoive de leurs manques est très répandue chez les anxieux sociaux : manque d'intelligence, de culture, de choses intéressantes à dire, de décontraction et de naturel. Certains de nos secrets peuvent aussi parfois nous rendre mal à l'aise. Un de nos jeunes patients, complexé par sa virginité prolongée, était persuadé que celle-ci était lisible dans ses comportements avec les femmes, ce qui le poussait à éviter les contacts avec elles : cela ne résolvait bien sûr en rien son problème ! Quant à la peur de révéler son anormalité dans des échanges un tant soit peu personnalisés avec autrui, elle gravite souvent autour de la crainte que sa propre gêne ne soit repérée par l'interlocuteur et cataloguée comme « comportement bizarre ».

Luc en parlait ainsi :

> « Ce qui me tue, c'est que je ne peux jamais prévoir si je serai à l'aise ou non en parlant à quelqu'un. Et si je commence à me sentir un peu gêné, ou ennuyé d'être là, alors je suis sûr que la

personne le repère immédiatement, et alors c'est ter-
miné, je n'ai plus qu'une idée en tête, fuir la situa-
tion, car je sais que je vais me sentir de plus en plus
mal... »

Les situations où il faut s'affirmer

S'affirmer, c'est être capable de défendre ses droits,
d'exprimer ses envies, ses besoins, ses opinions face à
autrui [5]. Les difficultés à s'affirmer sont fréquemment liées
à des phénomènes d'anxiété sociale, dans des situations
telles que : refuser quelque chose à quelqu'un, demander
un dû ou un service, exprimer son désaccord, donner son
avis face à un groupe qui ne le partage pas, répondre à des
critiques et des reproches, faire une réclamation à un commerçant, etc. Par exemple, beaucoup des personnes qui
viennent nous consulter nous expliquent d'emblée qu'elles
ne savent pas « dire non ». Dire non à l'ami envahissant
qui leur demande un service gênant, au collègue qui veut
leur emprunter de l'argent, lorsqu'elles savent qu'elles
vont avoir le plus grand mal à le récupérer, dire non à
l'invitation qui les ennuie, au supplément de travail, etc.
Pour d'autres, c'est demander qui est anxiogène : réclamer de l'argent prêté, ou un livre qu'on ne nous rend pas.

« Quand je dois prêter quelque chose à quelqu'un,
je sais que je n'oserai jamais le lui réclamer s'il ne
pense pas à me le rendre de lui-même. En le faisant,
j'aurais l'impression d'être un radin matérialiste,
attaché à l'argent ou aux objets. Finalement, la situa-
tion s'inverse complètement : c'est l'autre qui est en

*tort car il ne me rend pas l'argent, ou le livre, mais
c'est moi qui culpabilise... »*

Un de nos patients, artisan plombier, avait été à deux
doigts de la faillite car il n'osait pas réclamer son dû
auprès de ses clients et relancer les mauvais payeurs. Un
autre, brocanteur improvisé après une arrivée en France
comme réfugié politique, faisait de très mauvaises
affaires : décontenancé quand ses clients criaient au vol
devant ses prix, il acceptait de les baisser à un point tel
qu'il ne faisait quasiment plus aucun bénéfice ! Un patient
du début du siècle tenait ces propos : « J'ai horreur, terreur
et désespoir de demander : il faut qu'on m'offre [6]. » L'une
de nos patientes, pourtant assistante sociale de son état,
éprouvait le plus grand mal à rentrer dans les magasins de
vêtements : elle redoutait de ne rien trouver qui lui
convienne et de devoir quitter le magasin sans avoir acheté
quoi que ce soit, sous le regard désapprobateur des ven-
deurs. À tel point qu'elle préférait alors payer pour
quelque chose qu'elle ne mettrait jamais afin d'éviter ce
malaise. De ce point de vue, les grandes surfaces et autres
self-services ont facilité (en apparence seulement, nous le
verrons) la vie de nombreux anxieux sociaux, en leur évitant le dialogue (qu'ils vivaient comme une menace, une
obligation), tout comme la vente par correspondance.

La nécessité d'annoncer des nouvelles désagréables
représente une variante intéressante de cette famille de
situations, même si elle n'est pas clairement perçue
comme angoissante par les intéressés.

Ainsi, l'attitude d'un employeur racontée par un de nos
patients :

*« J'avais bien compris que mon patron ne voulait
pas me garder à l'issue de ma période d'essai : il*

m'évitait, se montrait désagréable avec moi, me fai-
sait la gueule. J'aurais pu comprendre qu'il me dise
en face : "Voilà, vous ne faites pas l'affaire pour telle
et telle raison, on est désolés, mais ça ne colle pas,
on ne peut pas vous garder." Je ne lui aurais pas
sauté au cou, mais j'aurais compris... Alors que là,
cette attitude bizarre, cette façon de ne plus me
saluer, de me mettre à l'écart sans explications,
c'était vraiment pénible pour tout le monde : pour
moi, pour mes collègues, et même pour lui visible-
ment. Il n'était pas du tout à l'aise de devoir
m'annoncer la nouvelle. »

Le mécanisme est lié ici à la crainte de la réaction
d'autrui : que va dire ou faire la personne à qui on va dire
non ou adresser une réclamation, une demande
embarrassante ? Comment vont réagir les gens que l'on
s'apprête à contredire ou à critiquer ? La peur de contrarier, de mettre en colère, de faire souffrir ou d'irriter nous
pousse ainsi souvent à renoncer à des démarches qui relè-
veraient pourtant de nos droits les plus stricts. De nos
droits, mais aussi parfois de nos devoirs : les médecins,
qui sont souvent dans l'obligation d'annoncer des dia-
gnostics pénibles à leurs patients, savent combien la
démarche est embarrassante et même angoissante [7]...

Le regard d'autrui

Il est des moments aussi où un simple regard peut
mettre mal à l'aise. Ce n'est pas réservé aux grands
timides, comme on pourrait le croire. C'est le cas
lorsqu'on doit accomplir un acte banal sous le regard
d'autrui, sans que celui qui regarde soit en position de

juge ou d'examinateur patenté, mais simplement de façon accidentelle. Il n'y a donc ni nécessité d'une performance, ni retombées directes sur la relation avec autrui, ni jugement explicite de sa part. Les exemples sont légion : marcher sous le regard des autres (passer devant une terrasse de café bondée de monde, aller s'installer au premier rang dans une salle de conférence dont les derniers rangs sont remplis), manger, boire sous le regard des autres, conduire, faire un créneau pour se garer, travailler sur son ordinateur, alors que l'on est observé par une ou plusieurs personnes... Une employée municipale nous expliquait à quel point ce problème compliquait sa vie professionnelle :

> « Je suis incapable d'écrire quoi que ce soit si quelqu'un m'observe... Au guichet d'accueil où je travaille, lorsque je dois remplir un formulaire avec quelqu'un, je trouve n'importe quel prétexte pour me réfugier dans la pièce du fond avec le papier et écrire à l'écart. J'explique à mon supérieur que j'ai une excellente mémoire lorsqu'il s'étonne de ne pas me voir prendre des notes quand il me donne des consignes. Toute seule, je n'ai aucun problème pour écrire, mais dès que je suis avec quelqu'un, mes doigts se crispent sur le crayon, ma main tremble, tout mon corps transpire. Et je ne peux plus rien faire. »

Il semble par exemple que Napoléon III ait été victime de ce type de difficulté : « Quelqu'un [...] me parlait de son hésitation lorsqu'il devait entrer, le dimanche, dans la chapelle des Tuileries pour y entendre la messe. Il se savait regardé, il se disait que dans un moment il serait le point de mire de l'assemblée. Alors il se redressait, s'étudiait avant d'entrer, faisait un pas en avant, un autre en arrière, puis brusquement se décidait à pénétrer dans la chapelle et gagnait sa place, lui, l'empereur, intimidé sous les regards [8]. »

L'inconfort à être observé fait partie du monde animal : chez les mammifères, le regard fixe sur l'autre est une façon d'asseoir sa dominance. L'animal dominant fait baisser le regard du dominé ; si ce dernier, par inconscience ou désir d'en découdre, refuse, il y a conflit et combat, escalade de la violence. On retrouve ce mécanisme dans les conflits de bistrot ou de boîte de nuit sur le thème du « Tu veux ma photo ? » ou du « Qu'est-ce qu'elle a ma gueule ? ». Le regard peut être dans certains cas offense et agression, viol de l'intimité et provocation. Il peut être aussi porteur d'un excès d'intimité : c'est ce que l'on peut observer dans un ascenseur bondé, ou dans les transports en public aux heures de pointe. Les regards s'évitent alors naturellement : la quantité d'intimité physique imposée est telle qu'on n'en rajoute pas.

Le malaise que chacun de nous peut ressentir dans ces moments peut donc être considéré comme caractéristique de l'espèce humaine. Cette situation ne devient problématique que si elle est fortement redoutée, et donc systématiquement évitée. Ainsi, un de nos patients étudiant en histoire redoutait d'entrer dans l'amphithéâtre de la faculté s'il n'était pas là au moment de l'ouverture des portes. À la bibliothèque universitaire, il devait aussi arriver dans les premiers, une fois installé ne pouvait pas se lever chercher un livre, devait partir le dernier, et avait intérêt à ne pas avoir envie d'aller aux toilettes. Une autre, employée de ministère, nous racontait comment, craignant d'être en point de mire d'un groupe, elle évitait de prendre la parole dans les réunions de travail, mais aussi de s'asseoir à côté de ceux dont elle savait qu'ils allaient prendre la parole :

« Être assise. à côté de quelqu'un qui parle dans un groupe, je n'aime pas ça. Tout le monde se met à regarder dans ma direction ; je ne sais pas si c'est moi qu'ils regardent un peu aussi, je ne sais pas dans quelle direction regarder, quelle posture adopter, quelle tête faire. Je dois donner tous les signes extérieurs d'embarras. Je me dis : "C'est bien ma veine !"… De toute façon, comme je n'aime pas ça, c'est toujours sur moi que ça tombe ces histoires ! Se trouver à côté de quelqu'un qui fait scandale à la caisse d'un supermarché ou dans la file d'un cinéma, casser un objet chez des invités, déclencher l'alarme antivol dans un grand magasin… »

Parfois, point n'est besoin du regard. L'audition suffit : jouer d'un instrument alors qu'on peut être écouté bloque certains musiciens amateurs qui ne se sentent à l'aise que, portes et fenêtres fermées, dans la certitude que personne ne va écouter attentivement leurs fausses notes… De façon générale, les personnes redoutant ce type de situation feront tout pour ne pas arriver en retard au cinéma, au théâtre, dans l'avion, dans une soirée, à un repas, une réunion ou un cours…

Une hiérarchie de nos peurs sociales ?

On évalue à moins de 10 % d'une population donnée les personnes qui ne ressentent jamais d'anxiété sociale dans l'ensemble des contextes que nous décrivons [9]. C'est dire que la gamme est large des situations potentiellement anxiogènes dans le champ des relations sociales. Chacun s'avère plus particulièrement sensible à l'une ou l'autre de ces catégories : certains se sentent gênés d'être observés en train de faire un créneau pour se garer, mais peuvent par contre s'affirmer en réclamant d'être servis plus vite au restaurant ; d'autres redoutent de parler en public mais n'ont aucune crainte dans les entretiens individuels, etc.

Ces situations, par ordre de fréquence, peuvent être figurées sous la forme d'une pyramide : la base, donc les situations pouvant entraîner de la crainte chez la plupart des personnes, est occupée par le premier groupe et chaque « étage » supplémentaire de la pyramide sous-entend que les étages en dessous sont aussi objets d'anxiété. Ainsi, la peur de se dévoiler implique presque toujours celle d'accomplir une prestation sous le regard d'un groupe (étage précédent) mais pas forcément celles de s'affirmer ou d'être observé. En revanche, si la crainte d'être observé est présente, on peut retrouver en général toutes les autres craintes.

La pyramide de nos peurs sociales

Certains sujets, nous le verrons, peuvent présenter la peur de quasiment toutes ces situations. C'était le cas de Nathalie.

> *« J'ai peur de tout. J'ai eu peur de venir vous consulter, peur de prendre le rendez-vous, peur du regard de vos secrétaires, de celui des autres personnes dans la salle d'attente. J'aurai peur du regard*

des gens dans la rue quand ils vont me voir sortir d'ici, peur de rentrer dans la boulangerie acheter du pain, peur de croiser un voisin dans l'escalier. Chez moi, j'aurai peur de décrocher le téléphone sans savoir qui m'appelle... Au travail, j'ai peur de prendre la parole dans les réunions, j'ai même tout simplement peur d'y assister et de devoir répondre à des questions. Dans ma vie, j'ai peur de rencontrer des gens qui me plaisent, car j'ai peur de ne pas leur plaire... »

Notons que beaucoup de situations courantes impliquent la coexistence de ces différents mécanismes. Ils appartiennent donc plus ou moins aux quatre groupes que nous venons de décrire : ainsi, nous observions récemment à la télévision un de nos amis, écrivain, venu présenter son dernier ouvrage dans une émission de télévision grand public dont l'animateur était réputé pour sa turbulence et son impertinence. Ce fut pour lui une épreuve, qui renvoyait à nos quatre catégories : anxiété de la performance en public, anxiété de la révélation de soi, à travers les questions très personnelles posées par l'animateur, affirmation de soi (comment le remettre à sa place à chaque fois que nécessaire, sans paraître pour autant trop hostile), être observé (ne pas savoir à quel moment les caméras vont, à son insu, faire un gros plan sur ses mains tripotant un stylo, ou sur une mimique affolée...).

Un mécanisme commun

Toutes ces situations ont finalement quelque chose en commun : *elles exposent au regard et au jugement de l'autre.* Pour beaucoup de chercheurs, l'anxiété sociale est

assimilable à une anxiété d'évaluation. Toutes les situations où nous sommes évalués par les autres peuvent nous
inquiéter, parfois jusqu'à l'angoisse. C'est le cas de l'étudiant qui panique au moment de l'examen, même à
l'écrit : ici, il y a plus une anxiété d'évaluation qu'une
anxiété sociale proprement dite. Le même étudiant
panique probablement aussi à l'oral : c'est que son anxiété
d'évaluation se double alors d'une anxiété sociale, qui est
fonction du regard d'autrui.

Mais que se passe-t-il donc chez nous lorsque nous
sommes immergés dans des situations qui nous mettent
mal à l'aise ? Nous allons voir que nos peurs, quelles
qu'elles soient, comportent trois types de manifestations :
émotionnelles, comportementales et cognitives.

Chapitre 2

Le tumulte du corps

« Quand notre cœur fait boum… »
Charles Trenet

*« C'est plus fort que moi, et carrément incontrô-
lable : cette sensation que mon corps s'affole, me
trahit et se dérobe au lieu de me soutenir et de
m'aider à affronter la situation. La première chose
que je repère, c'est mon cœur, qui se met à battre de
plus en plus fort : c'est lui qui donne l'alerte, c'est le
signal d'alarme. À partir de ce moment-là, je m'aperçois que je suis mal physiquement : bouche sèche,
mains moites, sensation de tremblement dans tout
mon corps… Je sais qu'il suffit qu'on me regarde
pour que je devienne toute rouge. Bref, dans un état
pareil, j'ai déjà perdu 80 % de mes moyens, avant
même que je n'aie pris la parole. Alors, vous imaginez : impossible de dire des choses avec lesquelles
les autres seront en désaccord, je ne serai pas en état
de soutenir un débat serré. Et puis, dire des choses
avec lesquelles tout le monde est d'accord, à quoi*

> bon ? Alors je me tais, comme d'habitude, en espé-
> rant que ma gêne n'aura pas été remarquée, et que
> mon silence ne sera pas compris comme du
> désintérêt... »

Les mots de l'angoisse

La première conséquence perçue par celui qui souffre d'anxiété sociale au moment où il affronte les situations stressantes pour lui, c'est ce tumulte du corps que décrit la jeune femme de notre exemple. La plupart des personnes interrogées sur leurs problèmes de trac, de timidité, etc., mettent spontanément en avant ce phénomène ; pour décrire leur trouble, elles insistent sur ces manifestations d'angoisse [1]. De fait, l'angoisse est en grande partie identifiable à ses manifestations corporelles, physiologiques. Étymologiquement, d'ailleurs, tous les mots rattachés aux sentiments d'appréhension évoquent des symptômes d'ordre physique : angoisse vient du latin *angere* (serrer), pour évoquer les sentiments d'oppression thoracique, de serrement de l'estomac, de la gorge alors ressentis ; crainte dérive d'un autre mot latin *tremere* (trembler), altéré en *cremere* en latin de Gaule, probablement par croisement avec un mot gaulois contenant le radical *crit* (retrouvé dans l'irlandais *crith* frisson) ; peur provient du latin *pavor* (effroi, épouvante, avec l'idée très forte d'un affaiblissement physique, d'une sidération) ; frayeur est issu de *fragor* (bruit éclatant, vacarme) ; panique se rapproche de cet esprit : son origine est obscure, mais sans doute dérivée du mot grec *panikos* (du dieu Pan, dont l'apparition aux mortels était réputée terrifiante, et dont un des stratagèmes pour effrayer ses ennemis était de provo-

quer un vacarme… effrayant !) ; trouille signifiait, en
moyen français, colique, ou gros pet ; pétoche dérive du
latin *pedere* (péter) pour évoquer les mêmes troubles
digestifs liés aux états anxieux ; émotion, du latin *motio*
(mouvement), trouble, frisson ; émoi, de racine différente
malgré les apparences, dérive du bas latin *exmagare,*
priver quelqu'un de ses forces. Ce petit tour d'horizon éty-
mologique nous rappelle combien, parmi les troubles
anxieux, l'anxiété sociale se manifeste par des symptômes
corporels.

Un inventaire à la Prévert

Les symptômes ressentis sont infiniment variés. Une
liste établie par des chercheurs à partir d'interviews de
personnes à très forte anxiété sociale recensait, par ordre
de fréquence, les manifestations suivantes (cherchez les
vôtres !) [2]: palpitations, tremblements, transpiration, tension des muscles, nœud dans l'estomac, bouche et gorge
sèches, sensations de chaud et froid, rougissements, maux
de tête, sensation de pression dans le crâne, impression
d'évanouissement. Mais bien d'autres existent encore !

Il n'est donc pas étonnant qu'un certain nombre
d'anxieux sociaux soient persuadés que leur problème est
d'ordre physique. Ils ont consulté des médecins, pratiqué
des examens de sang, des électrocardiogrammes, des radio-
graphies diverses, et essayé des médicaments, sans grand
résultat. Parfois les manifestations physiques prennent des
formes inhabituelles (par exemple, envie d'aller à la selle
ou de vomir). C'était le cas d'un homme de cinquante ans :

> « *J'ai toujours été intimidé par les autres, mais
> mon boulot m'évitait d'avoir des contacts. Aussi,*

lorsque l'on m'a dit que j'allais être affecté dans un service où se tenaient régulièrement des réunions, j'ai su que ça n'irait pas sans mal. Eh bien, dès le premier jour, j'ai commencé à avoir souvent envie d'uriner et il fallait que je m'absente régulièrement des réunions, tant j'avais peur de ne pouvoir me retenir... À mon âge, j'ai même cru que c'était la prostate, alors que c'était bel et bien le stress... »

L'intensité de ces manifestations physiques d'anxiété sociale est très variable selon les personnes et les circonstances. Chez la plupart des gens, elles sont discrètes : l'anxiété sociale que nous ressentons tous au moment de parler en public déclenche en nous un ou plusieurs des symptômes décrits plus haut. Parfois, ceux-ci ne sont même pas conscients : c'est l'entourage qui remarque la « nervosité » du sujet et la lui signale... Dans d'autres cas, ces manifestations sont plus intenses et gênantes ; elles peuvent aller jusqu'à un véritable paroxysme. Dans certains cas extrêmes, l'anxiété prend la forme de ce que l'on appelle une attaque de panique : la personne sent monter une sensation de perte de contrôle complète et peut redouter de mourir ou de devenir folle.

Écoutons Sophie, qui raconte une telle panique, survenue lors d'un séminaire de formation professionnelle :

« Au moment de passer à mon tour sur l'estrade et de parler dans le micro, j'ai complètement perdu les pédales, je me suis effondrée, incapable de dire un mot, sidérée. Je ne comprenais plus rien à ce qui se passait, j'étais totalement incapable de réagir, d'agir de façon raisonnée. D'ailleurs, je ne me souviens plus clairement de ce qui s'est passé, sinon que les gens ont été très gentils et compréhensifs avec moi. »

On retrouve de telles attaques de panique dites situationnelles (en rapport avec une situation précise) dans diverses phobies : ainsi, les agoraphobes (peur des lieux publics, des endroits éloignés de chez soi, d'où l'on ne peut s'échapper facilement) peuvent ressentir de telles attaques dans les supermarchés, les cinémas bondés, dans les embouteillages sur un périphérique urbain, etc. Les phobiques sociaux, eux, les redoutent plutôt dans des moments tels qu'une prise de parole devant un groupe ou une personne très impressionnante. Dans certains cas, la différence entre les deux n'est pas évidente, les lieux redoutés par les agoraphobes étant souvent des endroits où l'on peut rencontrer aussi beaucoup de monde... De plus, certaines agoraphobies peuvent être associées à une phobie sociale. Mais ceci est une autre histoire...

Ce qui se voit et ce qui ne se voit pas

Ces manifestations peuvent en fait se répartir en deux groupes, selon qu'elles sont ou non visibles ou perceptibles par l'entourage.

Les manifestations à caractère « interne », telles que les palpitations ou le nœud dans l'estomac, revêtent un caractère de gêne intime d'autant plus intense qu'elles altèrent les performances relationnelles : la boule dans la gorge, les tremblements, les sueurs froides ne facilitent en rien nos échanges avec autrui.

Mais les symptômes les plus redoutés sont bien sûr ceux qui sont autant de signaux adressés à l'entourage et révélant, contre notre gré, notre état de malaise : le rougissement, les tremblements en font partie.

Jean-Charles est au chômage depuis un an. Il est particulièrement gêné par ses manifestations physiologiques d'anxiété sociale.

VOIX

> « *C'est surtout ma voix qui se met à devenir incontrôlable : je commence normalement les deux premières phrases, puis ça commence à trembloter, à chevroter, le volume diminue, comme un transistor dont la pile serait en train de se vider ; au bout d'un moment, le plus terrible, c'est que les gens repèrent mon problème et me font répéter, et ça devient de plus en plus dur pour moi. Je me mets à trembler, j'essaie de cacher mes mains, mais si j'ai un document à remettre, ou à signer, ça se voit irrémédiablement... »*

L'un de nos patients, Jacques, peintre en bâtiment, effectuait souvent des petits travaux de peinture à domicile pour des particuliers. Il appréciait ce genre de chantier, mais redoutait les rapports avec ses clients. Par exemple, il n'acceptait jamais une invitation à prendre un verre ou un café, car plusieurs fois il s'était retrouvé en situation délicate, ses tremblements faisant tintinnabuler bruyamment sa cuillère dans sa tasse. Il expliquait aussi qu'il refusait toujours de mettre des glaçons dans son verre pour les mêmes raisons sonores !

Entre les deux se situent des manifestations à caractère plutôt interne, mais qui peuvent dans certaines circonstances devenir « externes ». Une intéressante étude sur l'anxiété sociale des musiciens montre ainsi comment, en fonction de l'instrument joué, certaines manifestations sont plus spécifiquement redoutées : les joueurs d'instruments à vent (trompette, hautbois) craignent plus particulièrement que le trac ne leur donne une sécheresse de la bouche, très gênante dans leur cas. Les pianistes appréhendent le tremblement. Pour les violonistes et autres instrumentistes à cordes, c'est la moiteur des mains, etc.[3]. Une étudiante, fort brillante, était quant à elle gênée par les réactions « bruyantes » qu'avait son corps dans certaines situations sociales.

> « Ce que je redoute le plus, c'est d'être à un concert. Je commence à saliver de plus en plus et bientôt, je ne peux m'empêcher de déglutir, ce que mes voisins ne peuvent manquer d'entendre. Je deviens de plus en plus anxieuse et je salive encore plus... J'en suis arrivée à éviter de me retrouver dans tous les endroits où le silence est de rigueur, comme les salles de spectacle et même les églises. »

Un autre patient exprimait, si l'on peut dire, son anxiété sociale par son ventre : c'étaient les gargouillis qu'il redoutait le plus et qui survenaient dès qu'il ressentait une gêne sociale.

Les mains moites peuvent aussi représenter un symptôme particulièrement gênant, à caractère interne et externe. Surtout dans notre pays, où il est habituel de se serrer la main sous n'importe quel prétexte, ce qui n'est pas le cas par exemple chez les Anglo-Saxons, toujours étonnés de notre empressement à saisir les mains des personnes que nous rencontrons tout au long d'une journée. Nous nous souvenons aussi d'une de nos patientes qui redoutait particulièrement d'avoir à serrer la main, tant son émotivité entraînait chez elle ce que les médecins appellent de l'hyperhidrose (exagération de la sécrétion sudorale). Elle avait recours à toutes sortes de stratagèmes pour ne pas avoir à le faire : porter des gants, avoir toujours des dossiers dans les bras, pour n'avoir à tendre que le coude, ou risquer carrément de passer pour impolie, en saluant tout en restant à distance.

Un autre sujet atteint du même symptôme avait un jour observé que lorsqu'il présentait des documents avec des transparents par rétroprojecteur, ses mains moites laissaient des auréoles : depuis, il s'abstenait systématiquement d'utiliser ce type de matériel ou demandait à sa secrétaire de s'en charger ; celle-ci devait alors être présente à ses côtés à chaque présentation orale, ce qui lui compliquait terriblement la vie et engendrait des rumeurs dans l'entreprise…

La trahison du corps

L'émergence brutale de toutes ces manifestations physiques n'est pas sans poser de nombreux problèmes.

Une fois qu'elles sont enclenchées, il s'avère très difficile de les arrêter. Au contraire, les efforts accomplis peuvent très bien aggraver encore la situation, par différents mécanismes : le fait de se focaliser sur ces symptômes les amplifie, la gêne ressentie augmente encore l'anxiété sociale, etc.

Il n'est jamais très agréable d'être totalement transparent à autrui ; la lisibilité complète de nos états émotionnels accroît encore notre vulnérabilité. Le regard d'autrui porté sur nous représente une épreuve si nous avons le sentiment, justifié ou non, que ce regard nous met à nu, nous sonde, nous évalue sans que nous ayons la moindre possibilité de dissimuler notre intimité. Ainsi, la gêne à être regardé, avec plus ou moins d'insistance, dans les yeux est très répandue. Bien qu'elle soit sans doute en partie « animale » et instinctuelle, elle est apparemment plus fréquente dans certaines cultures : nous le verrons à propos des anxiétés sociales chez les Japonais. Il ne fait pas de doute qu'elle renvoie très directement à la crainte de la lecture de pensées, ou plutôt à la lecture des émotions et des sentiments ressentis. Le sujet redoute alors particulièrement que son émotion ne soit découverte, au moment précis où il souhaiterait au contraire la contrôler, ou alors qu'il n'a pas encore réussi à la clarifier...

« Timiderie de l'âne en peine », un poème pour enfants de Claude Roy, illustre joliment ce trouble :

> Je n'aime pas qu'on me regarde.
> Je me sens bien embarrassé.
> Je rougis quand on me regarde ;
> Je bafouille et je suis compassé.
>
> J'ai chaud, j'ai peur, j'ai froid, j'ai chaud.
> Je suis tout rouge et je pâlis.
> Ils me regardent de leur haut.
> Ils me regardent. Je blêmis.
>
> J'essaie d'avoir l'air dégagé.
> Je suis le triste chien qu'on traîne.
> J'essaie de prendre l'air léger.
> Mais je me sens pauvre âne en peine.

La crainte du regard porté sur ces manifestations est, nous le verrons, une constante des états d'anxiété sociale. Elle peut tourner à l'obsession et suffire à elle seule à déclencher l'anxiété, dans une spirale infernale. C'est ce que les comportementalistes appellent un conditionnement négatif : une circonstance donnée (situation sociale) est associée à des sensations désagréables, dites « aversives » (manifestations physiques d'angoisse), et est donc évitée par la suite. Tennessee Williams décrit dans ses Mémoires un phénomène de ce type :

« Je me souviens du moment précis où j'ai commencé

à rougir pour un rien. Je crois que ça s'est passé pendant un cours de géométrie. Je regardais de l'autre côté de l'allée, quand une fille brune très jolie m'a fixé droit dans les yeux. Au même instant, j'ai senti que je rougissais. Je devins encore plus rouge après l'avoir regardée une deuxième fois. Mon Dieu, ai-je pensé, et si cela devait m'arriver chaque fois que je croiserai le regard de quelqu'un d'autre ? *Aussitôt que j'eus imaginé cette vision de cauchemar, elle devint réalité.* À partir de ce moment-là, et presque sans relâche au cours des années suivantes, je rougissais chaque fois qu'une paire d'yeux rencontraient les miens. »

Le phénomène parfois décrit de la « peur de la peur », c'est-à-dire la crainte de voir revenir ces symptômes physiques d'anxiété, n'est pas autre chose.

Tu as rougi !

Si l'on se penche plus attentivement sur les manifestations physiologiques d'anxiété, on peut retrouver à la fois des traits communs à tous les états anxieux, mais aussi des symptômes caractéristiques de l'anxiété sociale. C'est le cas en particulier du rougissement. Ce problème est d'ailleurs au centre des préoccupations de très nombreuses personnes. À tel point que les spécialistes ont éprouvé le besoin d'inventer un nom, l'éreutophobie, pour désigner la peur de rougir.

Cette éreutophobie est visiblement une difficulté éternelle. Dans une des plus anciennes descriptions connues des problèmes d'anxiété sociale, Hippocrate parlait de certains sujets au comportement très évocateur : « Il aimera vivre dans l'obscurité, ne pourra pas supporter la lumière ou les endroits éclairés. Son chapeau cachant toujours ses yeux, il ne pourra voir ou être regardé malgré sa bonne volonté [4]. » Hippocrate décrit ici, sans parler directement de la peur de rougir, des comportements sociaux très évocateurs : éviter la pleine lumière qui révélerait le rougissement, se masquer derrière un chapeau, crainte du regard qui amplifierait le rougissement…

Érythrose ou éreutophobie ?

Les mots grecs *erythros* et *ereuthos* (« rouge ») ont inspiré deux termes au langage médical. L'érythrose d'une part, qui est une « grande facilité à rougir [5] », et l'éreutophobie d'autre part, qui est l'angoisse obsédante de la survenue de ce rougissement ; dans ce dernier cas, l'érythrose, bien réelle, devient objet de phobie.

De fait, beaucoup de personnes « rougisseuses » ne sont pas des éreutophobes : elles sont souvent gênées ou agacées par leur tendance à rougir facilement, mais ne sont pas phobiques pour autant.

À l'inverse, les sujets éreutophobes aggravent leur tendance à l'érythrose à cause précisément de leur peur de rougir : en anticipant le rougissement, ils font monter leur anxiété, et donc en facilitent l'apparition ; lorsqu'ils rougissent en situation sociale, ils se focalisent sur leur rougeur au lieu de penser à la conversation, et du coup prolongent leur malaise.

Ces réflexes sont très difficiles à abandonner, et malgré sa bénignité apparente aux yeux des autres, l'éreutophobie est longue à guérir. La phrase clé qui signe le début de la guérison, c'est lorsque la personne éreutophobe dit à son thérapeute : « L'autre jour, j'ai rougi, mais cela m'a moins gênée que d'habitude… » Nous expliquons d'ailleurs dès le début du traitement que guérir de son éreutophobie, ce n'est pas ne plus jamais rougir, mais c'est ne plus être totalement déstabilisé par son rougissement.

De belles descriptions ont aussi été données par les psychiatres aliénistes du XIXᵉ siècle, qui étaient de merveilleux observateurs de leurs contemporains. Identifiée par un médecin berlinois, Casper, en 1846 [6], l'éreutophobie fut ensuite étudiée en France par Pitre et Régis. Mais écoutons Pierre Janet, maître français du XXᵉ siècle débutant, décrire le trouble dans son ouvrage princeps, *Les Névroses*, paru en 1909 : « Lorsqu'il se sentira exposé aux regards, particulièrement à ceux de l'autre sexe, la crainte de rougir viendra l'assaillir et la honte anticipée empourprera son visage, toute lutte est inutile : sous l'influence de la volonté, la face peut présenter d'abord une pâleur légère, remplacée bientôt par la rougeur redoutée [...]. Cette crainte constante à chaque instant réalisée devient pour l'individu un supplice de Tantale renversé ; du naturel peut-être le plus hardi et le plus sociable, il deviendra d'une timidité et d'une sauvagerie ridicules ; il évitera toutes les occasions de se produire, il recherchera la solitude ; les devoirs de société et quelquefois les devoirs professionnels lui deviendront horriblement pénibles ; sa vie sera littéralement brisée par une niaiserie [7]. »

La littérature est elle aussi pleine de semblables exemples, dont le plus charmant est sans doute l'histoire de Marcellin Caillou, racontée et illustrée par Sempé, décrivant la vie d'un petit garçon atteint d'éreutophobie : « Le petit Marcellin Caillou aurait pu être un enfant très heureux comme beaucoup d'autres enfants. Malheureusement, il était affligé d'une maladie bizarre : il rougissait. Il rougissait pour un oui, pour un non.

Heureusement, me direz-vous, Marcellin n'était pas le seul à rougir. Tous les enfants rougissent. Ils rougissent quand ils sont intimidés ou qu'ils ont fait une bêtise.

Mais ce qui était troublant dans le cas de Marcellin,

c'est qu'il rougissait sans aucune raison. Ça lui arrivait au moment où il s'y attendait le moins. Par contre, au moment où il aurait dû rougir, eh bien, dans ces moments-là, il ne rougissait pas…

Bref. Marcellin Caillou avait une vie assez compliquée… Il se posait des questions. Ou plutôt une question, toujours la même question : pourquoi je rougis ?

Il n'était pas très malheureux, simplement il se demandait comment, quand et pourquoi il rougissait [8]… »

Une de nos patientes décrivait ainsi ses difficultés personnelles :

> « J'ai toujours eu tendance à rougir pour rien. Il suffit qu'une situation soit gênante, d'un silence, d'un regard appuyé, et je deviens écarlate. Je me souviens très bien du jour où ma peur de rougir a commencé : c'était à l'école, et un vol venait d'être commis dans la classe ; on avait dérobé de l'argent dans le manteau d'un des élèves de ma classe. L'institutrice nous a tous réunis solennellement, et s'est adressée à nous en demandant au coupable de se dénoncer. Naturellement, je n'étais pour rien dans ce vol. Mais pendant les pénibles minutes de silence, durant lesquelles l'institutrice dévisageait froidement les élèves, je me sentais devenir de plus en plus rouge, et de plus en plus mal à l'aise, craignant que mon rougissement ne soit interprété comme un aveu de culpabilité. Il me semblait que tout le monde pensait que j'étais la coupable. L'institutrice eut l'intelligence de ne pas souligner mon rougissement, mais de ce jour, je fus surnommée "la voleuse" par le reste des élèves… Maintenant, le pire c'est que je peux me mettre à rougir de manière absurde, sans raison manifeste. Il suffit même que je me dise qu'il ne faut

pas rougir pour que je rougisse. Ou bien que je le remarque : si je me dis : "tiens, tu ne rougis pas", ça me fait rougir... »

La hantise des éreutophobes, c'est que leur trouble soit identifié par leur entourage. L'un d'eux nous racontait comment il était en permanence aux aguets pour surveiller la survenue des « alertes rouges » (les signes avant-coureurs de rougissement), et comment rougir devant autrui représentait pour lui un véritable « suicide social » (il se sentait alors définitivement humilié et déconsidéré) ; il disait à ce propos : « Je préfère me taire ou jouer à l'imbécile que prendre le risque de rougir en me mettant en avant ou en m'opposant. » C'est pour cela que le timide éreutophobe décrit par Hippocrate évite les endroits éclairés et se cache derrière un large chapeau... Les anciens auteurs décrivaient comment les femmes souffrant de ce problème avaient volontiers recours à l'éventail pour dissimuler leur visage dans les lieux publics. De tout temps aussi, le maquillage a permis de dissimuler sous d'épaisses couches de fard des rougissements inopinés. L'une de nos patientes nous révélait quel subterfuge elle utilisait pour cacher son rougissement :

> « J'ai toujours avec moi un mouchoir ou des Kleenex. Dès que le rougissement apparaît, je prétexte une crise d'éternuements et je me mouche avec vigueur. Les gens ne sont donc pas étonnés de voir mon visage tout rouge après ça... Mieux vaut passer pour une enrhumée chronique ! »

Les éreutophobes redoutent particulièrement certaines situations, comme se rendre dans un salon de coiffure. Être assis sous le regard permanent d'un coiffeur et se voir rougir peu à peu en double, triple ou quadruple exemplaire selon la quantité de miroirs environnants représente une épreuve peu confortable ! C'est qu'une fois identifié, le rougissement peut être l'objet de moqueries ou de suspicions. Le « tu as rougi », si répandu dans les cours de récréation et destiné à faire rougir encore plus, est bien connu...

Les affres d'un éreutophobe

« Qu'une personne déclare en ma présence : On a volé mon parapluie, et tout aussitôt, je me trouble, je change de couleur. Moi qui, pourtant, ne peux souffrir les parapluies, qui ne m'en sers jamais, qui ne pourrais avoir la moindre distraction à l'égard de ces instruments ! Oui, je prends instantanément un "air de circonstance", un air qui ne peut manquer de paraître louche à tous les yeux. J'éprouve le besoin de me disculper. Je bredouille. J'improvise deux ou trois histoires, parfois mensongères, pour établir que j'ignorais l'existence de ce parapluie, que j'étais absent quand ce parapluie a disparu... »

Georges Duhamel, *Le Journal de Salavin* (1927)

Les principales caractéristiques de l'éreutophobie sont donc : survenue facile d'un rougissement dans de nombreuses situations sociales, souvent fortement corrélées à la notion de regard d'autrui ; le sujet ne peut contrôler son rougissement ; au contraire, les tentatives de contrôle, comme les remarques de l'entourage amplifient le phénomène ; ruminations et interrogations sur le pourquoi profond du rougissement, « comme si un bossu ne voulait plus penser à sa bosse », disait un patient du début du siècle [9] ; le déclenchement en est parfois absurde, sans que le sujet soit directement concerné par la situation (« si on parle d'un méfait, par exemple, ils rougissent comme s'ils étaient coupables [10] »). Dans certains cas, le rougissement peut même survenir lorsque la personne est seule. Il suffit qu'elle songe à une situation passée où elle a pu ressentir de la gêne ou bien à une démarche à venir qui lui en procure par avance.

En fait, il semble que toute émotion, ou même début d'émotion, que toute gêne, même minime, puisse déclencher le rougissement chez les personnes vulnérables. Dans ses *Confessions*, Rousseau décrit un tel exemple de rougissement par identification et embarras pour autrui : « Tandis qu'il débitait ses mensonges, je rougissais, je baissais les yeux, j'étais sur les épines […]. Je m'aperçus dans la rue que j'étais en sueur, et je suis sûr que si quelqu'un m'eût reconnu et nommé avant ma sortie, on m'aurait vu la honte et l'embarras d'un coupable, par le seul sentiment de la peine que ce pauvre homme aurait à souffrir si son mensonge était reconnu. » On peut imaginer qu'il vaut mieux dans ces cas-là ne pas être confronté aux détecteurs de mensonge utilisés dans certains États américains : la simple crainte de l'épreuve suffirait à faire passer tout anxieux social pour un coupable en puissance !

Le handicap social lié à cette peur de rougir, tout comme à celle de transpirer, est tel que beaucoup des personnes atteintes sont tentées par des opérations chirurgicales destinées à les supprimer définitivement. Quelques chirurgiens proposent en effet dans ce but une « sympathectomie », consistant en une section des nerfs sympathiques, responsables entre autres des manifestations neurovégétatives d'émotivité [11]. Ce type de technique pose des problèmes multiples : il s'agit d'un traitement chirurgical mutilateur et irréversible, qui devrait donc être exclusivement réservé aux échecs de la prise en charge médico-psychologique par plusieurs spécialistes du trouble. De plus, cela ne marche pas toujours, de l'aveu même des chirurgiens qui le pratiquent : il existerait des récidives dans au moins 10 à 30 % des cas. Enfin, ces techniques ne reposent pas – à notre avis – sur un nombre suffisant d'études scientifiques publiées. En l'état actuel des connaissances, nous ne pouvons donc conseiller à quiconque d'y avoir recours…

Les réactions physiologiques d'émotivité ont-elles un sens ?

D'où viennent le rougissement et l'ensemble de ces manifestations physiques ? Pour le comprendre, il faut en revenir à ce que les spécialistes ont révélé des mécanismes liés aux réactions de stress [12]. Lorsqu'on est exposé à une situation stressante, l'organisme réagit de manière très archaïque pour se préparer à affronter cette situation. Il déclenche la sécrétion dans le corps de diverses substances chimiques et hormonales, comme l'adrénaline. Il en résulte que le cœur s'accélère, la respiration devient plus rapide, les vaisseaux sanguins se dilatent pour mieux irriguer les muscles qui se contractent. En fait, nous sommes alors prêts à agir physiquement. Lorsque les situations stressantes étaient des dangers physiques, comme chez nos ancêtres de l'âge des cavernes, c'est-à-dire des prédateurs ou d'autres humains, cette réaction nous préparait essentiellement à combattre ou à fuir. D'autres réactions plus discrètes chez l'homme, mais parfois observables chez l'animal, qui lui aussi connaît cette réaction de stress, peuvent être identifiées, comme le hérissement des poils, la coloration ou le gonflement de certaines parties du corps, qui paraissent alors plus grosses ou plus effrayantes qu'auparavant, dans le but sans doute de repousser l'ennemi. De nos jours, l'homme est confronté à des situations menaçantes plus symboliques que physiques. C'est particulièrement vrai lorsqu'il s'agit de situations sociales. Nos réactions d'alerte non seulement ne nous servent plus à rien, mais elles représentent un facteur déstabilisant supplémentaire. Certains soutiennent toutefois que c'est la pâleur qui représente un symptôme de préparation à l'attaque, tandis que la rougeur témoignerait davantage d'un envahissement émotionnel [13], sans aucun danger pour l'interlocuteur. Peut-être est-ce pour cela que l'on persécute tant les personnes rougissantes, alors que celles qui pâlissent inquiètent plutôt ?

Il arrive que, dans certains cas, ces réactions jouent bel et bien un rôle. Certains comédiens ou conférenciers ne sont jamais aussi bons que lorsqu'ils sont stressés, lorsqu'ils ont le trac. Leur cœur qui cogne, la sensation de chaleur dans leur corps, le rose à leurs joues jouent chez eux un rôle stimulant, bénéfique. Leurs réactions d'émotivité ont rempli leur fonction : les préparer à agir efficacement, à se transcender. La fameuse courbe en cloche de Yerkes et Dodson (figure 1)

Figure 1. *La courbe anxiété-performance*

Zone 1 : anxiété sociale faible, risque de motivation et de stimulation insuffisantes.
Zone 2 : anxiété sociale optimale (ni trop, ni trop peu), stimule sans paralyser.
Zone 3 : anxiété sociale excessive, va entraîner tension et sidération.

montre comment un état d'alerte physiologique peut jusqu'à un certain point favoriser la performance, alors qu'au-delà de ce seuil, elle l'altère. Le trac à doses modérées peut ainsi stimuler la vivacité d'esprit et l'inventivité ; puis, s'il continue de s'amplifier, engourdir et ralentir les capacités de l'orateur.

Des études plus fines doivent être conduites en la matière. Il existe sans doute de fortes différences entre les personnes : pour certaines, la perception d'un certain niveau physique d'anxiété représente un aiguillon, alors que pour d'autres, il est le signal de la débandade. Ce phénomène a été démontré dans le cas des athlètes [14]. De telles différences individuelles dépendent de nombreux autres facteurs associés ; ainsi, une étude portant sur des sportifs de différentes spécialités (skieurs, basketteurs, coureurs de cross, etc.) montre que les meilleures performances sont obtenues par le cocktail suivant : haut niveau de confiance en soi, tension physique et pensées anxieuses [15]. Autrement dit, la manière dont l'individu perçoit et gère ses manifestations d'émotivité peut dynamiser ou au contraire paralyser sa performance.

Il faut d'ailleurs remarquer qu'à d'autres époques, les manifestations d'émotivité étaient mieux acceptées ; elles n'étaient pas obligatoirement assimilées à des preuves de faiblesse ou à un tempérament vulnérable. L'époque romantique fourmille de héros masculins ayant des « vapeurs » ; à l'époque médiévale, les chevaliers se « pâment » pour un oui ou pour un non... Mais de nos jours, le *self-control* est de rigueur. Et l'émotivité dans une situation sociale (entretien d'embauche, allocution en public...) risque d'être aussitôt assimilée à une déficience générale de l'individu. Ou du moins, c'est ce que craignent et redoutent absolument les anxieux sociaux.

L'émotivité est cependant mieux acceptée chez les femmes que chez les hommes ; on n'hésite pas alors à lui trouver un petit côté charmant. Cela nous renvoie peut-être à un autre type d'explication du rougissement. Les psychanalystes n'ont pas manqué de le rattacher au désir sexuel, en attribuant à toute éreutophobie des connotations pulsionnelles multiples...

*

L'ensemble des perturbations émotionnelles que nous venons de décrire entraîne évidemment une certaine gaucherie : les gestes ne sont plus naturels, mais raides, étriqués, comme si la personne cherchait à se faire discrète, ou bien excessifs, comme si elle essayait de se donner de l'assurance en augmentant l'amplitude de ses mouvements. Catherine Deneuve donnait ainsi dans une interview sa définition du trac : « Une chose qui n'est pas liée à la difficulté, que l'on ne contrôle pas et que vous connaissez sûrement : ces gestes trop nerveux et ce cœur qui bat trop vite [16]. » Dans de tels contextes, de fréquents gestes dits « parasites » apparaissent : gestes de la main portée au visage (à l'oreille, sur la nuque, devant la bouche, au nez...), tripotages d'objets divers (stylo, col de chemise...) ou de parties du corps (le poignet, les cheveux...). Les éthologues signalent l'universalité de ces manifestations d'intimidation [17]. Les modes de pensée sont eux aussi perturbés : sensation de tête vide, ou au contraire d'accélération incontrôlable des processus de pensée.

Mais nous allons revenir plus en détail sur ces manifestations psychologiques et comportementales d'anxiété sociale...

Chapitre 3

Les désordres du comportement

> « Et le regard qu'il me jeta
> me fit baisser les yeux de honte. »
>
> Guillaume Apollinaire

Jean-Luc, cinquante ans, chef d'entreprise :

*« Je ne sais jamais quoi dire dans les cocktails ;
j'ai l'impression de me comporter comme un imbécile : un vague sourire figé au visage, ne sachant que
faire de mes mains. Que répondre aux banalités pro-
férées autour de la table de petits-fours ? D'autres
banalités, me direz-vous... Mais j'ai peur que les
miennes ne soient encore plus banales, au-delà du
supportable, vous savez, le genre de propos qui font
instantanément penser à vos interlocuteurs : "Quelle
barbe, ce type ! Comment peut-il exister des gens
aussi insipides ?" Alors, au bout d'un moment, je
commence à me tenir à l'écart, l'air de plus en plus
embarrassé. Pour le cacher, je peux prendre, selon
les cas, l'air préoccupé de l'homme d'affaires qui a*

*des soucis qui l'empêchent de profiter de la soirée,
ou l'air ennuyé de celui qui a d'autres choses plus
intéressantes à faire. Mais je crois que j'ai tout simplement l'air idiot du pauvre type qui ne sait pas
s'intégrer aux soirées et qui n'a rien d'intéressant à
dire aux autres. Alors, quand j'ai fini de détailler
tous les tableaux au mur, tous les livres de la bibliothèque, tous les bibelots des vitrines et des étagères,
j'essaie de rassembler tout mon courage pour m'en
aller. Mais ça aussi, ce n'est pas facile ! Partir si tôt,
c'est forcément se faire repérer, ou vexer les personnes qui invitent ; parfois les deux ! Du coup, je me
dis que le meilleur moyen d'éviter tout ça serait de
ne plus accepter les invitations. Je me demande si je
ne vais pas en arriver là... »*

Clémence, vingt-deux ans, étudiante :

*« Mon problème, c'est que je ne suis pas celle que
les autres imaginent. S'ils savaient que, derrière ma
froideur, je suis une hypersensible, que, derrière mes
excuses et mes refus pour ne pas me rendre à leurs
invitations, il y a la peur de ne pas être à ma place,
que, derrière mes accès de mauvaise humeur, il y a
la crainte de ne pas être aimée et respectée... Mais
c'est plus fort que moi, je ne me comporte jamais
simplement, comme il le faudrait. Avec moi, rien de
spontané. Tout est une histoire, une complication... »*

La gêne anxieuse et les réactions physiologiques éprou-
vées dans certaines situations influencent en profondeur
les comportements et les attitudes. Le premier grand type
de manifestations comportementales, c'est la maladresse à
communiquer. Tout aussi importants sont la tendance à

éviter ou à fuir les situations redoutées et le recours à des comportements relationnels inadéquats et peu efficaces, trop inhibés ou au contraire trop agressifs.

Panique à bord !

« À dix-sept ans, racontait Serge Gainsbourg, je sortais de chez le toubib, il m'a accompagné sur le palier. Je lui ai dit "Au revoir, mademoiselle", puis "Bonjour, monsieur, il n'y a pas de quoi", et, à bout d'arguments, je me suis essuyé les pieds sur le paillasson [1]. »

La désorganisation des capacités relationnelles due à l'anxiété sociale a été identifiée depuis longtemps. Elle comporte deux principales tendances : une tendance à l'accélération et à la fébrilité, une tendance à la sidération et au ralentissement, leur superposition fréquente entraînant la gaucherie, et parfois des conduites totalement inadaptées.

La gaucherie des anxieux sociaux a souvent été l'objet de caricatures. Elle répond à la tension intérieure du sujet, à son appréhension et parfois à son désir de bien faire, qui produit un mélange détonant d'application et de précipitation, parasitées par la tension. Pierre Richard, dans la plupart de ses films (dont le célèbre *Je suis timide mais je me soigne*), a parfaitement traduit cet état. Woody Allen reproduit aussi à la perfection ces modes de comportement de l'anxieux social. Dans *Tombe les filles et tais-toi*, une scène hilarante est consacrée aux préparatifs d'un personnage attendant chez lui la visite d'une jolie fille ; au moment où elle finit enfin par sonner à la porte, il n'arrive plus qu'à articuler de vagues borborygmes et à produire des gestes totalement saccadés, expédiant dans les airs le disque contenu dans la pochette qu'il tenait à la main

gauche en lui faisant signe d'entrer et de s'asseoir, exécu-
tant une sorte de salut nazi de la main gauche pour souhaiter la bienvenue, etc.

La fébrilité se manifeste par un certain nombre de composantes. Tel de nos amis accélérait de façon spectaculaire
son débit verbal lorsqu'il était en situation relationnelle
stressante, ce qui représentait pour son entourage un bon
moyen de situer son niveau de tension. Tel autre se montre
très malhabile et accumule gaffe sur gaffe dès qu'il est
intimidé : on rencontre toujours dans une soirée une personne qui renverse sa coupe de champagne sur ses chaus-
settes ou sur celles du maître de maison, attirant sur lui les
regards amusés de l'assistance. Les sportifs connaissent
particulièrement ce phénomène, lorsque l'adversaire les
impressionne ou même lorsqu'ils sont en position de le
battre : combien de vieux joueurs expérimentés ont
triomphé d'adversaires plus jeunes et plus doués uniquement parce que ceux-ci devenaient d'une incroyable maladresse, habités par ce que l'on appelle chez eux la « peur
de gagner » !

La sidération est une autre façon de voir ses capacités à
communiquer altérées. Réfléchir, parler, agir demandent
alors un extraordinaire effort, comme nous le rappelle ce
témoignage :

> « C'est comme une chape de plomb qui me tombe
> dessus. J'arrive avec de bonnes intentions : cette
> fois-ci, je vais faire un effort, je vais parler, je vais
> m'intégrer… Et puis, sans que je sache bien pour-
> quoi, à propos d'un rien, une de mes questions à
> laquelle personne ne répond, un regard qui se
> détourne, je me sens soudain de plus en plus lourd,
> de moins en moins motivé à parler, les conversations
> se font de plus en plus sans moi, je commence en plus

> *à me sentir obligé d'exister socialement, à me dire*
> *que les autres pourraient se passer de moi dans cette*
> *soirée... À partir de ce moment-là, tout se détraque,*
> *et il m'est très difficile de revenir en arrière. Même*
> *si la conversation se reporte spontanément vers moi,*
> *j'ai alors du mal à me remettre dans le bain... »*

Adolphe, le héros de Benjamin Constant, témoigne d'un tel phénomène : « Tous mes discours expiraient sur mes lèvres ou se terminaient autrement que je ne l'aurais projeté. »

Accélération incontrôlée de la pensée (« dans ces moments, mon cerveau s'emballe et devient complètement incontrôlable, j'ai cinquante pensées, images, impressions à la minute qui s'imposent à ma conscience, comme un moteur qui fait du surrégime, avec la pédale d'accélérateur coincée que vous n'arrivez pas à décoincer... ») ou engourdissement des processus mentaux (« c'est comme une amnésie brutale qui me frappe », « je n'arrive plus à faire aucune association d'idées, je perds toute présence d'esprit, tout sens de la repartie ») alternent ou se mêlent pour altérer nos performances sociales. Fébrilité et sidération correspondent d'ailleurs à deux grandes tendances décrites par les chercheurs sur le stress : en situation stressante, les individus tentent à tout prix de prendre le contrôle ou bien se résignent et préfèrent subir [2].

Courage, fuyons !

Soyons logiques. Si, dans certaines situations sociales, nous ressentons une forte anxiété, si celle-ci modifie nos comportements et nos capacités de communication au point de nous empêcher d'être nous-mêmes, de défendre nos intérêts, de faire passer nos idées, qu'avons-nous tendance à faire ? Nous avons, et c'est compréhensible, le désir d'éviter ces situations en nous en préservant à l'avance ou en les fuyant lorsque nous ne pouvons les esquiver.

L'*évitement* est un comportement très répandu chez les anxieux sociaux : « Éviter les occasions de se montrer timide, voilà le premier soin du timide [3]. » Reconnaissons que, dans certains cas, il peut être légitime, même si ce n'est pas toujours glorieux, de ne pas s'exposer au risque d'un échec ou d'un ennui mortel, en évitant par exemple de se rendre à certaines soirées barbantes, ou en refusant de faire un exposé sur un sujet que nous ne maîtrisons pas. Mais les anxieux sociaux ont une fâcheuse tendance à abuser des excuses pour justifier leurs comportements d'évitement ! Et peu à peu, sans s'en rendre clairement compte, ils limitent ainsi leur territoire relationnel.

Certes, l'évitement peut parfois ne pas être trop handicapant, s'il ne concerne que peu de situations, ou des situations peu nécessaires à notre vie au jour le jour. Ainsi, la peur de devoir parler en public, dont nous avons vu qu'elle était sans doute la plus répandue chez nos contemporains ; elle s'avère certainement gênante pour eux dans certains cas, mais ne leur gâche pas la vie au quotidien. Dans beaucoup de cas, si nos intérêts sont en jeu, nous pouvons puiser en nous les ressources pour affronter ponctuellement la situation et « éviter d'éviter », comme le disait en plaisantant un de nos patients.

> « *J'ai horreur de réclamer dans les magasins, les restaurants, etc. Mais quand je dois le faire, quand par exemple je suis en compagnie de personnes avec qui je ne peux pas perdre la face, clients ou jolies femmes, je rappelle le serveur pour faire changer le vin ou baisser une sonorisation trop agressive...*

Toutes choses que je ne ferais pas si j'étais seul. Souvent aussi, je peux affronter certaines démarches si je les effectue pour les autres : réclamer de l'argent pour moi me gêne beaucoup, mais le réclamer pour un tiers est plus facile. »

Parfois, hélas, l'évitement concerne des situations importantes et représente une gêne. Pour les très nombreuses personnes qui évitent de prendre la parole en public, leur appréhension ne leur pose pas de problèmes tant que leur métier par exemple ne le leur impose pas ; mais du jour où on leur propose une promotion impliquant d'animer de nombreuses réunions, elles risquent de devoir refuser... pour des raisons inavouables. Beaucoup aussi fuient les rencontres amoureuses pour les mêmes raisons : comment espérer séduire en se montrant maladroit et empoté ? Mais on ne peut pas toujours éviter les situations sociales : par obligation, ou par surprise, on se trouve parfois confronté à ce que l'on aurait préféré fuir. Dans ce cas, si l'anxiété est trop forte, on ne procède pas à un évitement « situationnel », mais à un évitement « subtil ». Qu'est-ce qu'un *évitement subtil* ? C'est tout simplement un subterfuge discret permettant à la personne de ne pas affronter totalement la situation qu'elle n'a pu éviter : ne pas regarder dans les yeux, ne pas prendre la parole, ne pas accepter de verre à un cocktail pour ne pas trembler, se maquiller pour que l'on ne remarque pas son rougissement, ne faire que des phrases brèves pour ne pas maintenir trop longtemps l'attention sur soi, ne pas parler de soi mais au contraire poser des questions ou écouter attentivement, etc. Comme les évitements situationnels, ces évitements subtils sont loin d'être anecdotiques, car toutes les recherches ont montré que, tant qu'ils existent, l'anxiété sociale persiste [4].

Comment les évitements entretiennent l'anxiété sociale

Si les évitements sont un poison, l'*échappement* obéit à une logique plus extrême encore : lorsqu'on n'a pu éviter ou prévoir une situation angoissante et qu'on sent la panique monter comme une terrible lame de fond prête à tout emporter sur son passage, on cherche à fuir. On retrouve cette tentation déjà dans le discours de nombreux patients décrivant leurs expériences : « j'aurais voulu dis-paraître dans un trou de souris », « j'aurais aimé me vola-tiliser, ne plus exister », « si j'avais pu partir en courant comme un dératé »… Nombre de départs précipités ou de comportements bizarres s'expliquent ainsi.

Une de nos patientes nous racontait ainsi comment elle avait ressenti une montée d'angoisse en essayant des lunettes chez un opticien :

> « *J'ai commencé à sentir que ça n'allait pas, je me sentais bizarre, et je suis sûre qu'il s'en apercevait, il commençait à paraître lui aussi de plus en plus gêné. Alors, je n'ai plus eu qu'une hâte : en finir. J'ai pris n'importe quel modèle, celui que j'avais sur le nez à ce moment, je lui ai rempli mon chèque et je me suis précipitée dehors en bafouillant. Je n'ai réussi à me calmer qu'une fois arrivée chez moi. Là,*

je me suis aperçue que j'avais entre-temps perdu les
fameuses lunettes ! Je n'ai jamais su où elles étaient
passées : je n'ai jamais osé rappeler l'opticien, je les
ai peut-être tout simplement perdues dans la rue,
j'étais dans un tel état... »

Elle avait d'ailleurs merveilleusement résumé le scénario de ses difficultés :

   « Je fais tout pour éviter d'avoir à affronter les
situations sociales. Si je n'y arrive pas, si je me fais
coincer, j'essaie alors de fuir, sous un prétexte ou sous
un autre. Parfois, fuir est encore plus embarrassant
que de rester, alors je reste. Mais en me faisant la plus
petite possible, en m'inhibant complètement. »

Enfin, dans certains cas, c'est la *fuite en avant*. On
adopte un comportement inverse de ce que l'on ferait
spontanément, par exemple se montrer anormalement
familier avec des inconnus ou des supérieurs lors d'un
cocktail, quitte à s'en trouver mort de honte dès le lendemain... et à éprouver alors le plus grand mal à rencontrer
à nouveau les personnes auxquelles on s'est ainsi donné
en spectacle.

L'humour systématique, sur le mode de l'autodérision,
rentre aussi dans cette catégorie de comportements. Cela
permet d'entrer tout de même en contact avec autrui, mais
en évitant une trop grande proximité, en esquivant tout
jugement critique ou du moins en brouillant considérablement les pistes pour se montrer insaisissable et impalpable.

Enfin, il faut citer les attitudes de prestance, par
exemple avec une cigarette. Si l'on observe, dans une
soirée où sont invitées un grand nombre de personnes ne
se connaissant pas entre elles, les moments où s'allument

les cigarettes, on peut mettre en évidence que beaucoup de celles-ci le sont lors de l'entrée dans la pièce, après un regard circulaire sur la masse des inconnus, ou lors des premiers mots échangés avec certains de ces inconnus. Allumer une cigarette, puis manipuler celle-ci, la porter à sa bouche, prendre la pose, représente autant de comportements permettant d'apaiser l'anxiété sociale. Celle-ci n'est pas étrangère aux (mauvaises) habitudes ! Ah, s'identifier au cow-boy Marlboro !

Dans ses *Propos*, le philosophe Alain avait observé le même phénomène au sujet des lunettes : « Les yeux nus livrent nos pensées ; du moins nous le croyons et l'autre aussi le croit, guettant toujours cette pointe lumineuse de l'œil, comme le fait l'escrimeur... Quel lieu d'attente et d'embuscade ! [...] Mais le myope a encore d'autres ressources ; le voilà qui enlève ses verres, souffle dessus et les frotte ; c'est comme s'il s'en allait et vous laissait seul. [...] Si la timidité est un mal commun, comme je le crois, heureux les myopes [5]. » De fait, une de nos patientes avait eu comme objectif lors de sa psychothérapie de sortir dans la rue sans lunettes, ce qui ne lui était pas arrivé depuis des années alors qu'elle n'était quasiment pas myope. Elle se sentait sécurisée et protégée derrière sa monture, qui lui donnait, pensait-elle, de la contenance.

Le hérisson et le paillasson

L'anxiété sociale perturbe aussi le style relationnel de la personne concernée. Elle provoque souvent une inhibition relationnelle ou bien une agressivité inadaptée.

> *« Plein de fois, je n'ose pas dire ce que je pense : j'ai l'idée, mais je ne l'exprime pas ; je veux quelque*

chose, mais je ne le demande pas ; je pense non mais
je dis oui... »

« *Quand je ne suis pas sûr de moi pour faire cer-*
taines démarches, je prends un ton autoritaire sans
m'en rendre compte, sans doute qu'inconsciemment
j'essaie d'impressionner mes interlocuteurs ;
d'ailleurs, je pense que beaucoup de gens agressifs
sont en fait des gens qui doutent d'eux-mêmes... »

Le stress prépare notre corps à fuir ou à combattre. Il
n'est donc guère étonnant que, de toutes les situations où
apparaît l'anxiété sociale, notre tendance spontanée nous
pousse à nous inhiber ou à agresser [6].

Tel médecin de nos amis, parfaitement à l'aise et performant pour communiquer avec ses patients, devient très
mal à l'aise en présence de jolies femmes. Telle autre amie
artiste n'ose jamais parler argent lorsqu'on lui commande
des tableaux, et encore moins réclamer son dû aux mauvais payeurs, alors qu'elle est parfaitement à l'aise pour
briller lors des vernissages... Ces mêmes circonstances
peuvent entraîner chez d'autres des comportements agressifs, pour les mêmes raisons de malaise intérieur ressenti :
une jeune femme mal à l'aise avec les hommes et qui
adopte avec eux une attitude très agressive pour les tenir
à distance ; un de nos patients qui ne savait réclamer son
dû, argent ou objet prêté, que de manière très musclée, ce
qui n'était pas du goût de ses interlocuteurs, lesquels
avaient la désagréable impression d'être traités d'escrocs
potentiels...

Ces comportements « paillasson » ou « hérisson » peuvent coexister chez une même personne à des moments
différents : certaines situations socialement angoissantes
déclenchent de l'inhibition, d'autres de l'agressivité. Tout

dépend de la manière dont on évalue les attentes d'autrui et les contraintes sociales de la situation... Proust, à travers le personnage du docteur Cottard dans la *Recherche du temps perdu*, a finement saisi ce phénomène : « Sauf chez les Verdurin qui s'étaient engoués de lui, l'air hésitant de Cottard, sa timidité, son amabilité excessive lui avaient valu de perpétuels brocards. Quel ami charitable lui conseilla l'air glacial ? L'importance de sa situation lui rendit plus aisé de le prendre. Partout, sinon chez les Verdurin où il redevenait instinctivement lui-même, il se rendit froid, volontiers silencieux, péremptoire quand il fallait parler, n'oubliant pas de dire des choses désagréables. Il put faire l'essai de cette nouvelle attitude devant des clients qui, ne l'ayant pas encore vu, n'étaient pas à même de faire des comparaisons et eussent été bien étonnés d'apprendre qu'il n'était pas homme d'une rudesse naturelle. » De son côté, Rousseau décrit dans ses *Confessions* comment il a fini par adopter un masque protecteur pour dissimuler son anxiété sociale : « Ma sotte et maussade timidité, que je ne pouvais vaincre, ayant pour principe la crainte de manquer aux bienséances, je pris pour m'enhardir le parti de les fouler aux pieds. Je me fis cynique et caustique par honte ; j'affectais de mépriser la politesse que je ne savais pas pratiquer. »

Des chaînes invisibles...

On le voit, l'anxiété sociale est susceptible de profondément retentir sur la vie quotidienne des personnes qui en sont atteintes. La gêne est plus ou moins marquée et étendue selon l'intensité de l'appréhension, le nombre de situations redoutées et la forme d'anxiété sociale ressentie, mais, au fond, le problème reste le même : on évite ce qu'on redoute, et plus on l'évite, plus on le redoute. Les mots de Sénèque se trouvent ainsi confirmés : « Ce n'est pas parce que les choses sont difficiles que nous n'osons pas les faire. C'est parce que nous n'osons pas les faire qu'elles sont difficiles. »

Mais alors, quelle vision angoissante du monde et des rapports humains se cache derrière ces conduites d'évitement des anxieux sociaux ?

Chapitre 4

Tempête sous un crâne

« Il ne disait rien, mais on voyait bien
qu'il pensait des bêtises. »
Jules Renard, *Journal*

Laurent, trente-six ans, conducteur de travaux publics :

*« C'est incroyable tout de même ce que je peux me
compliquer la vie... Je n'arrête pas de me demander
si ce que j'ai fait est bien, quelle impression les
autres ont de moi, si je n'aurais pas dû dire les
choses différemment, comment les gens vont réagir à
mes faits et gestes... Ma femme me dit toujours qu'au
lieu de m'occuper de toutes ces questions, je ferais
bien de vivre un peu. Mais c'est plus fort que moi, je
n'arrive pas à changer ma façon de penser, de tout
interpréter, de tout prévoir, et tout ça négativement
bien sûr... »*

Adeline, trente-neuf ans, commerçante :

> *« Je n'ai pas confiance en moi. Je doute toujours face à la moindre petite tâche, à la moindre démarche, je me demande toujours si je suis capable d'y arriver. Même si on me rassure, ça ne me calme pas, ça vient de moi en fait, c'est dans ma tête... »*

Benoît, quarante-sept ans, enseignant :

> *« J'ai toujours l'impression d'être jugé, d'être sur la sellette. Un regard, un sourire, un silence, et je me retrouve déstabilisé. Chaque fois, j'ai l'impression de passer un examen, d'être coupable de quelque chose... »*

Ysée, vingt-trois ans, étudiante :

> *« J'ai des peurs absurdes : peur de la question piège quand je dois faire un exposé, peur qu'on me dise non lorsque je demande quelque chose... Je ne peux m'empêcher d'avoir ces craintes idiotes sur les autres, d'avoir peur de leurs réponses, de leurs sourires, de leurs silences même... »*

L'anxiété sociale est associée à tout un ensemble de perceptions spécifiques de soi-même et du monde environnant. Comment nous parlons-nous à nous-mêmes en situation sociale ? De quelle façon nos propos nous encouragent-ils ou au contraire ruinent-ils nos possibilités de bien communiquer ? De quelle manière percevons-nous et analysons-nous les choses ? Quelles conclusions tirons-nous de nos perceptions ? Quelles démarches et quels comportements mettons-nous alors en marche pour nous adapter à la situation ? Cet ensemble de pensées est étudié en détail par la psychologie cognitive. La psychanalyse s'attache surtout au pourquoi des problèmes ; le cognitivisme, lui, cherche plus modestement à répondre à la question du comment. Cette approche plus pragmatique semble déboucher sur de meilleures possibilités de changements personnels.

Qu'est-ce qu'une cognition ? C'est tout simplement une pensée, une pensée automatique qui s'impose à la conscience d'un sujet, en rapport avec ce qu'il est en train de vivre. C'est en quelque sorte son discours intérieur, la manière dont il se parle à lui-même. Par exemple, « je n'y arriverai jamais », « ils sont en train de remarquer mes mains qui tremblent », « elle doit me trouver bizarre », « je ne trouve rien d'intéressant à dire », « je vais bafouiller », « on ne me réinvitera pas », « j'ai été ridicule », « je n'aurais pas dû dire ça »...

Les cognitions correspondent à une sorte de monologue intérieur de l'individu, d'où le nom qui leur est parfois donné d'autoverbalisations. Elles sont d'installation rapide, quasi réflexe, en réponse à certaines situations faisant partie des situations redoutées par un sujet. On pourrait parler à leur sujet de « prêt-à-penser ». Elles s'imposent à la conscience comme plausibles, comme des quasi-certitudes, et non comme les évaluations hypothétiques qu'elles sont. Elles sont involontaires, automatiques, ne nécessitant pas d'effort d'appréciation du sujet. Elles sont plus ou moins conscientes, parfois indistinctes à l'esprit du sujet, comme un bruit de fond de sa pensée. Elles sont récurrentes, c'est-à-dire qu'elles tendent à se réinstaller à la conscience du sujet à chaque fois, même si les faits les ont démenties. Elles finissent alors par caractériser un style habituel de pensée en réaction à certaines situations. Elles nécessitent, pour être modifiées, des efforts importants.

Dans le cadre de l'anxiété sociale, ces cognitions jouent un rôle de première importance. Nous avons évoqué la trahison du corps à propos des manifestations physiologiques en situation angoissante ; on pourrait ici parler de « tempête sous un crâne ». En effet, le tumulte des pensées est parfois impressionnant lorsque nous sommes confrontés aux situations sociales que nous appréhendons...

Les thérapies cognitives, que nous détaillerons plus loin, se donnent pour objectif de permettre aux anxieux sociaux de mieux contrôler leurs cognitions. Mais pour cela, il faut passer par une première étape : apprendre à les identifier...

Le hit-parade des pensées négatives

Les principaux travaux effectués auprès de personnes ressentant de l'anxiété sociale ont permis d'identifier les manifestations psychologiques les plus fréquentes [1] : appréhension à se retrouver en point de mire de la part d'autrui ; se sentir observé, se croire évalué, penser que cette évaluation est négative ; perception excessive de sa vulnérabilité : se sentir fragile, transparent aux yeux d'autrui, peu apte à se protéger, se défendre, maladroit pour se contrôler et contrôler la situation, peu performant ; autodévalorisation importante de ses propres comportements sociaux, même adaptés ; surévaluation des exigences existant dans une situation ou une relation donnée ; sentiment d'une agressivité latente ou potentielle de la part d'autrui : les autres sont plus puissants, plus compétents, et peuvent agresser en paroles ou en actes ; hypervigilance portée à ses propres manifestations d'anxiété.

Peut-on classer les principales cognitions des anxieux sociaux ? En écoutant une personne raconter ses expériences, on s'aperçoit que ses pensées prennent trois directions : son propre comportement, ce que peuvent se dire ses interlocuteurs, ce qu'ils risquent de faire... Inutile de préciser que ces cognitions revêtent chaque fois un caractère excessivement alarmiste.

Exemples de pensées chez un anxieux social

Pensées sur soi-même	Pensées sur ce que disent les autres	Pensées sur ce que vont faire les autres
« ma voix n'est pas assez assurée »	« ils voient bien que je ne suis pas à l'aise pour parler en public »	« ils vont me poser une question à laquelle je ne saurai pas répondre »
« je tremble trop »	« ils ont repéré mes tremblements »	« ils vont me faire une remarque à ce sujet »
« je ne suis pas intéressant »	« ils me trouvent ennuyeux »	« ils ne me réinviteront plus »
« je suis allé trop loin en demandant ça »	« elle va me trouver impoli »	« elle va se mettre en colère et m'envoyer paître »

Un jugement négatif sur soi

Différents travaux ont confirmé ce fait d'observation : l'anxiété sociale est souvent associée au *regard négatif qu'on porte sur soi et ses performances* [2]. La personne qui éprouve ce genre de tendance relève prioritairement ce qui ne va pas, selon elle, dans sa façon d'être ou dans ses comportements (« je n'ai pas assez parlé à cette soirée », « j'aurai dû faire ceci ou dire cela ») ; elle tend ensuite à accorder à ces éléments négatifs une importance démesurée, à « en faire tout un plat » (« ce n'est pas normal, il n'y a que moi pour être aussi bloqué », « c'est une véritable catastrophe ») ; enfin, elle a tendance à s'autodévaloriser de manière inappropriée et excessive, à porter des jugements globalisateurs et définitifs (« je suis incapable de m'intégrer dans un groupe », « je suis insignifiant, et je n'intéresse personne »).

Un de nos patients nous racontait, par exemple, comment, au cours d'un entretien d'embauche, il avait eu l'impression de commettre un impair en plaisantant sur la décontraction des gens du Sud de la France. À partir de ce moment, il avait été angoissé par le doute de savoir si son interlocuteur n'était pas originaire du Sud de la France ! Il avait alors commencé à négliger les autres éléments favorables du dialogue pour ruminer sur son erreur. Il avait attribué à cette dernière un caractère catastrophique et irrémédiable. Et pour finir, il s'était dit qu'il ne pouvait s'empêcher de dire des bêtises ! Pour la petite histoire, il avait fini par être embauché. Son interlocuteur était bel et bien d'origine marseillaise, mais il n'avait absolument pas fait attention à son allusion !

L'estime de soi représente l'ensemble des jugements que nous portons sur nos compétences réelles ou supposées. Une estime de soi basse fait le lit de nombreux troubles psychologiques, parmi lesquels la dépression se situe au premier plan [3]. Il apparaît très clairement que l'anxiété sociale est corrélée à une estime de soi basse [4]. Les composantes de l'estime de soi sont multiples : apparence physique, savoir-faire scolaire ou professionnel, capacités physiques, etc. [5]. Une estime de soi basse dans l'enfance est souvent corrélée à une anxiété sociale dans l'adolescence et à l'âge adulte [6]. Du coup, les anxieux sociaux tendent à se fixer des critères de performance particulièrement élevés : « Pour être satisfait de moi, je dois avoir intéressé tout le monde et m'être montré brillant... » Enfin, les avis extérieurs sont souvent beaucoup moins négatifs que ceux de l'anxieux social, mais ce dernier les écoute peu et n'y croit pas. Il peut au contraire les percevoir négativement (pitié, condescendance...). Ce trait peut être un critère de différenciation entre formes modérées, encore accessibles aux encouragements, et formes sévères, beaucoup plus fermées aux messages positifs.

La peur du jugement d'autrui

« La première chose qui me vient à l'esprit, ce n'est pas ce que je vais dire, mais ce qu'on va penser de moi », nous racontait une patiente en décrivant ses angoisses lors des rencontres imprévues qu'elle était amenée à faire. Comment expliquer cela ? Il est certes arrivé à tout le monde de se demander : « Que pense-t-on de moi ? » Rien que de très normal : la vie en société implique un minimum de réflexion sur la façon dont les autres nous perçoivent. On peut même dire qu'être préoccupé par ce que les autres pensent de nous est une caractéristique fondamentale de la nature humaine, sans doute en partie innée. Elle permet à l'évidence à l'individu de vivre en groupe et de se socialiser. Peut-on imaginer comment serait une société humaine où aurait définitivement disparu la peur de déranger l'autre, d'être rejeté, d'être mal jugé ? À l'opposé des anxieux sociaux, les psychologues décrivent certaines personnalités, dites psychopathes, peu sensibles au jugement des autres et peu à même de construire une vie sociale et relationnelle satisfaisante. Le problème de l'anxieux social, c'est qu'il se pose la question « que peut-on bien penser de moi ? » de manière constante. Et qu'il tend à y répondre systématiquement : « Rien de bon, j'en suis sûr ! » Comparant sa propre difficulté à raisonner calmement avec la rapidité de ses cognitions dysfonctionnelles, Rousseau parlait dans ses *Confessions* de « cette lenteur de penser, jointe à cette vivacité de sentir ».

Un tel cheminement suit une logique : la personne se sent vulnérable dans une ou plusieurs situations qu'elle redoute ; elle s'y sent alors observée et scrutée ; elle imagine que derrière cette attention et ce regard d'autrui, réels ou imaginaires, existe un jugement sur ce qu'elle fait ou ce qu'elle est ; elle ne peut imaginer que ce jugement soit autre que négatif et critique à son égard.

Ces processus sont quasi permanents et se nourrissent de bien peu de chose. Tout frémissement de la part d'autrui est immédiatement relevé et étiqueté négativement comme étant la preuve de pensées ou de jugements négatifs. Les éléments négatifs sont bien sûr relevés et amplifiés (une critique sur un point de détail est perçue comme un rejet complet). Les éléments douteux ou ambigus sont versés au compte d'une attitude potentiellement hostile. C'est le cas par exemple du silence, redouté par la plupart des anxieux sociaux, qui tendent à y voir au minimum une marque d'ennui et un désir de retrait de la part de leurs interlocuteurs, et au pire l'expression d'un profond dédain... Une de nos patientes nous avait avoué un jour qu'elle était très déstabilisée en début de psychothérapie par les froncements de sourcils de l'un de nous, à chaque fois qu'il se concentrait pour mieux l'écouter : « J'avais l'impression que vous étiez en désaccord avec moi, et c'était très dur alors de continuer à vous parler naturellement, tant j'avais peur de vous décevoir ou de vous irriter. » Ce n'était évidemment pas le cas, mais c'est ainsi qu'elle percevait les choses, ayant naturellement tendance à prendre ses craintes pour des certitudes... Même des éléments positifs comme un sourire ou des encouragements peuvent dans certains cas être l'objet de doutes : est-ce sincère ? Bien sûr, il arrive que l'anxieux social ait parfois raison sous son hypersensibilité. Mais la plupart du temps, il est victime à tort d'une vision trop pessimiste des phénomènes qui l'entourent ou qu'il ressent.

Anxiété sociale et psychologie expérimentale

Des travaux portant sur la perception subliminale (à l'aide d'images sur écran d'ordinateur que la personne ne perçoit pas consciemment mais que son cerveau enregistre) ont montré que les phobiques sociaux réagissent de façon excessive à la présentation de visages hostiles ; et qu'ils ont tendance, dans le doute, à attribuer à des visages neutres une expression hostile [7]. D'autres études ont découvert que plus l'anxiété sociale augmente chez une personne devant effectuer une prise de parole en public, plus vite elle va détecter dans l'assistance les visages qui lui semblent réticents ou méfiants, et être perturbée par eux ; inversement, les personnes moins anxieuses socialement seront plus sensibles aux visages d'auditeurs manifestement intéressés ou favorables [8]. Les recherches confirment également que toute situation sociale ambiguë sera négativement interprétée par les anxieux sociaux : si par exemple on leur demande d'imaginer que, lors d'une soirée qu'ils donnent, des amis partent plus tôt que prévu, ils penseront tout de suite que ces derniers se sont atrocement ennuyés, plutôt que se dire qu'ils étaient fatigués ce soir-là [9]. On a aussi montré que les anxieux sociaux présentaient un petit trouble dans la lecture des émotions d'autrui : à moins d'avoir plusieurs éléments de certitude, ils tendent à interpréter toute mimique non franchement chaleureuse comme hostile [10].

La crainte des réactions d'autrui

Que va dire ou faire mon interlocuteur en réponse ou en réaction à mes propos ou à mes actes ? Il existe toujours une part d'inconnu dans les attitudes relationnelles de nos semblables. C'est bien sûr ce qui explique que l'anxiété sociale soit plus répandue face à des inconnus ou à des groupes : il est alors plus difficile d'anticiper leurs réactions. Mais là aussi, sur un fond légitime, l'anxieux social construit un ensemble de cognitions excessivement anxiogènes. Dans les formes extrêmes, comme les phobies sociales, demander une baguette de pain à sa boulangère représente une épreuve aussi stressante que de passer un examen oral ou un entretien d'embauche !

La crainte de réactions hostiles est une constante des cognitions associées à l'anxiété sociale. Elle tend à nous faire percevoir nos semblables comme potentiellement agressifs. Les auditeurs d'un speech en public sont ressentis comme autant de contradicteurs possibles ou de poseurs de questions pièges. Le serveur de restaurant à qui l'on a envie de faire une remarque sur la lenteur du service nous paraît très capable de se rebiffer et de hausser le ton à notre encontre, faisant se retourner tous les autres clients, qui bien sûr se liguent contre nous. Le voisin à qui on voudrait demander de baisser le son de sa chaîne hi-fi pourrait s'énerver et vouloir en découdre avec nous... Des cognitions telles que « si je refuse, il va m'en vouloir », « si je ne suis pas très drôle, on ne me réinvitera plus jamais », « si je ne montre pas de l'autorité, je ne serai pas respecté » sont extrêmement fréquentes.

L'anticipation anxieuse, ou comment se raconter des films catastrophes à longueur de journée

L'anxiété sociale est souvent une anxiété d'anticipation. On connaît bien le rôle fondamental, en psychopathologie, des cognitions anticipatoires [11]. Dans le cas de l'anxieux social, celles-ci s'agencent systématiquement dans le cadre de véritables « scénarios catastrophes » à l'intérieur desquels s'enchaînent les pires hypothèses.

Invité à un cocktail et ne sachant que faire, notre anxieux veut s'approcher du buffet pour prendre un verre. À ce moment, son esprit se met à imaginer le pire :

> « *Si je prends un verre, je vais trembler ; si je tremble, les gens vont me regarder ; s'ils me regardent, ils vont s'apercevoir que je suis ému ; s'ils voient que je suis émotif, ils penseront que je suis quelqu'un de faible et de peu fiable...* »

Ou bien à propos d'une demande dans un restaurant :

> « *Si je réclame qu'on me change mon steak, le garçon va se vexer, il va hausser le ton, et toute la salle va me regarder ; les gens vont trouver que j'exagère ; certains vont rire, d'autres murmurer ; il ne me changera pas le steak et il me servira mal jusqu'à la fin du repas ; il me fera attendre, me servira les plats froids ; j'aurai été ridicule et mal servi pour rien.* »

Les situations les plus terrifiantes sont bien sûr celles dans lesquelles les cognitions du sujet concluent à la déroute, quel que soit le comportement qu'il adopte. Ainsi, un patient nous expliquait le raisonnement qu'il tenait lorsqu'il se retrouvait seul au milieu d'un groupe de personnes qu'il ne connaissait pas :

> « *Si je prends la parole, je risque de les déranger et on va me juger inconvenant. On risque fort de ne*

pas me répondre et j'aurai l'air malin. Si, au contraire, je me tais, je vais passer pour un introverti, ne sachant pas communiquer. Au mieux, on aura pitié de moi, au pire, on me méprisera. »

De nombreux écrivains ont décrit avec talent cette infernale machine à imaginer des catastrophes. Le scénario peut ainsi se développer à l'infini, jusqu'à la catastrophe finale, en général une déconsidération sociale et professionnelle généralisée... Aussi étonnant que cela puisse paraître, ces scénarios catastrophes résistent étonnamment à l'épreuve des faits, qui sont bien sûr rarement aussi terribles que prévu. Les voyantes et autres astrologues survivent eux aussi depuis des siècles à leurs prédictions erronées !

Anxiété toujours !

Les processus cognitifs sont perturbés de façon durable dans les trois dimensions temporelles possibles : avant, pendant et après l'exposition à la situation stressante. Comme nous le racontait une patiente, dont la promotion professionnelle venait de l'obliger à rencontrer de très nombreux clients : « Je passe d'une peur à l'autre sans discontinuer. J'ai peur avant, j'ai peur pendant, j'ai peur après... Avant, j'ai peur que ça se passe mal. Pendant, j'ai peur qu'on remarque mon émotivité. Après, j'ai peur des conséquences de ma mauvaise prestation... »

Tout commence donc par une *anticipation anxieuse*. L'anticipation est le phénomène par lequel le sujet se prépare à affronter une situation [12]. Les pathologies de l'anticipation sont à la source de nombreux problèmes psycho-pathologiques, notamment les troubles anxieux : l'anxieux vit dans la crainte quasi permanente de la survenue d'événements défavorables, voire catastrophiques. L'anxieux social n'échappe pas à la règle ; il produit de nombreuses cognitions anticipatoires telles que « ça va mal se passer », « je ne serai pas à la hauteur », « ils vont me poser telle question, à laquelle je ne saurai pas répondre », « ils vont mal réagir », etc.

Le paradoxe de ces cognitions anticipatoires est qu'elles ont beau se trouver très régulièrement démenties, elles n'en continuent pas moins de se reproduire. L'univers catastrophique qu'elles prédisent est virtuel ; il est fait de l'accumulation et de la succession des pires hypothèses : la réalité dément donc systématiquement à chaque fois ces constructions cauchemardesques. Pourtant, elles se réimposeront à la conscience du sujet dès la fois suivante.

> « C'est un éternel retour, ou pire, le mythe de Sisyphe : j'ai l'impression qu'à chaque fois je redémarre à zéro. Il doit y avoir un défaut quelque part. Et puis, je n'ose plus en parler à mon entourage, ils finissent par ne plus comprendre : mais comment, enfin, tu vois bien que ça ne se passe pas si mal tes conférences, alors pourquoi continues-tu à te ronger les sangs pour savoir si tu es vraiment à la hauteur ? Comment leur expliquer que j'ai à chaque fois l'impression d'avoir secrètement déçu, ou d'avoir échappé de justesse à la catastrophe, ou d'avoir eu une chance qui ne se renouvellera sûrement pas la fois suivante ? »

Les séquences temporelles de l'anxiété sociale

Avant la situation	Anticipation négative	On imagine le pire des scénarios possibles
Pendant la situation	Focalisation sur soi	On se concentre sur son malaise intérieur plus que sur la situation en cours
Après la situation	Honte	On repense inlassablement à ses erreurs présumées, et on en amplifie les conséquences

Mais l'anxiété ne s'arrête pas à la phase anticipatoire. Une fois *en situation*, le mode de pensée du sujet anxieux est très spécifique. Deux caractéristiques prédominent : une désorganisation des capacités de réflexion et d'analyse, et une hypervigilance inquiète vis-à-vis de l'environnement. Le moindre problème est amplifié ; un tout petit détail prend une importance démesurée. Un silence, un sourire alarment.

> « *Quand j'ai un oral à passer, je prie pour tomber sur un professeur compréhensif : comme il me faut à peu près un quart d'heure pour me calmer et retrouver mes esprits, s'il n'a pas la finesse de s'en apercevoir, et la patience de me permettre de me calmer, j'apparais à ses yeux soit comme le dernier des crétins, il doit vraiment se demander comment j'ai fait pour atteindre ce niveau d'études, soit* »

comme celui qui n'a rien fichu, qui n'a pas révisé, et
qui panique au dernier moment... »

L'attention de l'anxieux peut aussi être dirigée, non plus
sur l'environnement externe, mais sur son corps et les possibles manifestations physiques que nous avons décrites :

> « *Dans ces situations, je n'entends même plus ce*
> *que me dit l'autre... je ne vois même plus ce qui se*
> *passe autour de moi... je ne suis qu'à l'écoute de*
> *mon corps, de mon cœur qui bat, de mes mains qui*
> *cherchent à s'occuper intelligemment.* »

On pourrait alors penser qu'après avoir redouté longtemps à l'avance ce qu'il allait devoir affronter, et
qu'après avoir vécu la situation de manière très inconfor-
table, l'anxieux peut enfin souffler et se réjouir du fait
que l'épreuve soit derrière lui ! Hélas, il n'en est rien le
plus souvent... L'*après-coup* est lui aussi l'objet de
cognitions négatives : le sujet revoit la situation en se
concentrant sur les problèmes rencontrés (réels ou imaginaires), comme un sportif qui se repasserait inlassable-
ment au magnétoscope le film des erreurs commises au
cours d'un match.

> « *Je perds un temps fou à me demander ce que*
> *j'aurais dû dire, ou ne pas dire, ce que j'aurais pu*
> *faire ou ne pas faire... Je revois sans arrêt la scène,*
> *et plus je la revois, plus je découvre de nouvelles*
> *erreurs, de nouveaux problèmes qui m'avaient*
> *échappé au premier abord...* »

Cette rumination douloureuse des erreurs présumées est
particulièrement néfaste puisqu'elle est partiale, comme

un procès sans avocat de la défense ! Il est rare que d'autres avis soient sollicités. Il n'est donc pas étonnant que les jugements qui tombent ensuite soient d'une grande sévérité, puisque rien n'est venu les tempérer. « Je suis nul », « je ne suis vraiment pas à la hauteur », « je n'intéresserai jamais personne », etc. La vision négative de soi, souvent préexistante aux problèmes d'anxiété sociale, se trouve ainsi à chaque fois renforcée par cette façon de percevoir et d'analyser les situations affrontées.

Quand la peur influence la réalité

Le phobique de l'avion qui redoute de voir s'écraser l'Airbus où il a pris place n'augmente pas, par ses pensées, le risque de crash de l'appareil. Le claustrophobe qui redoute que l'ascenseur ou le métro ne se bloquent n'est pas coincé plus souvent que d'autres dans ces situations. En revanche, l'anxieux qui redoute terriblement de rougir ou de trembler lorsque son patron le convoque, du fait de ses pensées focalisées sur ce genre de risque, facilite leur survenue. Les psychologues décrivent ce phénomène sous le terme de « prophéties autoréalisées ». Ainsi, la personne mal à l'aise dans une réception risque, si elle ne fait pas des efforts d'adaptation, de se retrouver assez rapidement seule et à l'écart, ce qui lui confirmera qu'elle n'est pas faite pour les contacts sociaux. En d'autres termes, en matière d'anxiété sociale, les prédictions ont des chances raisonnables de se réaliser [13].

Dans certains cas, toutes ces manifestations d'anxiété sociale, quoique gênantes, auront des conséquences limitées : la personne restera capable d'humour sur elle-même, ses craintes, ses maladresses ; il lui sera possible de reprendre le dessus sur celles-ci et d'évoluer peu à peu.

Mais, dans d'autres, l'anxiété sociale sera trop intense, trop brutale, et paralysante : il n'y aura alors plus de recul ni de contrôle possibles, et elle entraînera souffrance et handicap. Nous allons aborder maintenant et décrire ces différents degrés possibles dans la peur des autres.

DEUXIÈME PARTIE

Des peurs normales aux peurs pathologiques

À chacun sa peur ? La gêne ou la peur lors des contacts avec d'autres personnes revêtent tant de masques différents qu'on peut se demander s'il existe un fonds commun à ces différentes manifestations. Oui, sans doute, si l'on considère que ce sont des manifestations d'un même phénomène : l'anxiété sociale, ce malaise ressenti en face d'autrui, parfois autant dû à la peur de nos propres réactions qu'à celle du regard de l'autre.

Trac, timidité, anxiété sociale, manque de confiance en soi, gêne en société, peur des contacts, phobies sociales, inhibition : les appellations sont nombreuses. Comment établir des différences ? Comment s'y retrouver ? En fait, il semble qu'il faille distinguer quatre grandes formes d'anxiété sociale en fonction de son extension et de sa dimension plus ou moins pathologique. Est-elle liée à des circonstances précises, ponctuelles, ou bien est-elle une manière d'être durable, liée à presque toutes les situations sociales ? A-t-elle des répercussions modérées sur l'ensemble de la vie ou bien entraîne-t-elle une gêne importante, au point d'envahir tous les aspects de

l'existence ? Est-elle *ego-dystonique*, c'est-à-dire en opposition avec les aspirations de la personne (« je ne me sup-
porte pas quand je suis comme ça ») ? Ou est-elle *ego-
syntonique*, c'est-à-dire en relative concordance avec la
vision que le sujet a de lui-même (« c'est dans mon
caractère ») ?

Les quatre principales formes d'anxiété sociale

	Anxiété sociale normale	Anxiété sociale pathologique
Manifestations anxieuses ponctuelles et ego-dystoniques	Trac, appréhensions ponctuelles	Phobie sociale
Manière d'être permanente et ego-syntonique	Timidité	Personnalité évitante

Le trac et de nombreuses appréhensions, qui correspondent à une anxiété sociale limitée, déclenchée par une
famille de situations spécifiques (prise de parole en public,
rencontre avec des personnes impressionnantes), n'altèrent
pas de manière grave la qualité de vie ; ils suscitent simplement un inconfort ponctuel. Plus généralisée, la timidité correspond à une manière d'être, à une tendance profonde à rester en retrait, plutôt qu'à une pathologie.

La phobie sociale, au contraire, est une véritable
maladie psychologique, intense, paralysante, qui entraîne
une souffrance et une gêne très importantes. De même, la
personnalité évitante est une manière d'être marquée par
une sensibilité excessive au regard d'autrui ; elle conduit à
se construire un mode de vie fondé à tort sur de très nom-

breux évitements. Phobie sociale et personnalité évitante
sont d'ailleurs deux affections répertoriées dans les classifi-
cations officielles des troubles mentaux (*cf.* annexe p. 293).

L'anxiété sociale est souvent sous-estimée. Pour beaucoup de gens, le trac ou la timidité ne représentent pas des
maladies à proprement parler. Et c'est sans doute mieux
ainsi. Il n'est pas opportun de psychologiser ou de médicaliser à l'extrême des phénomènes peu gênants. Mais
l'inverse est aussi vrai : la phobie sociale, nettement plus
invalidante, a longtemps été négligée par les psychiatres
au profit de troubles anxieux aux symptômes plus spectaculaires, comme les agoraphobies ou les troubles obses-
sionnels compulsifs. Et pourtant, elle est source d'autant
de souffrance et de gêne. Mais elle est souvent vécue dans
la honte (« c'est un signe de faiblesse d'être comme ça, je
ne suis pas normal, les autres ne ressentent pas de choses
semblables, donc mieux vaut ne pas en parler, cela com-
pliquera encore plus les choses ») ou dans la résignation
(« ça me gâche la vie, mais je suis comme ça, c'est ma
nature, c'est un trait de caractère qui ne se change pas
davantage que la couleur des yeux ou la taille »). Rares
sont ainsi les personnes qui viennent consulter parce
qu'elles ont peur des autres, parce qu'elles ont honte de
parler en public, parce qu'elles fuient certaines formes de
relations avec leur entourage... On va voir un « psy » parce
qu'on est déprimé, parce qu'on est anxieux, parce qu'on
est mal dans sa peau... pas parce qu'on éprouve des difficultés à prendre la parole dans une réunion de travail. Et
pourtant, c'est peut-être, associé à d'autres troubles, la
raison du mal-être qu'on éprouve.

Les recherches en psychologie ont quant à elles longtemps privilégié les aspects uniquement « privés »,
« intérieurs » et ont négligé le point de vue relationnel.
Comme si nous étions des individus refermés sur nous-

mêmes, alors que notre vie intérieure est largement fonction des interactions avec les autres. Or c'est parfois une difficulté liée aux relations avec les autres qui est à l'origine d'une anxiété, d'une dépression, qu'il est, dès lors, bien difficile de traiter comme si nous vivions en vase clos.

Tout se passe encore comme si l'anxiété sociale, qui pourtant constitue un problème aigu pour beaucoup de personnes, ne pouvait relever d'une approche médicale ou psychothérapique. On n'a plus honte désormais de parler à son médecin de ses insomnies ; quant à lui confier ses difficultés à s'adresser à un vendeur dans un magasin ou à demander une augmentation à son patron, c'est une autre affaire. Peut-être parce que l'anxiété sociale ne semble pas vraiment « empêcher de vivre » : après tout, s'entendent répondre les anxieux sociaux, tout le monde a un peu peur des autres, se sent un peu timide en certaines occasions, ressent du trac avant de prendre la parole en public... Certes, et il convient de se méfier de la tendance à transformer en entités pathologiques de simples manières d'être. Il peut être bénéfique d'éprouver du trac, et une certaine réserve vis-à-vis des autres n'est pas toujours si dommageable que cela. Mais il est des cas, bien plus nombreux qu'on ne veut bien le dire, où l'anxiété sociale peut se transformer en handicap.

Où se situe la frontière ? Quelles sont les grandes formes que prend l'anxiété sociale ? Et comment se manifeste-t-elle au quotidien ?

Chapitre 1

Trac et appréhensions

> « Rien n'empêche tant d'être naturel
> que l'envie de le paraître. »
>
> La Rochefoucauld

Comment définir le trac ? C'est une sensation d'anxiété intense mais passagère, limitée à une situation et à un moment donnés. L'étymologie du mot est d'ailleurs édifiante. Selon la majorité des linguistes, il semble qu'on puisse établir une filiation avec le verbe traquer, « poursuivre sans laisser d'issue [1] ». Ce qui correspond bien au vécu subjectif de l'anxieux social : il redoute une écoute prédatrice et sans merci de la part de ses interlocuteurs. Quant à l'expression « tout à trac », elle évoque l'idée de rapidité, de brusquerie, proche elle aussi de la promptitude avec laquelle apparaissent les symptômes physiologiques d'anxiété. Les premiers à avoir utilisé le terme furent, au début du XIXe siècle, les comédiens et les étudiants, pour désigner, comme on s'en doute, leurs appréhensions face au jugement d'un public ou d'un jury [2].

De la peur du sportif avant une épreuve [3] à celle de l'orateur avant une conférence [4], c'est vraisemblablement une des sensations les plus universelles qui soient... La plupart des recherches épidémiologiques évaluent à 55 % de la population environ la proportion des personnes ayant peur de prendre la parole devant un public, même restreint [5]. D'autres travaux montrent que 31 % des sujets ressentent une peur de parler en public selon eux beaucoup plus forte que celle que peuvent ressentir les autres [6]. Près d'une personne sur trois est donc obligée de renoncer à s'exprimer devant un groupe ! Une de nos patientes nous racontait ainsi son expérience :

> « *C'est au moment des réunions de parents d'élèves. Le scénario est toujours le même depuis des années : je suis calme, et à l'aise, car je connais de toute façon la majorité des parents et des professeurs. Mais, à chaque fois que j'ai quelque chose à dire, mes ennuis commencent. Au moment où je m'apprête à signaler que je veux prendre la parole, ou même simplement où je me représente que je vais le faire, ce trac monte en moi d'un seul coup. Et il me fait perdre 80 % de mes moyens. Alors, le plus souvent, je renonce, parce que, tout de même, je ne suis pas masochiste : je préfère dire les choses plus tard, en aparté, et tant pis si les trois quarts de mes idées ou questions sont ensuite reprises ou posées par les autres. J'ai fini par m'y faire... »*

Le trac correspond ainsi à une sorte de « paralysie psychosomatique », survenant à un moment où évidemment il ne faudrait pas qu'elle apparaisse. Un critique de rock en a donné une description pleine d'humour : « Dans le langage des artistes, on appelle ça le trac. Les chocottes, les jetons, la pétoche, si vous préférez. Qui vous transforme les rotules en pâte à guimauve, le cerveau en yaourt scandinave, et le cœur comme un solo de Ringo Starr. Surtout avant d'entrer en scène, quand on vérifie une dernière fois, dans la glace piquetée du débarras malpropre qui sert de loge, l'ordonnance de sa coiffure, le maintien martial de sa silhouette et si sa braguette est bien fermée. Entrer en scène, même si c'est dans l'arrière-salle d'un bistrot minable, c'est comme se jeter pour la première fois à l'eau, après avoir appris la brasse à plat ventre sur un tabouret. On en ressort trempé et transi, mais soulagé, avec la vague impression d'avoir échappé à une mort certaine [7]. » Les manifestations somatiques du trac sont bien connues, l'accélération du rythme cardiaque notamment [8] : tandis que les fréquences cardiaques des conducteurs de voiture dans un trafic urbain dense peuvent dépasser 110 battements à la minute, ceux d'un conférencier parlant en public peuvent atteindre 130 à 170, et ceux d'un musicien lors d'un concert 140 à 180 ; que les traqueurs se consolent, le rythme cardiaque peut atteindre 180 à 210 chez un pilote de voiture de course !

Le trac et ses remèdes, selon Pierre Desproges [9]

« Le trac se soigne très bien maintenant. Par l'homéopathie. Vous prenez une petite pilule tous les matins et tous les soirs pendant six mois avant votre nouveau one-man-show. Arrive le grand soir de votre première. Vous entrez sur scène, et hop, vous oubliez que vous avez un homéopathe. Il paraît que, comme l'humour est la politesse du désespoir, le trac est l'humilité des gens de vrai talent... »

Trac ou phobie de la prise de parole en groupe ?

Mais alors, où finit le trac et où commence la phobie sociale ? On a comparé [10] une population de traqueurs craignant de prendre la parole en public à un groupe de phobiques sociaux généralisés redoutant la prise de parole en public, mais aussi de très nombreuses autres situations sociales. On les a invités à parler dix minutes (ce qui était affreusement long pour eux !) et on a mesuré différents paramètres, dont leur rythme cardiaque, destinés à évaluer leur anxiété. Surprise : comme prévu, les personnes souffrant de phobie sociale généralisée s'étaient montrées plus anxieuses au moment de parler, d'après les mesures objectives et subjectives. En revanche, l'anxiété des traqueurs se révélait plus forte *avant* de parler, tandis qu'une fois lancés, leur sensation de stress n'était pas plus importante que celle des sujets « normaux » dans les mêmes conditions. Autre résultat surprenant, mais parallèle, les traqueurs se caractérisaient aussi par une accélération du rythme cardiaque supérieure à celle des sujets témoins et des phobiques sociaux généralisés ; il en était de même de leurs taux sanguins d'adrénaline et de noradrénaline !

On le voit, le trac, ce n'est pas seulement dans la tête, et peut-être les traqueurs représentent-ils une population au métabolisme particulier. Moins grave que des troubles plus généralisés, le trac n'en déclenche pas moins des manifestations ponctuelles plus violentes sur le plan de l'émotivité.

L'intensité de cette anxiété anticipatoire explique sans doute que le trac entraîne certaines formes de fuite en avant : on se jette à l'eau pour affronter l'objet de ses craintes.

François, quarante ans, contremaître :

> « *Quand je participe à des réunions où tout le monde va avoir à donner son avis, je me débrouille chaque fois que possible pour passer le premier : si j'attends trop, le trac me fera perdre tous mes moyens, alors que si je fonce je n'ai pas le temps de réfléchir, donc de m'angoisser. C'est la même chose lorsqu'on demande un volontaire pour effectuer une démonstration devant les autres : plutôt que d'attendre que ça finisse par tomber sur moi après des minutes de silence où tout le monde regarde ses chaussures, je préfère me lancer... »*

Très peu de personnes peuvent prétendre ne jamais avoir ressenti de trac. Simplement, certaines le surmontent sans trop d'encombres et s'en trouvent même stimulées. Jusqu'à un certain seuil, le stress, en augmentant, améliore les performances. Un niveau de stress trop bas n'est pas assez mobilisateur, tandis qu'un degré trop élevé est désorganisateur, car synonyme d'anxiété.

Dites-moi ce qui vous gêne

À côté du trac, les situations ponctuelles où l'on se sent intimidé sont nombreuses. Françoise Mallet-Joris raconte ainsi le dîner donné en son honneur, au moment de la parution de son premier roman, *Le Rempart des béguines* : « On me parlait, on me parlait, et moi j'étais paralysée, je ne pouvais rien répondre. Et puis on m'a passé une assiette d'olives. J'en ai mangé une, deux, trois, dix. Mais je n'osais pas cracher les noyaux. À la fin, j'en avais douze dans la bouche. Panique ! J'ai pris les grands moyens, je les ai avalés. Et pendant toute la nuit suivante, je me suis demandé si j'avais une péritonite [11]... » Les causes de trac sont presque infinies. Certaines gênes sont fonction des interlocuteurs (personnes de l'autre sexe, personnages impressionnants, personnes autoritaires, plus âgées), d'autres des messages à délivrer (exprimer une critique, faire une déclaration d'amour, avouer une faute) ; d'autres enfin dépendent du contexte (dire quelque chose sous le regard d'un groupe, entrer dans un magasin ou un établissement de luxe).

Un autre problème particulièrement fréquent concerne l'argent à réclamer. Lorsque nous évaluons avec nos patients quelles situations sociales leur procurent le plus de gêne, la nécessité de réclamer de l'argent vient souvent au premier plan, que ce soit dans un contexte professionnel (oser demander, lors d'un entretien d'embauche, combien on sera exactement payé, demander une augmentation), commercial (demander une réduction de prix, un étalement des paiements) ou amical (réclamer que soit rendue une somme prêtée il y a quelque temps). La difficulté à aborder le thème de l'argent tourne pour certains à l'incapacité, et peut s'avérer dommageable sur le plan matériel ! Beaumarchais n'avait-il pas écrit : « L'homme que l'on sait timide est dans la dépendance de tous les fripons » ? On peut d'ailleurs rappeler que les sujets phobiques sociaux présentent un statut social et financier en moyenne plus bas que les personnes qui leur sont comparables dans la population générale [12].

J'ai rendez-vous avec vous

De même, des travaux ont été conduits sur la *dating anxiety*, l'anxiété sociale liée à la difficulté de programmer des rencontres avec des personnes de l'autre sexe. Bien que la définition exacte de ce type d'anxiété demande à être clairement élucidée, ce qui n'est pas le cas dans toutes les études, elle recouvre un ensemble de situations assez explicites : être capable de proposer une rencontre à une autre personne, pour aller prendre un café, se rendre ensemble à une activité sportive, prendre un repas au restaurant, aller au cinéma... Bon nombre de personnes connaissent effectivement des difficultés avec ce type d'interactions : elles sont capables de dialoguer et d'échanger, mais pas de prendre l'initiative d'une rencontre plus personnalisée. La difficulté principale qu'elles rencontrent tient sans doute au caractère « potentiellement romantique » de ces situations : une invitation à aller prendre un café peut très bien s'inscrire dans une stratégie globale de séduction de l'interlocuteur, comme n'être qu'une invite anodine, destinée à éviter un instant de solitude entre deux activités... De nombreux personnages de romans ou de films ont ainsi été mis en scène, toujours de la même façon : un homme tente de séduire une femme, mais s'éternise sur la phase d'échanges préliminaires, car il n'ose pas franchir le pas et proposer un type de rencontre plus intime ; selon le caractère humoristique ou romantique du film ou du roman, la femme déclenche elle-même l'échange recherché... ou bien s'éloigne dans le brouillard de l'oubli et des occasions perdues. C'est ce qu'évoque Georges Brassens dans sa chanson *Les Passantes* :

> « À la compagne de voyage
> Dont les yeux, charmant paysage,
> Font paraître court le chemin ;
> Qu'on est seul peut-être à comprendre
> Mais qu'on laisse pourtant descendre
> Sans avoir effleuré la main. »

Derrière son aspect anecdotique et amusant (vu de l'extérieur), ce type de gêne peut déboucher sur de nombreuses complications : celles qui ont trait à la vie sentimentale sont assez évidentes, mais l'incapacité d'adopter une attitude suffisamment dynamique auprès d'amis et de connaissances est également de nature à contrarier une bonne insertion sociale. Le fait que certaines jeunes femmes évitent les rendez-vous avec des hommes peut souvent être rattaché à ce type de difficultés : ne sachant que faire en cas d'avances de leur interlocuteur, elles préfèrent renoncer à une sortie au restaurant ou au cinéma, plutôt que de prendre le risque de ne pas savoir dire non...

On a aussi remarqué que l'anxiété sociale était un ingrédient de certains dysfonctionnements sexuels, comme l'impuissance masculine, qui relève souvent d'une anxiété de performance [13-14]. Le contexte du rapport sexuel est en effet un concentré de beaucoup d'ingrédients de l'anxiété sociale : nécessité perçue de fournir une prestation satisfaisante pour l'autre, nécessité d'accepter une certaine dose d'intimité, sensation d'être jugé... Dans ce cas, la guérison du dysfonctionnement sexuel ne peut passer que par celle de l'anxiété sociale associée. Un de nos patients nous racontait ainsi comment il ne pouvait avoir de rapports sexuels satisfaisants avec les femmes qu'il aimait. Si sa partenaire lui était indifférente, il ne ressentait alors aucun problème : la peur d'être jugé était beaucoup moins forte.

*

Trac et appréhensions ponctuelles ont donc un certain nombre de points communs : il s'agit de formes précises d'anxiété sociale qui sont limitées à certaines situations, à certains moments. Ces deux manifestations parfois pittoresques peuvent entraîner souffrance et handicap. La frontière entre l'anecdotique et le sérieux, entre le bénin et le pathologique est souvent floue. C'est aussi le cas avec la timidité. Car il existe des formes maladives de trac, dont nous verrons qu'elles sont en fait d'authentiques phobies sociales. Le tableau suivant vous permettra d'ailleurs d'établir un premier bilan.

Trac ou phobie sociale ? Faites votre autodiagnostic

Trac	Phobie sociale
Votre anxiété est forte peu avant la situation	Votre anxiété est très forte longtemps avant la situation
Elle diminue assez vite dès que vous commencez à parler	Elle ne diminue pas lorsque vous commencez à parler, parfois même elle augmente
Même si votre anxiété est forte et vous gêne, vous continuez de parler	Votre anxiété peut atteindre le niveau d'une attaque de panique incontrôlable, et vous obliger à quitter la situation
Vous vous sentez soulagé après avoir terminé votre intervention	Vous vous sentez honteux après avoir terminé votre intervention
Vous récupérez assez vite ensuite	Vous vous sentez épuisé ensuite
Si vous avez régulièrement l'occasion de prendre la parole dans les mêmes circonstances, votre anxiété diminue peu à peu (« habituation »)	Même si vous êtes régulièrement contraint de prendre la parole dans les mêmes circonstances, votre anxiété ne diminue pas, et vous avez plutôt l'impression qu'elle augmente (« sensibilisation »)

Chapitre 2

La timidité

« La timidité a été le fléau de ma vie. »
Montesquieu

« Je vous ai entendu parler l'autre jour à la radio. Je me suis dit que vous pourriez peut-être faire quelque chose pour moi. J'espère que je ne prends pas la place de quelqu'un de plus malade que moi, enfin de quelqu'un qui en aurait davantage besoin... Voilà, je suis très timide. Ce n'est pas une maladie, je le sais bien, mais j'ai l'impression que cela m'a fait rater tellement d'occasions dans ma vie que, certains jours, je me demande si un handicap plus grave et spectaculaire ne m'aurait pas finalement moins gênée... Si vous pouviez m'aider à changer un petit peu... »

Elle avait la quarantaine. C'était une belle femme aux traits réguliers, vêtue avec une sobre élégance. Son visage affichait un sourire presque permanent, son ton de voix était calme et doux. Elle raconta sa vie. Elle exposait son problème avec méthode. Peut-être avait-elle « révisé » avant de venir, pour ne pas faire perdre de temps au médecin... Diane avait été une petite fille timide et bien élevée, née de parents de la bonne bourgeoisie provinciale.

> « D'aussi loin que je me souvienne, j'ai toujours été timide et craintive. Mes parents m'appelaient la petite souris grise. J'ai l'impression qu'ils ne se sont jamais souciés de ma timidité. Ils disaient souvent que ça me passerait lorsque la conversation arrivait sur ce sujet, en général du fait d'un de mes instituteurs ou de mes professeurs. Comme mes parents répondaient que j'étais à l'aise à la maison et en famille, ce qui était vrai, les enseignants ne s'en inquiétaient pas plus que ça. Ils notaient simplement sur les bulletins scolaires : bonne élève, mais ne participe pas du tout à l'oral. Je me souviens très bien qu'à chaque question de mes enseignants à la classe, j'avais toujours la bonne réponse en tête, mais je crois n'avoir jamais levé le doigt de ma vie. Les médecins, c'était pareil : ils demandaient si je travaillais bien à l'école, et comme c'était le cas, ils disaient eux aussi que cela passerait avec l'âge...
>
> « Mes parents n'étaient pas timides. En fait, j'ai maintenant compris que mon père manquait sans doute un peu de confiance en lui : son souci de ne jamais déranger les autres, de toujours vouloir se débrouiller seul, de ne pas vouloir contrarier autrui ni élever la voix... Je prenais sa réserve pour de la sagesse, de la maturité, mais je n'en suis plus si sûre aujourd'hui. Je me demande si ses attitudes étaient choisies ou subies... »

Sa mère était une femme très bavarde, étouffante, ne supportant guère la contradiction de la part de ses enfants, auxquels elle donnait rarement la parole ou l'occasion d'exprimer leur avis en présence des adultes. Selon Diane, elle lui avait toujours préféré ses deux frères aînés et la confinait dans le rôle de la petite fille sage et devant rester à sa place sans se manifester. Ses deux frères n'avaient d'ailleurs, selon elle, aucun problème de timidité, ou très légèrement pour le second, son aîné d'un an.

> « Lorsque j'étais enfant, j'acceptais toujours les seconds rôles dans les jeux : mes amies plus sûres d'elles choisissaient toujours les rôles d'héroïnes, et moi je me contentais de ceux de confidentes ou de faire-valoir, voire des personnages dont personne ne voulait, comme les grand-mères, les sorcières, les méchantes, etc. J'étais spécialisée dans le rôle de l'amie fidèle de l'héroïne qui ne dit rien, se tient toujours à l'arrière-plan... J'étais prête à renoncer à mes désirs pour faciliter ceux des autres, à condition qu'ainsi ils m'acceptent et m'en soient reconnaissants.

> « Aujourd'hui, lorsque je perds mon chemin, je préfère perdre du temps et tourner en rond plutôt que de demander ma route à un passant... Dans mon travail, cela m'a empêchée de gravir les échelons. Mes supérieurs me disaient que j'avais toutes les qualités requises, mais finissaient par donner le travail à d'autres ; et moi, de mon côté, pendant toute une période de ma vie, je tendais à fuir ou à éviter les prises de responsabilités. Lorsque je me suis réveillée, c'était trop tard, j'étais déjà sur une voie de garage. C'est comme ça, c'est la vie. Je me suis toujours dit que c'était dans mon caractère... Ma vie

sentimentale est ratée, elle aussi. Les hommes m'ont toujours fait peur. Quand j'étais adolescente, il me suffisait d'un regard ou d'une conversation tout ce qu'il y a de plus banal pour que je tombe amoureuse pendant des mois ou des années. J'étais même capable de tomber amoureuse d'une photo, tout en sachant bien que je serais incapable de prononcer un mot si je rencontrais la personne pour de bon... Je n'osais jamais rien faire ou dire en matière de sentiments ; sinon rêvasser ou écrire des lettres jamais postées. Les hommes que j'attirais n'étaient pas ceux qui me plaisaient. Mais je fuyais quasiment tous ceux qui m'attiraient ; et s'ils tentaient de m'approcher, je fuyais encore plus loin.

« *Parfois, je ressens de la colère, de la frustration, de l'insatisfaction. Je m'énerve contre moi-même, ou contre les autres, ceux qui s'imposent, ceux qui ne respectent pas les gens fragiles ou effacés... Je rêve d'être capable de répliques cinglantes, ou d'avoir une grande confiance en moi, d'être populaire... Mais je reviens vite sur Terre, les réalités se chargent de se rappeler à mon souvenir. Finalement, je vis sans vagues, dans mon petit monde confortable et gentiment frustrant : on m'aime bien comme je suis. Je ne dérange personne...* »

Qu'est-ce que la timidité ?

Un peu comme le mot « stress », le terme « timide » recouvre des réalités très différentes. Son emploi, pour caractériser des personnes « craintives, pleines d'appréhension », « manquant d'assurance, de hardiesse », « discrètes dans les relations sociales », s'est généralisé au XVIIIᵉ siècle. La « timidité » en est venue à désigner toutes les formes d'embarras qu'il est possible de ressentir en présence d'autrui. Il n'existe pas à ce jour de définition scientifique univoque de la timidité (ou plutôt, il en existe trop puisque près d'une vingtaine ont déjà été proposées). Pourtant, il faut réserver cette appellation à un type particulier d'anxiété sociale, exprimant une manière d'être durable et habituelle, marquée par une tendance prononcée, lors des situations nouvelles, à se tenir en retrait et à éviter de prendre l'initiative, malgré un désir relatif d'échanges avec l'entourage.

La timidité renvoie à la double existence d'un malaise intérieur et d'une maladresse extérieure en présence d'autrui. Elle n'exclut toutefois pas des capacités à s'adapter beaucoup plus développées que dans les formes pathologiques d'anxiété sociale.

De quoi ont peur les timides ?

La timidité est chronique et durable. Le timide développe une façon d'être marquée par l'inhibition dans un grand nombre de situations sociales ; il évite donc ces situations chaque fois que possible. Il redoute en particulier les « premières fois », alors que son angoisse s'apaise au fil des rencontres, alors que c'est précisément l'inverse qui se produit dans les formes pathologiques d'anxiété sociale. C'est pourquoi la timidité ne peut être considérée comme une maladie : à la différence du phobique social, le timide s'adapte, souvent bien, après une période d'inhibition initiale [1-2]. « Moi, ce qui m'intimide, c'est tout ce qui est nouveau, imprévisible, ou soudain », disait un patient.

Qu'est-ce qui rend timide ? Les inconnus (70 %) et les personnes de sexe opposé (64 %). Quant aux situations intimidantes, pas de surprise : parler devant un public ou un grand groupe arrive en tête (73 %), puis être dans un grand groupe (68 %), être d'un statut présumé plus bas que ses interlocuteurs ou se sentir inférieur à eux à un titre ou un autre (56 %) [3].

La gêne que l'on éprouve reste dans certaines limites et est éloignée des états de panique que l'on peut rencontrer dans les cas de phobie sociale. Le timide peut même opter pour une sorte de fuite en avant : les témoignages sont nombreux de personnalités du spectacle ou de journalistes qui racontent comment ils ont surmonté leur timidité par le choix d'une profession les poussant à affronter ce qui les angoissait. Nous avons eu un jour la surprise de voir à la télévision un de nos anciens patients, qui avait choisi d'affronter sa timidité en devenant acteur dans une série à succès ; il s'en sortait plutôt bien, même si – on n'échappe pas à son destin ! – il jouait le rôle d'un personnage timide et gauche...

Au fond, pour ces « anciens timides », la timidité, d'externe est devenue interne : ils continuent de ressentir les émotions et les craintes de tout timide, mais ils ont acquis un savoir-faire comportemental leur permettant de masquer leurs émois, qui restent les mêmes. Dans une interview accordée en 1995, au soir de sa vie, à Christine Ockrent et publiée dans *L'Express*, François Mitterrand, président de la République, avouait lui-même avoir été un timide [4] :

« – Dans ce livre, vous parlez de votre timidité.

– Oui.

– Comment s'exprime-t-elle ?

– Eh bien, précisément, elle ne s'exprimait pas ! J'étais incapable, jusqu'à mon retour de captivité, c'est-à-dire

après avoir connu la guerre, incapable de parler correctement en public.

– Pourtant, jeune, vous déclamiez dans les bosquets…

– Oui, devant un public imaginaire.

– Et aujourd'hui, où s'exprime-t-elle encore ?

– Avant toute déclaration publique, jusqu'à ces derniers
temps, j'ai toujours eu quelques minutes d'appréhension,
une difficulté de communication. La volonté de convaincre
et, disons, une certaine habitude professionnelle m'ont
aidé à mieux maîtriser ma nature… »

Comment se manifeste la timidité ?

Êtes-vous timide ? Pour le savoir, il existe un certain
nombre de signes comportementaux caractéristiques lors
des interactions sociales. Une étude portant sur une population d'étudiants a filmé ceux-ci alors qu'ils dialoguaient
avec un expérimentateur ; la bande vidéo était ensuite ana-
lysée par des observateurs indépendants. Il apparut clairement que les sujets timides parlaient moins souvent, sou-
riaient moins, regardaient moins dans les yeux, mettaient
plus longtemps à répondre ou à relancer la conversation,
que les temps de silence étaient plus fréquents dans leur
discours [5]. On retrouve aussi un registre de mimiques et
d'expressions moins riche. Une institutrice interviewée sur
sa manière de repérer les enfants timides faisait quant à
elle ce récit :

> « À quoi je les reconnais ? Si je leur pose une
> question en classe, ils répondent en chuchotant ou se
> bloquent et ne répondent pas. Ils n'ont pas tellement
> de copains. Ils ont des difficultés motrices et du mal
> à se déplacer dans un grand espace. Le vrai grand

timide est repérable en séance de dessin : si son crayon se brise, il le cache dans le tiroir, et n'ose avouer qu'au bout d'une demi-heure que sa mine est cassée [6]... »

Un portrait de timide au siècle de Louis XIV

Le moraliste La Bruyère (1645-1696) est connu pour son œuvre *Les Caractères*, succession de maximes mais aussi de portraits souvent d'une grande finesse psychologique. Parmi ceux-ci, celui de Phédon [7] :

« Il a avec de l'esprit l'air d'un stupide...
Il oublie de dire ce qu'il sait, ou de parler d'événements qui lui sont connus ; et s'il le fait quelquefois, il s'en tire mal, il croit peser à ceux à qui il parle...
Il marche les yeux baissés, et il n'ose les lever sur ceux qui passent...
Il se retire si on le regarde : il n'occupe point de lieu, il ne tient point de place ; il va les épaules serrées, le chapeau abaissé sur les yeux pour n'être point vu...
Si on le prie de s'asseoir, il se met à peine sur le bord d'un siège, il parle bas dans la conversation et il articule mal...
Il n'ouvre la bouche que pour répondre... »

En revanche, les timides se comportent tout à fait normalement dans un milieu qui leur est familier ; ainsi, les enfants timides ne le sont pas avec leurs parents et leurs proches [8]. On retrouve d'ailleurs souvent d'assez bonnes compétences sociales chez les sujets timides, en dehors des situations stressantes. C'est pourquoi certains le sont à l'insu de leur entourage proche, de leurs collègues de travail : non parce qu'ils veulent particulièrement dissimuler leurs troubles, mais en présence de familiers, ceux-

ci s'estompent, jusqu'au jour où des circonstances exté-
rieures les amènent à apparaître au grand jour.

Finalement, au quotidien, les sujets timides connaissent
des difficultés dans deux grands types de situations : toutes
les fois où ils doivent prendre une initiative relationnelle
et toutes les fois où ils ont à s'impliquer personnellement,
à parler de leurs émotions. Amiel écrivait ainsi dans son
journal intime [9] : « Il y a en moi une raideur secrète à
laisser paraître mon émotion vraie, à dire ce qui peut
plaire, à m'abandonner au moment présent, sotte retenue
que j'ai toujours observée avec chagrin. »

*On le voit, le timide est aussi quelqu'un qui a cons-
cience de son état :* « Le timide est celui qui sait de
science certaine, ou qu'un obscur instinct avertit que,
dans un cas donné, il ne trouvera jamais le mot qu'il faut
dire, ni le geste qu'il faut faire, ni la contenance qu'il
faut prendre ; qu'il lui échappera une maladresse, ou, si
vous ne haïssez pas le mot de l'argot boulevardier, une
gaffe [10]. »

Les qualités du timide...

Les qualités associées à la timidité sont nombreuses : il
est fréquent que le timide s'avère capable de beaucoup
d'écoute et d'empathie. Sa tendance à rester en retrait fait
souvent de lui quelqu'un de particulièrement observateur
et attentif à autrui. Son souci de dépister chez ses interlocuteurs le moindre signe d'agacement ou de tension en fait
un bon lecteur des états d'âme d'autrui.

Dans le milieu professionnel, sa discrétion et son désir
de bien faire sont souvent appréciés de sa hiérarchie. Son
désir d'être aimé et apprécié en fait une personne attentive
aux besoins de ses collègues, souvent prêt à se dévouer

pour accepter un travail rebutant ou donner un coup de main de dernière minute.

Il faut noter à ce propos que ce désir d'être apprécié est moins angoissant que la peur permanente d'être rejeté que ressent le phobique social.

Dans nos sociétés, le timide est l'objet d'une bienveillance condescendante : tant qu'il reste à sa place, ne dérangeant pas les autres, il est bien considéré. Surtout lorsque c'est une femme ! Les traits qui vont de pair avec la timidité recoupent ce que l'on considère traditionnellement comme des manières d'être féminines : douceur, sollicitude, pudeur, réserve... La timidité gêne d'ailleurs plus les hommes que les femmes et les personnes qui consultent pour ce problème sont assez souvent des hommes : notre société trouve volontiers du charme aux femmes timides (surtout si elles sont jeunes et jolies), mais ne valorise guère la timidité masculine !

...et ses souffrances

La timidité, si elle n'est pas une maladie, n'en est pas moins un trouble qui peut gêner considérablement. 50 à 70 % des personnes qui viennent consulter pour des problèmes psychologiques se disent timides [11]. Comme la phobie sociale, mais avec une fréquence moindre, la timidité semble corrélée à de plus grands risques de complications psychologiques, telles que la dépression ou l'utilisation d'alcool. Les timides en arrivent parfois à se dévaloriser, pensant que leur difficulté à s'exprimer proviendrait d'un manque d'intelligence ou de connaissances. En fait, il s'agit bien évidemment d'un problème psychologique et non culturel, et comme le notait La

Rochefoucauld : « La confiance fournit plus à la conversation que l'esprit. »

Benjamin Constant a dressé un tableau très sombre de la timidité : « Je contractai l'habitude de ne jamais parler de ce qui m'occupait, de ne me soumettre à la conversation que comme à une nécessité importune... Je ne savais pas encore ce que c'était que la timidité, cette souffrance intérieure qui nous poursuit jusqu'à l'âge le plus avancé, qui refoule sur notre cœur les impressions les plus profondes, qui glace nos paroles, qui dénature dans notre bouche tout ce que nous essayons de dire et ne nous permet de nous exprimer que par des mots vagues ou une ironie plus ou moins amère, comme si nous voulions nous venger sur nos sentiments mêmes de la douleur que nous éprouvons à ne pouvoir les faire connaître. »

Le domaine sentimental, mais aussi de façon plus prosaïque la vie sociale et professionnelle sont marqués par ces occasions perdues. Il semble que les timides se marient plus tard, aient des enfants plus tard, voient leur carrière professionnelle ralentie par leur timidité ; de même, pour les femmes, leur trouble semble les enfermer plus que d'autres dans des rôles de femmes au foyer ou de femmes traditionnelles, s'occupant peu d'elles-mêmes au détriment de leur foyer [12]. Cela n'empêche pas non plus les réussites brillantes. Nombreuses sont les personnalités politiques ou celles du monde des affaires, comme les stars du grand et petit écran, à être timides et à l'avouer. Ainsi Jacques Villeret : « Dans mon métier, la timidité n'est pas un handicap : quand je suis sur scène, ma timidité ne me pose plus aucun problème [13]. »

Il n'empêche, la timidité conduit souvent à la solitude [14]. La difficulté des timides à se construire un réseau relationnel satisfaisant en fait les cibles parfaites de certaines pratiques commerciales. Un travail effectué auprès de prostituées de San Francisco évaluait à 60 % le nombre de timides parmi leurs clients. On peut imaginer que les agences matrimoniales ne pourraient certainement pas survivre si les timides ne formaient le gros de leur clientèle. Il existe ainsi un vrai marché pour les marchands de mieux-être et de rencontres en tous genres.

Timides de tous les pays, unissez-vous !

La timidité est un trouble particulièrement fréquent : un récent sondage a révélé que près de 60 % des Français se disent timides : 51 % un peu, 7 % très [15]. Ce chiffre est d'ailleurs à peu près constant dans la plupart des pays occidentaux. 40 % des Américains se présentent comme habituellement timides, et 90 % comme occasionnellement timides [16]. À l'âge de deux ans, 15 % des enfants occidentaux ont des comportements qui évoquent la timidité [17]. Environ 30 % des enfants qui ont entre huit et dix ans sont considérés par leurs parents comme timides. Même si ces chiffres mélangent probablement à la timidité d'autres formes d'anxiété sociale, ils n'en demeurent pas moins significatifs de la grande fréquence de ce trouble.

De façon générale, il semble que l'apparition de la timidité soit assez précoce dans l'enfance ou même la petite enfance (tandis que la phobie sociale commencerait plus tardivement, à l'adolescence). Il est fréquent qu'elle puisse s'amender spontanément, ou à la faveur de rencontres, d'expériences, de moments particuliers... Les récits de personnes racontant comment elles ont pris confiance en elles grâce au sport, à leur réussite professionnelle, etc., sont nombreux. Cette alchimie des changements spontanés, ou facilités par l'entourage et les circonstances, est encore mal connue des thérapeutes, et c'est sans doute une voie de recherche à privilégier.

Êtes-vous seulement timide ou carrément phobique social ?
Faites votre autodiagnostic

Timidité	Phobie sociale
Peur d'être ignoré	Peur d'être humilié ou agressé
Désir d'être accepté	Désir d'être oublié
Inhibition les premières fois, puis relative aisance au fur et à mesure des nouveaux contacts	La répétition des contacts ne met pas toujours plus à l'aise, au contraire (à cause de la peur d'être démasqué au fur et à mesure que l'intimité s'accroît)
Gêne en situation sociale	Véritable panique en situation sociale
Sentiment de déception après les prestations sociales jugées insatisfaisantes	Sentiment de honte après les prestations sociales jugées insatisfaisantes
Le désir de contact est supérieur à la crainte de l'échec	La crainte de l'humiliation est supérieure au désir de contact
En cas de gêne sociale, conduites d'inhibition, et observation des autres	En cas de gêne sociale, conduites de dissimulation de son malaise, et auto-observation
Les attitudes sociales amicales et accueillantes rassurent (« je n'ai pas à faire le premier pas »)	Les attitudes sociales amicales et accueillantes peuvent embarrasser ou angoisser (« est-ce sincère ? », « que faire ? »)

Chapitre 3

La personnalité évitante

« L'enfer, c'est les autres. »
Jean-Paul Sartre

Loïc a trente-huit ans. Il s'exprime depuis le début de la consultation avec cette voix sourde et mal posée des personnes qui ne parlent pas souvent, et encore moins souvent d'elles-mêmes.

« *J'ai pris ce rendez-vous car j'ai eu un petit choc cet été, dû à ma petite fille de quatre ans. Alors que j'adore jouer à la pétanque, je n'arrivais jamais à me décider pour aller me mêler aux autres joueurs, sur la place du petit village où nous prenions nos vacances. Me voyant un jour les regarder, elle s'approcha de moi et me dit : "Pourquoi as-tu peur, papa ? Les gens ne sont pas méchants." J'en ai parlé le soir même avec ma femme, qui m'a conseillé de venir vous voir.* »

Durant les premiers temps de nos rencontres, Loïc chercha à minimiser ses difficultés : « Ce n'est pas si grave, un peu de timidité, voilà tout », « il ne faut pas dramatiser, ça ne m'empêche pas de vivre ». Mais cela l'empêchait tout de même de bien vivre... Loïc avait été un enfant discret, réservé, qui avait le goût des instants de solitude même s'il était capable de participer aux jeux des enfants de son âge. Très proche de sa mère, il avait été profondément marqué par celle-ci ; il s'agissait d'une grande femme un peu distante et hautaine, malgré la condition modeste de la famille. Elle avait toute sa vie souffert de dépression, et avait brossé à ses enfants un tableau très amer et acide de l'existence, que Loïc résumait d'une phrase : « On est ici-bas pour en baver. » Le père était un brave homme un peu falot, employé de préfecture, et déléguant totalement à son épouse les décisions concernant l'éducation des enfants et la marche du foyer. Aîné d'une fratrie de trois enfants, Loïc n'avait jamais eu de liens profonds avec son frère et sa sœur puînés : ils se côtoyaient et s'aimaient bien, mais n'avaient jamais eu de complicité ou de projets en commun. Le mode de vie de la famille était très particulier.

> *Je ne me souviens pas d'avoir vu mes parents recevoir des amis à la maison ; en fait, ils en avaient très peu. De temps en temps, nous avions la visite de quelques membres de la famille, c'est tout. Notre maison était comme un petit monde clos, hermétiquement isolé de l'extérieur : jamais le facteur ou les livreurs ne rentraient à l'intérieur, même sous la pluie battante. Le moindre coup de sonnette déclenchait d'ailleurs un vrai branle-bas de combat : tout le monde devait observer le silence, pendant qu'un des parents allait sur la pointe des pieds observer qui*

*était l'intrus et s'il était nécessaire de lui ouvrir la
porte. Quand j'y pense, c'était vraiment absurde,
mais je continue encore de réagir un peu comme ça :
j'ai toujours une vague inquiétude devant les sonne-
ries, de la porte d'entrée ou du téléphone, comme si
un danger pouvait survenir et me prendre au
dépourvu... »*

L'enfance et la scolarité de Loïc se déroulèrent sans
problèmes et sans souvenirs marquants. Signalé régulièrement par ses professeurs comme un bon élève, mais trop
réservé à l'oral, Loïc choisit après son bac des études
courtes dans un institut universitaire de technologie. Ne se
plaisant guère auprès des jeunes de sa génération, il souhaitait rentrer le plus tôt possible dans la vie active. Peu à
peu, son manque de goût pour les sorties et les contacts
prit de l'ampleur. Il se mit à décliner la plupart des invitations qui lui étaient proposées et s'éloigna peu à peu de
son petit cercle de copains, pour ne garder que deux amis
très proches, qu'il voyait rarement. Le manque de temps,
expliquait-il lorsqu'on lui posait la question.

Dès qu'il eut un travail, il s'y investit de toutes ses
forces. Il rencontra son épouse dans la grande entreprise
où il était affecté à un bureau d'études. Elle était discrète
et travailleuse, à son image. « Nous nous sommes plus
tout de suite », remarquait-il. Il n'avait pratiquement pas
eu de vie sentimentale avant elle, trouvant les filles de sa
génération frivoles, superficielles, intéressées... Il menait
une vie tranquille et retirée, sans guère de sorties ni de
mondanités.

Il avoua, après plusieurs rencontres, qu'à son travail il
était très isolé : fuyant les pots entre collègues, évitant les
bavardages autour de la machine à café, ne traînant pas
dans les couloirs à l'écoute des derniers petits potins, il

s'était peu à peu marginalisé, d'autant qu'il avait peu de talent pour les petits mots gentils de nature à se faire accepter par un groupe. Il passait pour un homme dur et froid, grand travailleur et un peu ennuyeux, assez ours solitaire... Lui-même n'allait jamais s'asseoir à côté de ses collègues au self de l'entreprise, choisissant toujours les tables où il pouvait rester seul.

Pas de relations de voisinage non plus, « sources d'embrouilles » selon lui.

> « Si vous faites trop copain-copain, les gens en abusent, passent leur temps chez vous à vous emprunter la tondeuse, la perceuse, à se faire inviter, etc. On n'ose rien dire, on laisse faire, et puis un jour on en a marre, on finit par se disputer. De toute façon, je suis fatigué le soir et le week-end, j'ai envie de me reposer tranquillement en famille, pas de voir des gens. »

Loïc trouvait toujours une bonne raison pour expliquer sa façon de se tenir à l'écart des contacts sociaux. Il pouvait passer pour misanthrope et il l'était bel et bien devenu, peu à peu. Il finit par avouer avoir connu deux dépressions très pénibles, durant lesquelles il avait dû avoir recours aux antidépresseurs. À sa grande honte, il buvait.

> « Je bois pour me détendre, avant d'affronter une soirée ou une réunion. Mais contrairement à ce qui se passe pour les autres, l'alcool ne me rend pas plus extraverti ni plus à l'aise ; simplement il atténue un peu mon angoisse et m'évite de me sentir trop mal à l'aise. Après avoir bu, je reste toujours dans mon

coin, mais je me sens moins aux aguets, j'arrive à
échanger quelques regards et quelques paroles... »

Il semblait presque déçu que l'alcool ne lui permette
pas, comme chez d'autres personnes, d'atteindre plus
d'aisance et de décontraction, plus de désinhibition.

> « *J'aimerais être plus populaire, plus sociable,*
> *plus brillant ; je souffre d'être seul, de ne voir per-*
> *sonne venir vers moi, ou penser à moi... Mais on ne*
> *va pas contre sa nature : j'ai trop été déçu par les*
> *gens, en tout cas j'ai eu cette impression. J'ai peur*
> *de me découvrir : tout geste pour aller vers les autres*
> *me fait peur parce que j'ai l'impression de me mettre*
> *à nu, et que je sais que si ça ne marchait pas, si on*
> *me repoussait, si on se moquait de moi, même de*
> *façon anodine, je serais effondré... Mais j'ai mainte-*
> *nant trente-huit ans, mes enfants commencent à*
> *grandir et à mieux comprendre mes comportements ;*
> *je ne veux pas qu'ils deviennent comme moi... »*

Une pathologie à part entière

Cette fois, on est bel et bien en présence d'une forme
pathologique d'anxiété sociale, qui est décrite dans les
manuels de psychiatrie. Loïc, comme les autres *personna-*
lités évitantes [1], éprouve une forte gêne en situation
sociale, il a peur d'être jugé défavorablement par les autres
et est facilement blessé par la critique ou la désapproba-
tion d'autrui. Il n'a guère d'ami proche ou de confident en
dehors de ses parents du premier degré. Réticent à s'impliquer avec autrui, à moins d'être certain d'être aimé, il

évite les activités sociales ou professionnelles qui nécessitent des contacts importants. Réservé en société, il a souvent peur de dire des choses inadaptées ou stupides, ou
d'être incapable de répondre à une question ; il craint également d'être embarrassé par le fait de rougir, de pleurer,
ou de montrer des signes de gêne devant d'autres personnes. Par ailleurs, il exagère les difficultés potentielles,
les dangers physiques ou les risques que peut entraîner
une activité ordinaire mais qui n'est pas dans ses habitudes.

Le cas de Loïc le montre bien, c'est la personnalité tout
entière [2], la manière d'être, de penser et d'agir qui est
affectée par cette peur des autres. Loïc s'est construit une
vie qui lui permet d'éviter les situations qui l'angoissent.
Et ça marche. Mais à quel prix !

Une vie sous contrôle

Cela demande d'abord beaucoup d'efforts d'anticipation : rien ne peut être spontané, et toute réponse à une
demande implique d'avoir auparavant attentivement étudié
si la situation ne cachait pas des dangers occultes. L'ingé-
niosité des gens comme Loïc est sans limites dès qu'il
s'agit de se dérober à un danger présumé, pour refuser une
invitation à une soirée ou un voyage d'affaires proposé par
un supérieur. Une de nos patientes menait, à chaque invitation qu'elle recevait, une enquête approfondie afin de
savoir qui serait invité. Il lui arrivait même de demander
un plan de table précis, afin d'avoir la certitude qu'elle ne
serait pas assise à côté ou en face d'un inconnu... Si
c'était le cas, elle renonçait à l'invitation sous des pré-
textes divers et variés. C'est ainsi qu'elle n'accepta de se
rendre au mariage d'un de ses cousins que parce qu'elle

connaissait une grande partie des invités. Au moment de passer à table, elle découvrit que l'oncle chargé de l'organisation avait placé les invités de sorte que personne ne se trouve à côté de quelqu'un qu'il connaissait déjà. Il voulait éviter les apartés et favoriser les contacts. Fort heureusement pour notre jeune femme qui commençait à chercher comment fuir la cérémonie sous un prétexte valable, personne ne respecta le bel agencement de l'oncle : la plupart des convives préférèrent aller s'asseoir auprès d'amis ou de parents ! Les justifications perpétuelles sont le prix à payer par les personnalités évitantes pour pouvoir éviter les situations angoissantes. Tel autre de nos patients avait refusé à plusieurs reprises des promotions professionnelles impliquant de déménager et de faire de nombreux déplacements d'affaires : il avait chaque fois prétexté un refus de sa femme, qui n'y était pour rien. À ce jeu, on perd vite toute spontanéité et toute situation qui sort un peu de l'ordinaire devient vite une terrible épreuve. Pire, on se prive par réflexe d'activités ou de contacts sociaux dont nous avons au fond envie et besoin. Ce que constatait tristement l'écrivain suisse Amiel dans son *Journal intime* : « En fait, j'ai toujours évité ce qui m'attirait et tourné le dos au point où j'aurais secrètement voulu aller. »

Un monde cruel et injuste ?

Non seulement les personnalités évitantes sont en général passées maîtres dans l'art de se trouver des justifications pour rester dans leur petit monde routinier et protégé, mais elles cherchent aussi à rationaliser cette attitude. Au lieu de porter un regard critique sur elles-mêmes, elles préfèrent élaborer en permanence des explications de nature à prouver le bien-fondé « objectif » de leur atti-

tude : on invoque la fatigue (« je suis trop crevé pour
sortir »), l'absence d'intérêt (« ce genre de soirée, c'est
nul ») ou tout simplement les autres (« les gens ne font pas
d'efforts pour accueillir les nouveaux »)… Stendhal évo-
quait dans son journal « cette mauvaise disposition à tirer
des raisons d'être timide de tout » et Amiel soulignait chez
lui le « développement excessif de la réflexion, qui a
réduit à presque rien la spontanéité, l'élan, l'instinct et, par
là même, l'audace et la confiance. Quand il faut agir, écri-
vait-il, je ne vois partout que causes d'erreur et de repentir,
menaces cachées et chagrins masqués ».

En somme, on préfère se dire « je n'ai pas envie », « je
ne peux pas » ou « ce n'est pas la peine » plutôt que « ça
me fait peur ». C'est nettement plus confortable ! Tout le
risque est là, justement : le vrai problème finit par être
« oublié » et par être attribué à d'autres raisons, plus générales. D'où parfois une vision du monde pleine de ran-
cœur, d'amertume et de misanthropie… Par peur d'aller
vers les autres, de bousculer son petit ordre rassurant, on
finit par se dire que les autres sont décevants. Ce n'est
peut-être pas particulièrement réjouissant, mais cela évite
toute remise en question, toute prise de conscience. Pourquoi changer puisque cela n'en vaut pas la peine ? On en
vient à trouver le monde ennuyeux et les autres inintéres-
sants pour mieux se replier sur soi. Mais hélas, ce strata-
gème n'apporte pas pour autant le bien-être, car cet isole-
ment n'est pas véritablement choisi, comme le notait
Amiel : « Je ne suis capable ni de solitude, ni de société. »

Tout s'écroule évidemment lorsque le système protecteur qui s'est petit à petit mis en place présente une faille
ou lorsqu'il ne fonctionne plus. En cas de divorce ou
lorsque les enfants quittent la maison, le repli opéré sur le
couple, sur la famille n'est plus possible. De même
lorsqu'une circonstance extérieure survient : on n'a pas

toujours la possibilité de refuser une mutation professionnelle par exemple.

Particulièrement discrètes, secrètes même, les personnalités évitantes sont probablement beaucoup plus répandues
qu'on ne le pense [3]. Leur fréquence est assez mal connue,
on l'évalue à environ 1 % de la population [4]. Dans près
d'un cas sur deux, la personnalité évitante est associée à
une phobie sociale [5]. Notons que, pour certains chercheurs, ce profil de personnalité évitante ne serait en fait
qu'une manifestation de phobie sociale généralisée, qui
aurait évolué, à cause de l'anxiété, vers des évitements
sociaux de plus en plus nombreux [6]. Au bout d'un certain
nombre d'années d'évolution, ce n'est plus l'anxiété, mais
les évitements qui sont au-devant du tableau. Cette évolution illustre hélas à merveille comment la peur des autres
peut se transformer en méfiance douloureuse et rejet
inquiet de ses semblables...

Êtes-vous phobique social ou souffrez-vous aussi d'une personnalité évitante ? Faites votre autodiagnostic

Personnalité évitante	Phobie sociale
Évitements rationalisés : « j'évite car je n'ai pas envie, ça ne vaut pas la peine, je suis trop fatigué, etc. »	Évitements culpabilisés : « j'évite et je ne devrais pas, mais je ne me sens pas capable, je ne suis pas assez fort, j'ai honte, etc. »
Attribution de responsabilité externe : « c'est la faute des autres, ils ne sont pas assez accueillants, ouverts, indulgents, etc. »	Attribution de responsabilité interne : « c'est de ma faute, je ne fais pas assez d'efforts, je suis trop émotif, je m'écoute trop, etc. »
Peu demandeur d'aide pour son anxiété sociale	S'il est informé, demandeur d'aide pour son anxiété sociale
Conscience floue de son anxiété sociale	Conscience claire de la souffrance due à son anxiété sociale
Anxiété sociale ego-syntonique : « je suis comme ça »	Anxiété sociale ego-dystonique : « j'aimerais ne pas être comme ça »
Très peu d'amis et de sorties non imposées	Quelques amis et capable de sorties non imposées

Chapitre 4

La phobie sociale

« Les pétales de son esprit étaient
comme repliés par la peur. »
Tennessee Williams

Sandrine a vingt-huit ans. Elle est venue consulter à la suite d'une dépression sévère, durant laquelle son médecin a décelé une phobie sociale.

« *Je ne savais pas que c'était quelque chose qui se soignait, dit-elle. J'ai toujours cru que c'était une forme de timidité, que c'était dans mon caractère.* »

En dehors de deux ou trois personnes à son travail, de quelques amis et des membres de sa famille, elle est angoissée à l'idée de toute rencontre avec de nouvelles personnes. Et même de toute sortie ou démarche : elle fréquente exclusivement les grandes surfaces et fuit les petits commerces, pour éviter une éventuelle conversation ; elle évite chaque fois que possible de se trouver dans l'ascenseur en même temps que ses voisins, ralentissant l'allure ou se plongeant dans la lecture de son courrier sans refermer la boîte à lettres s'ils font mine de l'attendre ; elle décline les invitations à de grandes soirées où elle ne connaît pas tout le monde, etc.

> « *Toutes ces situations me rendent malade rien qu'à les évoquer. C'est d'autant plus bizarre que je n'étais pas une enfant timide : j'étais plutôt bavarde et extravertie. Au fond, j'étais une petite fille toujours inquiète, ne tenant pas en place, avec toujours au fond de moi la peur de ne pas plaire, de ne pas être acceptée. Je m'en rends compte maintenant...* »

Bonne élève et curieuse de tout, Sandrine saute très tôt une classe, poussée par ses parents vers le travail scolaire.

> « *Mes parents étaient de grands stressés, c'est de famille chez nous. Ma mère est comme moi, très timide, je l'ai très rarement vue sortir de chez elle pour autre chose que pour faire les courses ou nous conduire à l'école. Elle était toujours à la maison, disponible pour son mari et ses enfants. Même si elle n'exprimait jamais ses sentiments, elle nous aimait beaucoup, trop même, elle nous a un peu étouffés comme on dit...* »

Le père de Sandrine était un homme dur, parlant peu, et de manière cassante ; ses interventions étaient redoutées de toute la famille. N'exprimant jamais ses émotions, quelles qu'elles soient, il était aussi avare de paroles encourageantes.

> « *Je ne me souviens de l'avoir vu en difficulté qu'une seule fois : nous faisions tous des courses en*

ville, et nous avons croisé par hasard son directeur –
il était chef de rayon dans un grand magasin. Je l'ai
vu devenir humble et soumis, faisant des courbettes
et donnant du "oui Monsieur, bien Monsieur" à tout
bout de champ. Lorsque son patron s'est éloigné, il y
a eu comme un instant de flottement dans toute la
famille, nous avions tous assisté à la scène en
silence. Il est resté une ou deux secondes sans réagir,
le temps de reprendre son personnage de pater fami-
lias. Mais nous avions eu le temps de voir la faille ;
de la deviner plutôt, car j'avais oublié cette histoire,
elle ne me revient que maintenant en vous racontant
mon passé. »

À peu près à l'aise à l'école primaire, Sandrine eut
beaucoup de mal en rentrant au lycée : la dispersion de ses
amis de classe, le contact avec de nombreux enseignants
auxquels elle n'avait pas le temps de s'adapter, tout la dés-
tabilisa profondément. Elle commença à se replier sur
elle-même, ne se faisant que quelques rares nouveaux
amis. Elle se plaignit beaucoup à l'époque de maux de
ventre et de maux de tête, à l'origine desquels les médecins ne trouvèrent rien. L'un d'entre eux, à qui elle avait
confié sa tristesse de lycéenne, conseilla aux parents de la
changer d'établissement ; mais son père s'y opposa.

« Finalement, je n'ai presque aucun souvenir de
ces années, sinon un sentiment profond d'ennui, et
peu à peu l'apparition d'angoisses absurdes, de
peurs stupides. Je cherchais systématiquement à
passer inaperçue, le regard des gens me gênait de
plus en plus. J'étais mal dans ma peau, je ne
m'aimais pas, comme tous les adolescents, mais de
façon plus violente je crois. Puis un jour, ce qui

devait arriver arriva. Lors de ma classe de seconde, peu après la rentrée, je fus appelée au tableau par un professeur de physique particulièrement sadique, qui me ridiculisa devant la classe : je ne savais plus où me mettre, ni quoi dire, et plus j'étais gênée, plus il m'enfonçait. J'ai eu l'impression que ça avait duré des heures. Toute la classe riait ; lui ricanait, ravi de montrer son humour. Je n'ai plus osé regarder qui que ce soit dans les yeux jusqu'à la fin de la journée. Le soir à la maison, j'ai pleuré pendant des heures, ma mère ne savait plus quoi faire, elle a appelé un médecin, à qui je n'ai rien voulu dire. Ils ont cru que j'étais enceinte, tant j'étais catastrophée. Le lendemain, j'ai refusé d'aller au lycée, et je suis restée chez moi quinze jours. À mon retour, c'était fini, j'étais définitivement marginalisée dans ma propre classe, et je me sentais une étrangère au lycée. Et surtout, surtout, je ne me sentais plus en sécurité nulle part dès que je n'étais plus seule : j'avais l'impression que le danger, c'est-à-dire la moquerie, pouvait surgir à n'importe quel moment, de n'importe quel regard... Je crois que mon mal a commencé là, cet automne de ma vie. Là a commencé la souffrance, celle que je traîne encore aujourd'hui. »

Ses troubles s'aggravèrent ensuite progressivement. Elle eut son bac sans difficultés, malgré un mutisme presque total à l'oral, mais les années de faculté furent pour elle un calvaire, où elle passa son temps à raser les murs pour ne pas être regardée. Elle arriva à cacher à ses parents et à ses proches ses souffrances. Ceux-ci ne s'inquiétèrent pas assez de son absence d'amis ou de sorties, de ses retours systématiques lors des week-ends ou des vacances.

« De quoi ai-je peur, je ne le sais pas bien moi-même... Du regard des autres, ça oui, dans presque toutes les circonstances, ou du moins chaque fois que je suis à découvert, que je dois me montrer et sortir de l'anonymat. Même pour des choses anodines : signer un chèque, demander un renseignement, dire à mon coiffeur ce que je souhaite comme coiffure... Je développe des ruses incroyables pour composer avec mon angoisse : je fais des détours, j'invente des excuses, je suis devenue une reine de l'esquive... Mais je m'épuise, j'ai de plus en plus de mal à affronter la vie. »

Elle avait eu le plus grand mal à se rendre à la consultation : dix fois elle avait décroché le combiné du téléphone, dix fois elle l'avait reposé à la première sonnerie ; le rendez-vous pris, elle avait failli faire demi-tour devant la porte de la salle d'attente.

« J'avais peur de vous faire perdre du temps, que vous ne me disiez : Votre cas est sans intérêt, chère Madame, et de plus il n'y a rien à faire pour vos petits états d'âme... »

L'anxiété sociale à son maximum

La phobie sociale est sans doute la plus spectaculaire et la plus invalidante des différentes formes d'anxiété sociale. Les mécanismes qui la sous-tendent ne sont pas si différents de ceux qui habitent chacun de nous à certains moments. Qu'est-ce qui fait la différence alors ? Qu'est-ce qui fait de la phobie sociale une maladie à part entière ?

Une phobie est une peur intense, irraisonnée, incontrôlable, suscitée par certaines situations. Pour le phobique, le désagrément est tel à l'idée de se trouver confronté à l'objet de ses peurs qu'il organise sa vie de manière à l'éviter. Ainsi, l'intensité de la réaction anxieuse et les stratégies d'évitement distinguent la simple appréhension de la phobie véritable : vous pouvez ne pas aimer les araignées et éprouver des sentiments désagréables si vous devez dormir dans une vieille maison que vous savez très peuplée de toutes sortes d'insectes rampants. Vous vérifierez simplement qu'un nid d'araignées ne se trouve pas caché dans vos draps et vous écraserez celle qui se sera approchée trop près de vos pantoufles. Puis, vous vous coucherez comme si de rien n'était. Si vous souffrez d'une phobie des araignées, ce sera la syncope à la vue de la première patte velue sortant de derrière une poutre. D'ailleurs, vous n'accepterez jamais d'invitation pour un week-end à la campagne chez des amis sans avoir enquêté sur la présence ou non d'insectes, sans avoir exigé un épandage massif d'insecticide sur la maison, son grenier et les environs...

Il en est de même des phobies sociales. La petite appréhension que vous éprouvez parfois au moment de devoir prendre la parole en public ou la gêne qui s'empare de vous lorsque vous êtes présenté à un haut personnage sont une version édulcorée des violentes paniques qui déchirent le phobique social dès lors qu'il doit affronter le regard, forcément critique, d'autrui.

La phobie sociale est un trouble extrêmement répandu. La plupart des études internationales ont conclu à un taux de prévalence de 2 à 14 % selon les populations étudiées et les outils de dépistage utilisés [1]. Dans une étude récente conduite auprès d'un échantillon représentatif de la population générale, une équipe française a montré que 2 à 7 %

des personnes adultes en souffraient (selon que l'on retienne des critères plus ou moins sévères pour définir la maladie[2]). Une enquête conduite auprès de médecins généralistes montrait de son côté que près de 7 % des patients venant consulter chez eux (quelle qu'en soit la raison) présentaient une phobie sociale[3]. Une autre étude suggérait même que la phobie sociale, dans ses formes complètes et moins complètes quoique invalidantes, toucherait à un moment ou l'autre de leur vie, plus de 10 % de la population américaine[4]. Cette maladie représenterait donc la troisième pathologie mentale, après la dépression et l'alcoolisme. Pourtant, la phobie sociale a été longtemps méconnue. Elle n'est répertoriée que depuis 1980 dans le manuel de nosologie le plus utilisé au monde, le célèbre DSM de la toute-puissante American Psychiatric Association. C'est d'ailleurs en grande partie à la suite de cette reconnaissance officielle que les travaux de recherche, en matière d'épidémiologie et de traitement, se sont multipliés. En effet, contrairement à d'autres modes de souffrance psychologique, la phobie sociale reste discrète. Elle ne conduit pas à des comportements mystérieux ou spectaculaires, comme la schizophrénie ou l'accès maniaque. Elle ne dérange pas, comme l'anorexie mentale. Elle n'entraîne pas de comportements agressifs dirigés vers autrui, comme dans la paranoïa, ou vers soi-même, comme dans la dépression. Le principal problème de la phobie sociale, c'est de passer inaperçue, un peu à l'image des enfants trop sages et discrets, dont on finit par réaliser qu'ils ne sont pas sages mais déprimés, qu'ils ne sont pas discrets mais inhibés.

Les différentes façons d'être phobique social

Le phobique a une peur persistante d'une ou plusieurs situations dans lesquelles il est exposé à l'éventuelle observation attentive d'autrui et craint d'agir de façon humiliante ou embarrassante. Il évite donc ces situations ou éprouve une anxiété intense à leur approche. Cette tendance à l'évitement interfère avec la vie professionnelle ou avec les relations sociales habituelles. La personne reconnaît la nature excessive ou irrationnelle de ses craintes.

On peut distinguer des formes *spécifiques* de phobie sociale (c'est une situation particulière qu'on redoute) et des formes plus *généralisées*[5] où à peu près tous les contacts sociaux font souffrir. Parmi les formes dites *spécifiques* de phobie sociale, c'est celle qui concerne la prise de parole en groupe qui est de loin la plus répandue. Nous avons déjà décrit comment cette phobie dépassait en intensité le simple trac. Ses conséquences sont également plus sévères : la personne refusera catégoriquement une promotion si celle-ci implique de parler devant des groupes, elle ne pourra être témoin au mariage religieux de ses amis car il lui faudrait pour cela lire des textes à l'église ou au temple, etc. Les formes *généralisées*, comme celle dont souffrait Sandrine, impliquent une attitude globale de retrait, d'évitement qui a des conséquences socioprofessionnelles importantes. En pratique, la différence n'est pas toujours aussi aisée à établir[6]. C'est souvent la manière dont les patients présentent leur trouble qui permet d'établir une différence : une personne se plaint surtout d'être incapable de prendre un repas en présence d'autres convives, mais après un interrogatoire minutieux, le médecin découvre qu'elle redoute de nombreuses autres situations. Simplement, elles n'entraînent pas d'angoisse, car le patient s'arrange pour les éviter.

Dans certaines formes extrêmes, qu'on pourrait appeler des « panphobies » (littéralement, la peur de tout), ce sont toutes les interactions sociales qui posent problème, ce qui implique un mode de vie très astreignant. Ces profils de phobie sociale présentent alors un degré de handicap sévère, et peuvent être plus difficiles à soigner [7]. Cela peut paraître inconcevable, mais certaines personnes arrivent parfaitement à éviter toutes les situations où quelqu'un les regarde, leur adresse la parole. Au prix évidemment d'une grande souffrance psychologique et d'un appauvrissement considérable de leur vie relationnelle, restreinte aux échanges avec des personnes connues de longue date et dans des contextes prévisibles. Nous avons un jour reçu une patiente âgée d'une cinquantaine d'années qui avait toute sa vie durant fonctionné sur ce mode, se consacrant principalement à ses enfants : elle était venue consulter du jour où ceux-ci, devenus adultes, avaient déserté la maison familiale. Elle s'était alors retrouvée cruellement seule.

En fait, ce qui caractérise surtout la phobie sociale, c'est l'intensité des émotions. À l'approche d'une situation redoutée, de véritables crises de panique peuvent survenir.

> « Dans ces cas-là, tout bascule autour de moi. J'ai l'impression que l'horizon se renverse, que j'ai la tête à l'envers, avec la sensation affreuse d'être au fond d'un entonnoir vers lequel tous les regards convergent. Mon cœur cogne comme pour s'échapper de ma poitrine, mes tempes battent. J'entends tous les bruits comme s'ils étaient amplifiés par une sono monstrueuse. Mes mains tremblent, mes genoux se dérobent. »

Un quotidien semé d'embûches

Il s'agit là d'une véritable réaction d'alerte de l'organisme, de manifestations d'effroi identiques à celles que provoquerait une situation de stress majeur : être pris en otage ou assister à un tremblement de terre. Mais c'est le regard de la crémière qui le déclenche ! Pour le phobique social, la moindre course, la moindre démarche représentent une épreuve. Voici par exemple ce qu'Anne écrivait dans le journal qu'elle tenait durant sa thérapie :

> « Suite à un accident survenu en juin 1992, mon précédent véhicule eut l'aile droite et le phare droit endommagés, le rendant ainsi impropre à la circulation. Bien qu'étant couverte à 100 % par mon assurance, je me suis inventé mille raisons pour ne pas le remettre en état de marche...
>
> « Bilan : un an après, la voiture ressemblait à une épave. Une première arrestation ne me fit pas réagir en actes (simplement une angoisse croissante à la pensée de me faire à nouveau arrêter). À deux reprises, je me fis voler des roues. Cela ne provoqua toujours aucune réaction (je décidai de me passer de moyens de transport plutôt que d'aller acheter de nouvelles roues).
>
> « Malgré tout, il est très difficile de vivre en banlieue sans une certaine autonomie, c'est pourquoi je pris la décision d'acheter un véhicule d'occasion. Le projet resta projet plusieurs mois, et il fallut là encore la pression de mes proches pour passer à l'acte. Devant le vendeur, je fis tout pour que l'affaire se fasse le plus rapidement possible, n'insistant que

très timidement sur mon ancienne voiture, ne cherchant même pas à en tirer quelque argent. Le garagiste me promit de joindre une personne qui se chargerait de l'enlèvement.

« Une semaine plus tard, en allant chercher mon véhicule qui n'était d'ailleurs pas prêt (au lieu d'imposer mes droits, c'est moi qui me suis presque excusée, et j'ai dû attendre une bonne heure). Quant à mon ancienne voiture, le vendeur me dit qu'il l'avait tout simplement oubliée, et ce fut à moi encore de m'excuser de lui imposer un tel travail au lieu de faire valoir mes droits.

« Encore une semaine plus tard, mais cette fois-ci pour les papiers, qui n'étaient bien sûr pas prêts. Le vendeur me redit qu'il avait oublié, et je lui répondis qu'il n'y avait pas urgence (ce qui était faux car je venais de recevoir une lettre recommandée du syndic des copropriétaires me demandant d'enlever ma vieille deux-chevaux).

« Et pour terminer, allant chercher mes papiers qui cette fois-ci étaient prêts, le vendeur était absent et je ne pus demander des nouvelles de l'enlèvement. Aujourd'hui, après avoir reçu une amende pour stationnement abusif de plus de quinze jours, je ne peux me résoudre à contacter le garage pour qu'il réalise l'opération promise. La situation en serait toujours là si je n'avais pas trouvé une société se chargeant d'enlever gratuitement les épaves... »

C'est cette même patiente qui, un jour, a fini par déclarer :

« On entend tout le temps dire que notre société ne permet plus de communiquer comme avant. C'est

archifaux ! Moi qui passe mon temps à fuir les situations de communication, je peux vous dire que c'est très compliqué d'échapper à l'envie des gens de vous parler, à moins de passer son temps à surveiller autour de soi. »

Toute situation sociale peut s'avérer, à leurs yeux, comme une occasion d'être jugé, et négativement évalué par autrui. Et comme ce jugement ne leur est jamais indifférent, il ne leur reste plus guère d'instants de tranquillité !

Éloge de la fuite

C'est pourquoi, chaque fois que c'est possible, le phobique fuit. Celui qui a la phobie des pigeons s'enfuit à toutes jambes du banc où il se repose si les pigeons du square se ruent, dans un tourbillon de plumes, de roucoulements et de bruits d'ailes qui claquent, vers la vieille dame venue s'asseoir à ses côtés avec un grand sac de graines ; de même, le phobique social bat sans cesse en retraite dès que le regard d'autrui se pose sur lui. Le caractère systématique de cette attitude est précisément le signe qui distingue la phobie sociale de l'anxiété sociale « simple ». Peu à peu, en effet, on perd l'habitude d'affronter des situations ordinaires pour la plupart des gens. Le phobique finit même par croire que, s'il n'avait pas évité la situation, le pire se serait certainement produit. Un peu comme dans l'histoire du passant qui se promène en jetant une poudre blanche autour de lui. Un voisin l'arrête et lui demande : « Pourquoi jetez-vous cette poudre en l'air ? – Pour éloigner les éléphants ! – Mais il n'y a jamais eu d'éléphants par ici ! – Bien sûr, mais c'est justement parce que je jette de la poudre anti-éléphants. »

Ce mécanisme absurde joue le rôle de ce que l'on appelle un « renforcement négatif » : un comportement est « renforcé » (il a plus de chances d'apparaître) chaque fois qu'il permet d'éviter des sensations désagréables. Tout se passe comme si le phobique social, fuyant les autres, se donnait encore plus de raisons de les fuir !

Masques et malentendus

Nombre de phobiques sociaux donnent l'impression d'être froids et distants. Cela s'explique par la tension anxieuse qu'ils ressentent dans les situations d'échange et par le désir qu'ils ont de tenir autrui à distance, afin de ne pas révéler leur vulnérabilité. Ainsi, un certain nombre d'entre eux arrivent à donner le change, préférant passer pour des snobs antipathiques que pour des timides maladifs, selon la devise : « plutôt désagréable que minable ». Une de nos patientes, extrêmement jolie, mais authentiquement phobique sociale, vivait de façon cauchemardesque les multiples tentatives d'approche et de séduction dont elle était l'objet de la part des hommes de son entourage. Redoutant qu'ils ne découvrent sa phobie et se sentant incapable de subir les avances de quelqu'un, ne sachant ni les repousser ni y céder, elle se montrait désagréable avec tout le monde, ce qui, ajouté à sa beauté, suffisait à tenir à distance la plupart des gêneurs. Elle finit d'ailleurs par épouser un compagnon falot et plutôt disgracieux, mais qui avait eu l'intelligence et la persévérance de l'apprivoiser très progressivement. Avec lui, elle se sentait « moins inférieure »… Leur couple n'a pas résisté à sa guérison. Dès qu'elle eut plus confiance en elle-même, elle quitta ce premier compagnon !

Beaucoup de comportements agressifs sont également

explicables par ce mécanisme. Mieux vaut passer pour un
« râleur » ou même pour une « brute » que pour une
victime ! De nombreux phobiques sociaux tentent ainsi de
masquer leur trouble, même à leurs proches. Une jeune
étudiante avait une sœur jumelle à qui elle n'avait jamais
parlé de son trouble, par crainte d'une réaction d'incompréhension. En fait, sa sœur souffrait des mêmes difficultés… Une mère n'avait jamais avoué son trouble à ses
enfants. Avant de se marier, ceux-ci voulurent organiser un
repas qui permettrait aux familles de se rencontrer :
n'ayant pris part à aucun repas en présence d'inconnus
depuis la nuit des temps, cette femme en conçut une telle
panique qu'elle finit par oser venir consulter, ce qu'elle
hésitait à faire depuis des mois. Sans parler de ce jeune
homme qui était devenu skinhead tellement il redoutait les
regards et le jugement d'autrui ! Une fois adoptée son
apparence de casseur, il se sentait en quelque sorte protégé
par la crainte qu'inspirait son aspect à la plupart des
passants : « On n'ose pas me regarder dans les yeux, et ça
m'arrange bien », disait-il.

Certains experts ont d'ailleurs proposé que l'on évite
d'utiliser systématiquement le terme de « phobie sociale »,
lui préférant celui, plus général, d'anxiété sociale
pathologique [8]. En effet, expliquent-ils, le terme de phobie
peut prêter à confusion chez des personnes qui ne fuient
pas toujours ouvertement les situations sociales, mais qui
cependant les redoutent beaucoup.

Certains choix de carrière s'expliquent aussi de la sorte.
Des médecins phobiques sociaux optent ainsi pour une
spécialité qui ne les oblige pas à discuter avec leurs
patients, comme l'anesthésie ou la radiologie ! Dans
d'autres cas, l'histoire est plus dramatique : ainsi, ce
patient professeur d'histoire qui finit par renoncer à son
métier pour travailler comme vigile de nuit dans une

grande usine, seul moyen de ne pas se rendre quotidiennement malade en affrontant élèves, parents et collègues.

Pour le phobique social, aucun échange n'est anodin.
Chaque phrase, chaque pas, chaque regard, chaque poi-
gnée de main est comme un oral d'examen devant un jury
impitoyable. Des croyances angoissantes, du type « les
gens jugent sévèrement les autres », « ils ne manqueront
pas de faire preuve d'agressivité, de mépris ou d'ironie
s'ils découvrent mes faiblesses », etc., sont profondément
enracinées dans son esprit. On peut rencontrer des phobiques sociaux si interprétatifs du moindre détail qu'ils en
arrivent à passer pour de véritables paranoïaques. Une de
nos patientes illustrait assez bien ce phénomène. En
entrant, elle avait remarqué que nous avions reculé son
fauteuil. Le patient précédent avait rempli des question-
naires en fin de séance ; il avait donc dû approcher sa
chaise du bureau. Sachant que cette patiente était atteinte
de phobie sociale, nous nous étions dit que, mal assise
pendant la séance, elle risquait de ne rien oser dire ou
faire. Aussi avions-nous reculé son fauteuil devant elle,
avant de l'inviter à s'asseoir. La séance fut difficile, et au
bout d'un moment, devant sa nervosité, il nous fallut chercher à comprendre pourquoi. C'était la chaise reculée !
Elle avait interprété ce geste comme un désir de la mettre
à distance, parce que nous ne la trouvions pas sympathique ou parce qu'elle sentait mauvais... Sa vie tout
entière était faite de tels instants. Un autre de nos patients,
dont les mains étaient souvent moites, vivait les poignées
de main sur un mode tout aussi pathologique : si on venait
lui serrer la main, il maudissait intérieurement son interlocuteur de le mettre aussi mal à l'aise ; si on ne la lui serrait
pas, il se demandait si ce n'était pas un signe de disgrâce,
de rejet ou de dégoût...

Une maladie à soigner

La phobie sociale est souvent à l'origine de complications psychologiques [9]. Certaines études estiment même à près de 70 % des cas le pourcentage de sujets phobiques sociaux souffrant d'autres problèmes [10]. Ceux-ci ont souvent d'autres troubles anxieux, comme l'anxiété généralisée ou l'agoraphobie, la peur de s'éloigner de chez soi, dont l'association avec la phobie sociale est assez logique : il est tellement plus simple, moins éprouvant, de rester chez soi, loin du regard des autres ! Ensuite vient l'alcoolisme, dans 20 à 40 % des cas. Beaucoup de buveurs sont en effet des anxieux et les phobiques sociaux ne dérogent pas à la règle [11]. Les puissants effets anxiolytiques de l'alcool expliquent ce phénomène. Il aide à rompre la glace, à lever certaines inhibitions. Mais pour certains, c'est aussi un moyen d'affronter la réalité sans ressentir une anxiété trop intense. Un patient ne pouvait sortir de chez lui sans avoir au préalable consommé une douzaine de cannettes de bière [12]. On est loin de la timidité ou du trac ! Un de nos patients au chômage ne pouvait quant à lui aller chercher ses enfants à la sortie de l'école qu'après avoir bu suffisamment de whisky pour supporter les regards des autres parents d'élèves et des enseignants. La honte aidant, il avait fini par augmenter les doses jusqu'à être, un après-midi, incapable de se rendre à l'école. Le directeur inquiet avait alors alerté les autorités et le voisinage, ce qui avait entraîné l'intervention des pompiers et l'hospitalisation du malheureux père en quasi-coma éthylique. Sa phobie sociale fut fort heureusement diagnostiquée dès les premiers jours dans le service où nous exerçons. Les psychiatres ont aujourd'hui bien identifié le lien étroit entre phobie sociale et alcoolisme [13]. Il est d'ailleurs possible que la proportion de phobiques sociaux consommant de l'alcool soit sous-estimée, car plusieurs études établissent que ces derniers, par honte, n'avouent pas volontiers ce problème [14]. Comble de l'ironie, les travaux conduits en laboratoire montrent que, par rapport à un placebo, l'alcool n'a en fait d'effet spectaculaire ni sur l'anxiété sociale, ni sur la performance orale ou intellectuelle : l'autosuggestion semble jouer un rôle important chez le buveur phobique [15]. Parmi les drogues socialement acceptées, l'alcool n'est pas seul en cause : en suivant sur plusieurs années une cohorte de plus de 3000 sujets, une équipe allemande a pu montrer que la présence d'anxiété sociale à l'adolescence est un important facteur de risque pour le développement d'une dépendance tabagique ultérieure [16]. Beaucoup de fumeurs semblent bien avoir recours à la cigarette pour automédiquer leur anxiété sociale. D'autres drogues sont aussi susceptibles d'être utilisées par les phobiques sociaux dans l'incessante lutte contre leurs peurs, comme la cocaïne [17].

Les rapports entre phobie sociale
et consommation d'alcool

Consommation d'alcool avant et pendant les situations sociales : à visée anxiolytique	Consommation d'alcool pendant et après les situations sociales : à visée antidépressive
Pour tenter de diminuer l'anxiété (« je me sentirai peut-être moins mal »)	Pour tenter de noyer la honte (« j'ai été pathétique »)

Enfin, le fait que la phobie sociale puisse se compliquer de dépression dans 50 à 70 % des cas est assez logique [18]. Le repli sur soi, le doute permanent sur ses capacités, l'usure nerveuse que suscite la peur de certaines situations ordinaires sont autant d'explications. Une étude de dépistage systématique conduite auprès de 243 patients déprimés avait permis de montrer que les deux tiers d'entre eux présentaient une phobie sociale ou une personnalité évitante ; et que dans ces cas, leurs dépressions étaient plus précoces et plus sévères [19]. Combien de dépressions procèdent d'une incapacité à nouer des relations accomplies avec autrui, d'une tendance marquée à se représenter tout événement de manière négative et finalement à se créer un univers appauvri [20] ? Loin d'être le produit d'un mal-être venu du fond de l'individu, combien traduisent en fait un déficit relationnel ? En retour, la dépression peut venir attiser des difficultés relationnelles préexistantes mais jusqu'alors bien compensées. Un de nos correspondants, médecin généraliste, nous a un jour adressé une de ses patientes dont la dépression traînait en longueur, malgré la pertinence du traitement antidépresseur prescrit et une très nette amélioration de plusieurs symptômes, comme le sommeil, l'appétit, les capacités anticipatoires. Après plusieurs entretiens, la patiente a avoué que, derrière ses réticences à sortir de chez elle et à reprendre des activités sociales, se cachait en fait une profonde anxiété liée à la crainte de devoir répondre à des questions de voisins ou des commerçants, du style « Mais alors, où étiez-vous passée ? », « Comment ça, vous êtes en arrêt de travail ? Mais vous avez une mine superbe ! ». Le petit bourg de montagne où elle vivait était soudain devenu pour elle un espace irrespirable et il lui était difficile d'y faire un pas sans se sentir observée et sans que ses faits et gestes, ses moindres paroles lui semblent commentés, jugés. Comme souvent dans ce cas, elle n'avait osé s'en ouvrir à personne tant elle était honteuse et désorientée du changement survenu en elle [21]. Combien de dépressions persistantes cachent ainsi une difficulté profonde à nouer des relations gratifiantes avec son entourage ? Différents travaux ont montré que, de toutes les formes d'anxiété, c'est l'anxiété sociale qui est la plus « dépressogène », c'est-à-dire à même d'induire des états dépressifs [22].

La phobie sociale est véritablement la forme la plus sévère et la plus émouvante aussi d'anxiété sociale. On connaît pleinement aujourd'hui son impact redoutable sur la qualité de vie des personnes qui en sont atteintes [23]. On sait aussi que ce sont tous les domaines de la vie de la personne qui sont atteints, privés ou professionnels [24]. Alors que la phobie sociale s'installe très tôt dans la vie de ces patients, en général entre 14 et 24 ans [25], beaucoup d'entre eux tardent à venir se soigner, parce qu'ils ne savent pas que les professionnels connaissent leur trouble, parce qu'ils ignorent que des soins existent. Hélas, à la différence de formes plus bénignes d'anxiété sociale, la phobie sociale diminue rarement avec le temps, elle est même un trouble particulièrement stable et chronique [26]. Combien de vies auront été gâchées de la sorte par cette maladie ?

Un rapide questionnaire pour évaluer la phobie sociale [27]

	Oui	Non
Certaines situations sociales vous procurent-elles une gêne importante ?		
Cette gêne vous paraît-elle nettement plus forte que celle que pourraient ressentir d'autres personnes dans les mêmes situations ?		
L'intensité de cette gêne a-t-elle déjà atteint le stade d'une attaque de panique ?		
Cette gêne vous oblige-t-elle à éviter systématiquement des situations sociales importantes ou fréquentes ?		
Cette gêne vous fait-elle beaucoup souffrir ?		
Entraîne-t-elle un handicap significatif dans un ou plusieurs secteurs de votre vie ?		

Si vous avez répondu oui à 4 de ces 6 questions, il est très possible que vous souffriez de phobie sociale, et nous vous conseillons de prendre l'avis d'un spécialiste de ce trouble.

TROISIÈME PARTIE

*Mais pourquoi donc avons-nous
peur des autres ?*

Chapitre 1

La mécanique du psychisme

> « Si on pouvait se voir avec les yeux
> des autres, on disparaîtrait sur-le-champ. »
>
> Cioran

Tous les anxieux sociaux nous le disent : ils ne comprennent pas ce qui leur arrive, pourquoi ils se mettent dans un tel état face aux autres. Leur fonctionnement mental semble perdre toute logique. Que se passe-t-il donc dans leur tête ?

Le cerveau ordinateur

La première fonction de notre cerveau est de recevoir des informations. Chaque fois que nous nous trouvons dans une situation, aussi banale soit-elle, nous sommes en fait assaillis par d'innombrables informations que recueillent nos yeux, nos oreilles, notre peau et tous nos organes sensoriels.

Nous pénétrons, par exemple, un soir d'hiver dans un restaurant pour dîner avec des amis. Presque instantanément, des centaines de sensations nous parviennent. Nous voyons la salle remplie de monde, les mets servis sur les tables, le décor mural et floral, les serveurs affairés, l'air préoccupé du maître d'hôtel et le couple d'amoureux dans un coin qui se regardent dans les yeux. Nous entendons le brouhaha des conversations, la musique de fond, peut-être du Vivaldi, des bruits de fourchettes. Nous ressentons la chaleur un peu humide du lieu. Nous percevons une odeur agréable de rôtisserie, mais aussi celle d'une cigarette que quelqu'un, tout proche, fume, et même le parfum de la dame élégante qui est assise tout près de l'entrée.

Submergés par tant d'informations, nous ne prêtons pas à chacune la même attention. Notre cerveau ne se contente pas de capter les signaux qu'il reçoit : il les trie. Nous n'avons pas conscience d'un certain nombre d'informations que nos sens ont pourtant enregistrées. Lorsque l'un de nos amis nous parle du magnifique ficus qui trône près du bar, il nous faut bien admettre que nous ne l'avons pas remarqué, bien qu'il se soit trouvé à plusieurs reprises dans notre champ de vision. Il est vrai que cet ami se désole de voir peu à peu dépérir les deux plantes vertes qu'il a chez lui. Quant à nous, nous avons surtout noté l'air peu engageant du personnel qui nous a accueillis. La sélection des informations qu'opère notre cerveau s'effectue de manière extrêmement complexe. Elle dépend de notre personnalité, de nos valeurs, de nos expériences passées. Mais aussi de nos préoccupations immédiates, de notre état émotionnel de l'instant. Ainsi, si nous sommes inquiets à l'idée de ne pouvoir obtenir de table dans ce restaurant qu'on nous a si fortement recommandé, il est sûr que l'air ennuyé du maître d'hôtel à notre arrivée et le fait que la plupart des tables sont occupées sont les informations que notre cerveau place en première position et que nous en avons plus conscience que de la plante verte ou de la musique de Vivaldi. Parfois cependant, une information sans rapport avec notre état d'esprit présent peut s'imposer avec force. C'est là qu'entrent en jeu les souvenirs enfouis dans la mémoire de notre cerveau, réveillés par une stimulation présente, comme peut-être le parfum de la dame, qui nous rappelle une rencontre passée.

Des cognitions plein la tête

Mais le travail de notre cerveau ne s'arrête pas là. Les informations qu'il a arbitrairement sélectionnées, il leur donne un sens ou plutôt déclenche en nous une signification. À la vue de l'arbuste à la bonne santé provocante, notre ami se demande sans doute pourquoi le sien n'est pas aussi beau. Il se dit que son fleuriste s'est moqué de lui, au prix où il lui a vendu cette plante, ou encore qu'il faudra qu'il demande au restaurateur comment il entretient son ficus... Et nous, si désireux de dîner dans ce restaurant, face à l'air sombre de notre hôte, nous commençons à regretter de n'avoir pas réservé, etc. Les psychologues ont donné le nom de cognitions à ces pensées automatiques qui surgissent spontanément à notre esprit, une fois que celui-ci est stimulé par une information perçue. Il s'agit d'un véritable discours intérieur que nous nous tenons à nous-mêmes, insignifiant (« tiens, elle est drôle la moustache du serveur ») ou sérieux (« mes amis vont être déçus »), optimiste (« on va trouver un autre restaurant dans le quartier ») ou négatif (« la soirée est gâchée »). Comme nous sommes toujours dans un environnement

riche d'informations, ces cognitions traversent sans cesse
notre esprit. Nous n'avons guère le contrôle de ces pensées qui s'imposent à notre conscience avec plus ou moins
de force. Certaines nous sont presque criées, comme
lorsque quelqu'un nous dépasse dans une file d'attente et
que nous nous disons qu'il exagère, que c'est un scandale… D'autres sont très faibles, elles nous sont presque
murmurées ; il nous faut en quelque sorte tendre l'oreille
pour en prendre conscience.

La psychologie cognitive a pu montrer que ces pensées
automatiques étaient extrêmement variables d'un individu
à l'autre et surtout que certaines d'entre elles étaient très
liées à l'anxiété. Dans une même situation, des personnes
différentes (mais aussi la même personne à des moments
différents) peuvent avoir des cognitions différentes. Imagi-
nons en effet un conférencier qui, à l'issue de son exposé,
se voit poser une question pointue. Des pensées très
variées peuvent apparaître à son esprit : « tiens, il s'intéresse à ce que je viens de dire » ou « quelle vache, de me
poser une telle question » ou encore « je ne vais pas être
capable de répondre ». La pensée qui envahit notre conférencier, il ne l'a bien sûr pas choisie… Il la subit, mais il
subit surtout les conséquences de cette pensée. Car l'état
émotionnel dans lequel il se trouve est bien différent selon
les pensées. S'il se sent calme et satisfait à la première
pensée, il ressent colère et agressivité à la deuxième et
c'est de l'anxiété et de la gêne qui accompagnent la dernière. Bien sûr, c'est ce dernier type de pensées qu'a de
préférence notre conférencier s'il présente une anxiété
sociale.

Lorsqu'on demande à un anxieux social quelles sont ses
pensées automatiques lorsqu'il se trouve confronté aux
autres, on s'aperçoit en effet qu'elles sont bien particulières. « Je dois avoir l'air bête », voilà ce qui venait à

l'esprit d'un de nos jeunes patients chaque fois qu'il commençait à s'entretenir avec une jeune fille. « On doit me trouver avare », pensait une patiente quand elle réclamait l'argent qu'on lui devait. « Je n'intéresse personne », se disait un autre patient lorsqu'il prenait la parole lors d'une réunion. La curiosité des chercheurs en psychologie s'est accrue quand ils se sont aperçus que toutes ces pensées pénibles n'étaient pas la conséquence de l'anxiété sociale, comme on l'avait longtemps cru, mais qu'elles pouvaient en être la cause principale, dont découlent toutes les autres manifestations. Autrement dit, si quelqu'un ressent de l'anxiété, c'est notamment parce qu'il a des pensées particulières dans une situation sociale.

La démarche cognitive nous donne donc une explication très précise de nos états émotionnels [1]. Nous nous mettons en colère non parce que nous entendons tard dans la nuit fonctionner le téléviseur de notre voisin, mais parce que nous nous disons que ce voisin n'a aucune politesse. De même, si nous ressentons tristesse et déception en l'absence de nouvelles d'un être cher, c'est que nous avons des pensées du genre « il ne s'intéresse plus à moi, il m'oublie ». Si l'anxieux social éprouve de la gêne ou de l'inconfort lorsque quelqu'un, par exemple, le regarde dans les yeux, c'est que son esprit est aussitôt envahi par des pensées comme : « il va voir que je rougis ». Au Ier siècle ap. J.-C. certains philosophes ne disaient-ils pas la même chose lorsqu'ils affirmaient : « Si un événement extérieur te chagrine, ce n'est pas lui, c'est le jugement que tu portes sur lui qui te trouble [2]. » À partir de ce soubassement théorique, l'approche cognitive propose un ensemble de modèles de compréhension de l'anxiété sociale que nous allons maintenant parcourir ensemble.

La double évaluation

Nous avons déjà largement expliqué comment l'anxiété sociale était par essence une anxiété d'évaluation, où la personne aura tendance à se sentir jugée par autrui dans le moindre geste de sa vie quotidienne. Mais cette évaluation s'avère en fait un phénomène à double fond.

Très utilisé pour comprendre les réactions de stress, le modèle de la double évaluation offre un éclairage intéressant sur l'anxiété sociale [3]. Confronté à une situation délicate pour lui, l'anxieux social procède immédiatement, et souvent de manière plus ou moins inconsciente, à une double évaluation de la menace qui se présente et des ressources dont il dispose pour l'affronter. Si par exemple il doit prendre la parole devant une assemblée, dans un groupe de travail, au cours d'une réunion, il cherche tout d'abord à évaluer les risques inhérents à cette situation : le public est-il critique ? Est-il composé d'experts ou de profanes ? Est-il motivé pour l'écouter ou faudra-t-il le conquérir ? Est-il plus ou moins hostile ? L'anxieux s'interroge ensuite sur ses propres capacités : a-t-il une expérience suffisante de ce type de situation ? Maîtrise-t-il son sujet ? Se sent-il bien ?

Non seulement le fait de ruminer ces questions accroît son anxiété, mais il tend également à surévaluer les risques qu'il court, s'exagérant l'indifférence ou même l'hostilité de son auditoire, imaginant une foule de questions déstabilisantes auxquelles il ne pourra répondre de manière correcte, en même temps qu'il sous-évalue ses propres capacités. « Je vais avoir l'air ridicule, je vais bafouiller et mélanger mes idées, ils vont me trouver incompétent. » Toutes ces appréhensions ne traduisent pas une observation impartiale et objective de la réalité ambiante, mais des doutes propres à l'anxieux. Tous les anxieux sociaux, lorsqu'ils cherchent à expliquer leurs difficultés, invoquent le manque de confiance en eux-mêmes. Celui-ci n'est en fait que la tendance à se sous-estimer et à surévaluer l'adversité.

Les erreurs de logique

« J'étais avec des collègues de bureau autour du distributeur de café… le genre de situation que je n'aime pas beaucoup », nous racontait Jean-Yves, employé dans une grande banque. « On bavardait de tout et de rien comme à l'habitude, et je me disais qu'il fallait bien que je participe, lorsqu'une collègue a parlé d'un film qui venait de sortir sur les écrans et que justement j'avais vu le week-end précédent. J'en ai parlé sans trop de difficultés. Mais quand l'une des personnes a regardé sa montre, j'ai commencé à me sentir mal à l'aise ; j'avais de plus en plus de mal à rassembler mes idées, fuyant le regard des autres et ne sachant pas comment me sortir de ce mauvais pas. » Une pensée automatique avait surgi quand Jean-Yves avait remarqué son collègue regarder l'heure : « J'ennuie tout le monde. » N'importe quelle autre pensée aurait pu surgir à ce moment-là : « il doit avoir du travail à terminer » ou « toujours aussi peu poli, ce Durand » ou même rien du tout. Mais non. Pourquoi donc Jean-Yves avait-il cette pensée-là, qui n'a pu qu'alimenter son anxiété sociale ?

La comparaison avec l'ordinateur s'impose à nouveau. Entre la perception de ce qui se passe dans notre environnement (quelqu'un regarde sa montre) et l'émergence à notre esprit d'une cognition (« j'ennuie tout le monde »), notre cerveau a traité les données qu'il a reçues. Comme

celui-ci n'est pas une machine parfaite (et c'est souvent
tant mieux !), il a pu procéder à des erreurs de traitement
des informations. Nous avons déjà cité l'une d'entre elles :
ne retenir que certaines informations et en négliger
d'autres. Ainsi, la *sélection* de Jean-Yves s'est faite sur le
geste du collègue vers sa montre, alors qu'une autre personne donnait peut-être à ce moment tous les signes d'une
écoute attentive. « Lorsque vous conduisez en ville, ne
faites attention qu'aux seuls feux rouges et aux bouchons,
oubliez vite les feux verts et les rues fluides, c'est le
meilleur moyen de vous mettre vite et bien en colère
contre la circulation », recommandait avec humour un
célèbre psychothérapeute [4]. L'anxieux social procède de la
même façon : il ne retient que les gens qui bâillent, qui
regardent ailleurs, qui posent des questions difficiles ou
aucune question du tout, qui les ignorent ou les critiquent.

Un deuxième type d'erreur consiste à tirer des *conclusions sans preuves*. En général, un événement peut être
interprété de multiples façons, surtout quand nous n'avons
pas assez d'éléments pour le comprendre dans sa totalité.
Si quelqu'un vous regarde avec attention pendant que vous
lui parlez, cela veut-il dire à coup sûr que c'est pour vérifier que vous n'êtes pas en train de rougir ? Si un voisin
ne vous salue pas dans la rue, la seule explication est-elle
qu'il vous méprise ? Si on vous fait une critique à votre
travail, doit-on en conclure à coup sûr que cette personne
ne vous aime plus ? Sans doute pas, car il y a beaucoup
d'autres explications plausibles, mais elles ne sont guère
retenues spontanément par l'anxieux social. « J'ai
l'impression de devenir parano », nous disait un jour une
patiente. « Tout a un sens et ce ne peut être qu'en ma
défaveur. »

Les anxieux sociaux personnalisent aussi beaucoup les
événements qu'ils rencontrent. Ils s'attribuent exagéré-

ment la responsabilité de nombreuses choses. « Au restaurant, l'autre jour, le serveur était de mauvaise humeur. J'ai tout de suite pensé qu'il m'en voulait de lui avoir réclamé de m'apporter plus rapidement l'addition », nous racontait l'un de nos patients. « Lorsque, à la réunion hebdomadaire des commerciaux, j'expose les résultats des ventes secteur par secteur et que je vois des signes d'inattention dans la salle, je me dis chaque fois avec angoisse que je suis un mauvais orateur, alors qu'à l'évidence, cette avalanche de chiffres est sans doute par elle-même rébarbative », reconnaissait un cadre d'entreprise redoutant de prendre la parole devant ses collaborateurs.

La tendance à *amplifier* les événements négatifs et à sous-estimer ceux qui sont positifs caractérise aussi le fonctionnement psychologique des anxieux sociaux. Une secrétaire nous avouait avoir pu changer un article dans un magasin, mais elle ajoutait : « Ça n'a pas été vraiment difficile, la vendeuse était sympa et je n'ai aucun mérite. » Alors qu'une autre fois, à son travail où elle n'avait pu modifier ses dates de vacances, elle s'était dit : « Je suis incapable de me défendre dans la vie. » Deux poids, deux mesures ! Cette façon de raisonner différemment selon que l'on réussit ou échoue est bien connue des psychologues. La maximalisation du négatif et la minimalisation du positif sont des erreurs fréquemment mises en évidence chez l'anxieux social.

« J'ennuie *tout le monde* », pensait Jean-Yves devant le distributeur de café. « Je ne sais *jamais* me défendre », concluait pour elle-même la secrétaire. La *généralisation* est une autre manière de raisonner, qu'on rencontre également chez les anxieux sociaux. Les cognitions qui surgissent dans leur esprit abondent en « toujours » et en « jamais », en « personne » et en « tout le monde ».

Cette absence de nuances se retrouve aussi dans un

autre type d'erreur qui consiste à appréhender la réalité de manière *dichotomique,* en bien et en mal, en bon et en mauvais, en réussite ou en échec. Un artiste de théâtre particulièrement anxieux à la fin de chacune de ses prestations, au moment des applaudissements du public, raisonnait de cette façon. « Si le public n'applaudit pas à tout rompre, c'est qu'il s'est royalement enquiquiné durant toute la soirée. » Une jeune femme nous expliquait comment elle réagissait lors d'une remarque négative de l'une de ses amies : « Si elle n'aime pas tout chez moi, c'est qu'elle me déteste. » Voir tout en noir ou blanc, en ignorant tous les dégradés de gris, caractérise certains anxieux sociaux. Ils ne sont pas capables, à la différence du poète qui effeuille la marguerite, de jouer sur les un peu, les beaucoup, les passionnément et les pas du tout...

Parce que notre cerveau ne fonctionne pas selon une logique parfaite, chaque individu peut être l'objet de telles erreurs cognitives. Chacun de nous sélectionne de manière arbitraire, tire des conclusions sans preuves, personnalise, généralise, exagère ou minimise les événements et raisonne de manière dichotomique. Mais l'anxieux social le fait de manière beaucoup plus systématique et ce qui ne représente qu'un mode de fonctionnement occasionnel chez la plupart d'entre nous devient son raisonnement de choix. La mise en évidence de ces erreurs permanentes de logique est largement utilisée dans les psychothérapies cognitives de l'anxiété sociale, comme nous le verrons plus loin [5].

De nombreux travaux de psychologie expérimentale ont d'ailleurs confirmé la plupart des observations effectuées en thérapie : on a par exemple démontré que les phobiques sociaux interprétaient toutes les situations sociales incertaines de manière négative (« on me sourit, c'est sans doute de l'ironie ») et toutes les situations sociales négatives de manière catastrophique (« on me critique, c'est la fin du monde ») [6].

Des diktats silencieux

Les psychologues cognitivistes se sont très vite aperçus que ces pensées automatiques, aussi importantes soient-elles, puisqu'elles sont responsables de notre gêne ou de notre aisance lors d'une situation sociale, n'étaient que la partie visible d'un iceberg. Au fond de notre psychisme sont tapies des croyances et des valeurs que nous avons construites, sur nous-mêmes et sur les autres. Les plus fréquentes chez l'anxieux social sont : « je ne dois pas contrarier ou déranger sinon je serai rejeté », « je dois être aimé et apprécié de tous », « il faut réussir tout ce que l'on entreprend pour être crédible aux yeux des autres », etc. On voit qu'il s'agit de règles personnelles que nous nous sommes données à nous-mêmes et qui prennent la forme de messages impératifs comme « il faut que… » ou « je dois… ». Ces schémas cognitifs, comme les appellent les psychologues, sont dans la plupart des cas inconscients, du moins sous cette forme, un peu brutale [7]. Ils représentent le squelette de notre organisation psychique car ils sont particulièrement rigides et stables. Lors des psychothérapies, ils sont souvent difficiles à modifier.

On peut considérer que ces règles sommeillent, silencieuses, et qu'elles n'opèrent que dans certaines situations. Ainsi, le schéma « je dois être approuvé de tous » est brutalement activé si par exemple quelqu'un nous critique.

Ces schémas se sont construits à partir des expériences et de l'histoire personnelles. Ils n'en véhiculent pas moins un certain nombre de valeurs de leur époque, de l'environnement social. Les proverbes fournissent à cet égard un bon répertoire des croyances collectives d'une culture donnée, bien que certains soient universels et caractérisent alors l'espèce humaine. Citons bien sûr le célèbre « l'homme est un loup pour l'homme », qui évoque si fort les schémas de danger présents dans l'anxiété sociale.

Mais alors, comment expliquer que ces croyances ne changent pas malgré les démentis que peut lui apporter la réalité ? Une partie de la réponse nous est fournie par les travaux de Jean Piaget [8]. Comme l'explique le célèbre psychologue, chaque fois que nous sommes confrontés à une situation entrant en contradiction avec nos convictions (croyances profondes), notre tendance sera à l'*assimilation* : nous préférerons sacrifier les faits pour préserver nos convictions. Par exemple, si une personne rencontrée lors d'une soirée se montre amicale à mon égard, je peux me dire – si je suis une phobique sociale un peu déprimée – que c'est seulement par pitié, pour que je ne reste pas seule dans mon coin ; en raisonnant ainsi, je ne remets pas en question ma conviction profonde d'être inintéressante aux yeux de tous. Si par contre je me dis que, finalement, je peux me montrer attirante pour autrui, contrairement à ce que j'ai souvent tendance à me répéter, je fonctionne alors sur le registre de l'*accommodation,* tendance inverse de l'assimilation, qui consiste à prendre en considération les faits, même s'ils doivent aboutir à une remise en question relative des croyances de base. En simplifiant, on peut dire que les processus d'assimilation sont ceux qui prédominent chez l'anxieux social et qui entretiennent son problème, alors que l'accommodation est la démarche qui est privilégiée lors d'un travail de psychothérapie, car c'est la seule à même de faire évoluer le patient. Au-delà d'une certaine intensité dans l'anxiété sociale, une aide psychologique extérieure est souvent nécessaire pour une raison toute simple : les anxieux sociaux deviennent d'une totale

subjectivité en ce qui les concerne ! De nombreux travaux
ont ainsi montré qu'ils ont une irrépressible tendance à
avoir une mémoire très sélective, ne se souvenant à
propos des situations sociales que des détails les plus
négatifs [9].

Image de soi et désir de plaire

L'anxiété sociale survient particulièrement lorsqu'un
individu désire produire une impression favorable chez
autrui mais craint de ne pas pouvoir y parvenir [10]. C'est le
cas du candidat à un poste qui souhaite donner une image
de grande compétence professionnelle, du convive à une
soirée qui souhaite montrer combien il est cultivé et intéressant, du soupirant qui désire montrer à sa bien-aimée
combien il est un être sensible et profond, etc. Autrement
dit, les difficultés surgissent si la situation présente un
enjeu, s'il existe une « mission à accomplir », comme le
disait un de nos patients. La réunion de travail durant
laquelle toute l'équipe parlait à bâtons rompus devient tout
à coup silencieuse et ralentie le jour où le directeur décide
d'y assister...

Image de soi et anxiété sociale

Mais l'enjeu n'est pas toujours aussi évident. Que
redoute donc la mère de famille bloquée lorsqu'il s'agit de

prendre la parole en conseil de classe, le jeune homme qui bafouille au moment d'acheter une baguette de pain ? Rien. Sinon le jugement des autres. C'est que le désir de susciter une impression favorable prend sa source dans le besoin de reconnaissance et d'approbation par autrui. La crainte de ne pouvoir obtenir ou même simplement mériter l'estime d'autrui est à la base de l'anxiété sociale. Elle témoigne le plus souvent d'une vision très (trop) élevée des critères à atteindre pour pouvoir s'estimer performant. Dans la plupart des cas, les anxieux sociaux placent la barre trop haut. C'est la raison pour laquelle dans les situations ou avec les personnes qui comptent, ils risquent particulièrement de perdre leurs moyens.

Une conscience de soi excessive et douloureuse

L'anxieux social a une conscience de soi aiguë, invalidante en situation sociale, encombrante même. « Dans les situations où je stresse, je n'arrive quasiment jamais à me concentrer sur la situation : plus j'angoisse et plus je suis incapable de faire autre chose que d'assister impuissant, aux premières loges, à la montée de l'angoisse… » Cette auto-observation involontaire, cette autofocalisation est très caractéristique. Au moment même de la confrontation avec les situations stressantes, les anxieux sociaux ne se soucient pas plus du jugement des autres que des personnes qui ne sont pas anxieuses. En revanche, ils sont littéralement envahis par des pensées négatives sur eux-mêmes et sur leur propre trouble [11]. « Être timide, écrivait déjà un auteur du XIXᵉ siècle, c'est sans doute toujours être gauche ou stupide, mais être gauche ou stupide, ce n'est pas nécessairement être timide. Être gauche sans savoir qu'on l'est, c'est n'être que lourd ou maladroit ; être gauche et savoir qu'on l'est, et souffrir de l'être, c'est là ce qui s'appelle être proprement timide [12]. »

Comme le disait un de nos patients, « le problème, ce n'est pas l'autre, c'est moi ». C'est ce qui explique qu'on puisse distinguer deux grands types d'anxiétés sociales, selon qu'elles sont polarisées plus ou moins sur soi ou sur autrui. En fait, même les anxiétés sociales qui ne procèdent pas d'une conscience de soi aiguë finissent par le devenir.

Somme toute, l'anxieux social l'est, en grande partie, parce qu'il a trop conscience de son trouble et qu'il ne peut faire autrement que de concentrer son attention sur celui-ci [13].

On a même pu démontrer que les anxieux sociaux étaient victimes d'un imaginaire quasi cinématographique : ils sont fréquemment envahis par des images où ils se voient comme à travers les yeux d'autrui, et bien évidemment dans des situations où ils sont ridicules ou incompétents [14]. Mais cela ne concerne chez eux que les situations sociales : pour les autres contextes, ils réadoptent dans leur imagerie mentale un fonctionnement « normal », c'est-à-dire qu'ils visualisent les scènes depuis leur propre perspective, au lieu de se voir au travers des yeux d'un autre [15]. Cette caractéristique ne concerne que les anxieux sociaux, car les autres formes d'anxiété, comme l'agoraphobie (peur des lieux publics par crainte d'un malaise), ne présentent pas non plus cette manifestation [16]. Le fait de se représenter sans arrêt la triste vision que les autres ont d'eux (ou du moins telle qu'ils l'imaginent) maintient l'estime de soi des grands anxieux sociaux à des niveaux très bas. Tous ces travaux récents sur la moderne « psychologie des profondeurs » des anxieux sociaux montrent à quel point le trouble est enraciné dans une implacable mécanique psychologique [17]. Mais d'où vient cette dernière ? Est-elle innée, et naît-on anxieux social ? Est-elle acquise, et dans ce cas, comment le devient-on ?

Chapitre 2

Les origines

« La seule fonction de ma mémoire :
m'aider à regretter. »
Cioran

La question des origines des diverses formes d'anxiété sociale est encore loin d'être résolue [1]. Comme pour la plupart des problèmes psychologiques, l'inné et l'acquis s'imbriquent de manière quasi inextricable. De plus, la variété des masques que peut revêtir l'anxiété sociale complique encore un peu plus le tableau : ce qui est vrai pour la timidité l'est-il pour la phobie sociale ou la personnalité évitante ? Tous les travaux qui ont été conduits, même s'ils sont passionnants, soulèvent plus de questions qu'ils n'apportent de réponses claires.

Un trouble et plusieurs causes

À l'image de presque toutes les difficultés psycholo-giques et de bon nombre de maladies physiques, l'anxiété sociale est ce que l'on appelle un trouble plurifactoriel. C'est-à-dire un trouble dont les origines sont à la fois bio-logiques (éventuellement héréditaires), psychodynamiques (résultant de l'histoire personnelle du sujet) et sociolo-giques (liées au milieu, à l'époque et à la culture environ-nante).

Ces différents facteurs peuvent intervenir à des degrés divers : dans certains cas, la charge biologique est très importante, tandis que les facteurs sociaux et individuels ont seulement modifié en surface le trouble ou ont favorisé son éclosion. Dans d'autres cas, c'est l'inverse : les fac-teurs éducatifs, le comportement des parents, le milieu dans lequel la personne a évolué ont pesé sur ses diffi-cultés beaucoup plus que d'éventuelles causes organiques ou héréditaires. En fait, dans la plupart des situations, il semble que tous ces facteurs soient impliqués.

Des tendances innées sont bel et bien à l'œuvre chez chacun de nous, témoignant d'un héritage propre à l'espèce humaine, comme à certaines lignées familiales. Ces tendances, dont les prémices peuvent être très tôt mises en évidence, constituent une sorte de matériau de base (ce que l'on appelait autrefois le tempérament, ou le caractère, termes qui tendent à revenir à la mode), un « terrain » sur lequel les expériences personnelles ou sociales vont pouvoir se greffer avec plus ou moins de facilité.

Celles-ci proviennent bien sûr de la relation du sujet avec son milieu familial proche : comportements éducatifs et affectifs des parents à son égard, comportements des parents eux-mêmes, événements de vie et traumatismes éventuels...

Enfin, des facteurs dits culturels peuvent s'intégrer à cet édifice déjà complexe : selon le milieu et l'époque, certaines tendances personnelles s'avèrent plus ou moins gênantes, plus ou moins bien acceptées par l'entourage. Il en va ainsi des exigences du milieu social vis-à-vis des rôles sexuels : l'anxiété sociale d'une petite fille est en général mieux acceptée par l'entourage que celle d'un petit garçon, par exemple.

L'inné et l'acquis

Différents auteurs ont tenté de mettre en évidence des dysfonctionnements biologiques qui seraient associés à telle ou telle manifestation d'anxiété sociale : implication de divers neurotransmetteurs cérébraux [2], niveaux du cortisol urinaire [3]. D'autres travaux ont porté sur l'étude du fonctionnement cérébral des phobiques sociaux par différentes techniques d'imagerie cérébrale [4], qui commencent à donner des pistes sur les circuits cérébraux impliqués dans les peurs sociales [5]. Globalement, la phobie sociale apparaît bel et bien comme un trouble biologiquement distinct des autres formes d'anxiété, et des nuances existent même entre ses différentes formes : l'anxiété de performance serait ainsi biologiquement différente des autres anxiétés sociales [6]. Jusqu'à présent, ces travaux ne permettent pas d'attester formellement d'un lien de cause à effet. Comme dans toutes les autres affections d'ordre psychologique, la question demeure entière : même s'il est possible d'identifier des dysfonctionnements biologiques, ceux-ci sont-ils causes ou conséquences du trouble ?

Un des chercheurs les plus avancés en la matière, Jerome Kagan, de l'Université de Harvard, soutient qu'environ 15 à 20 % des enfants, du moins dans la race blanche, naissent avec un profil neurochimique les prédisposant à la timidité ou du moins aux manifestations d'inhibition comportementale d'anxiété sociale associées à la timidité [7]. Pour lui, ces enfants auraient hérité dès la naissance d'une amygdale cérébrale particulièrement réactive à certaines situations stressantes [8]. « En allant pour la première fois au jardin d'enfants, un timide éprouve le même stress qu'un gladiateur dans l'arène face aux lions », confiait-il lors d'une interview [9]. Selon les travaux, fort sérieux, de cet auteur et de son équipe, il existerait dès la naissance, de manière innée, sous le fait d'influences génétiques ou prénatales, deux grands types de tendances prédisposant à l'approche ou à l'évitement des situations inhabituelles. Ces tendances pourraient être dépistées très précocement : un enfant qui, à l'âge de quatre mois, remue et pleure beaucoup en présence de situations inhabituelles ou nouvelles, en fera de même à l'âge de neuf, quatorze et vingt-quatre mois [10]. Ces manifestations de peur étant systématiquement accompagnées de modifications caractéristiques du rythme cardiaque (accélération, non-variation en fonction des mouvements respiratoires…) et de dilatations pupillaires, l'auteur suppose qu'il existe un dysfonctionnement au niveau de la zone limbique du cerveau, notamment de l'amygdale. Ce dysfonctionnement consisterait essentiellement en une hypersensibilité aux événements stressants : ce qui rejoint, somme toute, une notion de bon sens. Toutes les mères de famille savent que certains de leurs enfants sont, très précocement, plus ou moins « sensibles » que d'autres.

Les bases génétiques éventuelles de l'anxiété sociale ont pu être mises en évidence chez les animaux : chez les singes rhésus, on a par exemple remarqué l'existence de lignées familiales d'animaux présentant des comportements d'inhibition sociale très proches de la timidité [11]. Lorsqu'ils sont confrontés à des situations ou à des individus inconnus, ces singes ont tous les signes extérieurs de l'anxiété sociale : activation émotionnelle mesurable, sidération ou évitement. Une lignée de souris « timides » a aussi pu être isolée ; toutes présentent les mêmes caractéristiques mesurables et observables d'inhibition anxieuse face à de nouveaux individus de leur propre race. Mais, même dans ces familles d'animaux, les « styles parentaux » peuvent modifier ces tendances héréditaires !

Chez l'être humain, pas question bien sûr de favoriser des lignées de sujets « timides » (encore que certains couples s'étant rencontrés par annonces ou agences matrimoniales reproduisent finalement la chose…). On travaille donc sur l'étude des jumeaux : les caractéristiques d'origine héréditaire doivent se retrouver beaucoup plus nettement d'un jumeau à l'autre en cas d'homozygotie (c'est-à-dire chez les « vrais » jumeaux). La plupart des études conduites à cet égard confirment que la phobie sociale comporte très probablement un facteur génétique. Dans une vaste étude menée sur des jumelles, la part génétique dans l'installation de la phobie sociale a pu être évaluée à environ 30 à 40 % [12] : c'est important, mais cela laisse tout de même une assez belle place à l'environnement, aux renforcements éducatifs et aux facteurs familiaux du trouble !

L'espèce humaine et ses phobies

Pour certains chercheurs, la plupart des phobies dans l'espèce humaine correspondraient à des peurs indispensables (au moins à une époque donnée) à la survie de l'espèce [13].

Deux types principaux de phobies pourraient alors être opposés : les phobies « prétechnologiques », autrement dit héritées de l'époque où l'homme était encore confronté de manière directe à des situations dangereuses pour sa survie, et « post-technologiques », correspondant à des situations non naturelles au départ. L'acquisition des premières serait beaucoup plus facile que celle des secondes, qui nécessiteraient un conditionnement beaucoup plus intensif. Cette théorie évolutionniste postule que tout trouble anxieux joue au départ un rôle fondamental pour la survie de l'espèce : les tendances anxieuses ayant engendré l'agoraphobie (peur d'être éloigné de chez soi ou d'un lieu sûr, et de se trouver dans un lieu loin de tout secours) auraient eu pour intérêt d'empêcher les premiers humains de trop s'éloigner de leurs cavernes... De même, la peur du noir ou des animaux à fourrure, assez fréquente et facile à acquérir dans l'enfance...

On peut transposer sans peine ce modèle à l'anxiété et à la phobie sociale : il est probable qu'à des époques plus reculées, la rencontre d'hommes inconnus ait pu représenter un réel danger, de même que la confrontation d'un individu isolé au regard de tout un groupe, le fait d'être observé par autrui (le regard fixe est dans beaucoup d'espèces animales un préliminaire à des comportements d'agression), le face-à-face avec un individu dominant, ou la révélation de signes d'appréhension ou d'émotivité (qui traduirait une vulnérabilité). Un sujet qui n'aurait pas évité ces situations aurait alors eu des chances de survie moindres que ses congénères.

Certains auteurs sont allés encore plus loin dans la réflexion sur ces facteurs propres à l'espèce [14]. Pour eux, l'anxiété sociale et ses implications comportementales

(dialectique dominance-inhibition, évitements, échappe-
ments…) ont survécu dans notre espèce car elles se sont
avérées un puissant facteur de maintien de la cohésion des
groupes humains, évitant des conflits permanents pour le
pouvoir. Pour eux, tout être humain perçoit son environnement relationnel au travers de deux systèmes de lecture,
l'un orienté vers les signaux de danger, l'autre vers les
signaux de sécurité. Le premier serait destiné à détecter précocement l'existence d'une menace. Le second, orienté vers
les signaux de réassurance, permettrait de ne pas uniquement lire son environnement en termes de danger potentiel,
mais aussi de pouvoir y reconnaître des « signaux de
sécurité », permettant de reposer sa vigilance.

Pour des raisons variées, dont certaines génétiques, les
anxieux sociaux souffriraient d'un dérèglement de ce système d'alarme « naturel » : leur anxiété se déclenche trop
tôt, trop vite, trop fort, dans des situations banales aux
yeux des autres personnes. Ils détectent trop rapidement
des « signaux de danger », et se montrent hyposensibles
aux « signaux de sécurité ». Par exemple, s'ils commencent à faire un exposé face à un public, ils vont très vite
se focaliser sur les membres de l'assistance ayant une attitude renfrognée ou distraite (« ça va mal se passer ! ils
vont me critiquer ! je ne suis pas intéressant ! ») et ne pas
se sentir vraiment rassurés par ceux des auditeurs qui se
montreront souriants et attentifs.

Cette théorie permet une lecture éthologique assez intéressante des situations d'anxiété sociale : ainsi, l'intimidation ressentie face à des individus affichant les attributs du
pouvoir rappelle les conduites de soumission face aux
individus dominants dans le monde animal ; l'appréhension ressentie par les personnes lorsqu'elles arrivent dans
une soirée (qui se traduit, pour ceux qui sont des fumeurs,
par la mise à feu instantanée d'une cigarette anxiolytique)

correspond à l'appréhension ressentie lors de la pénétration dans un territoire qui n'est pas familier ; l'inconfort face à un interlocuteur silencieux nous regardant fixement peut finalement rappeler la phase de pré-agression d'un prédateur ; le désagrément à se sentir devant un interlocuteur qui ne soit pas un intime renverrait au danger à montrer des signes de faiblesse à un agresseur potentiel, aux réactions non prévisibles, etc.

De tels travaux peuvent déplaire et donner le sentiment de restreindre la part de libre arbitre inhérente à la condition humaine. Mais les faits sont là… même si leur interprétation peut légitimement prêter à discussion. Et il reste encore beaucoup de travail pour déterminer la part exacte de l'inné dans les différentes formes d'anxiété sociale.

Un développement progressif

Vers l'âge de huit à dix mois, le petit enfant présente des réactions anxieuses normales lorsqu'il est séparé d'avec sa mère ou lorsqu'il est mis en présence d'un adulte étranger. C'est à cet âge que les capacités de locomotion et de déplacement de l'enfant se développent. Ce type d'anxiété pourrait avoir pour fonction de préserver l'enfant d'un excès d'intrépidité. Les signaux de sécurité seraient associés à la présence de la mère, tandis que le système d'alerte serait activé par la survenue d'un possible prédateur, représenté par l'inconnu. Au-delà de cette réaction normale, diverses recherches tendent actuellement de repérer si certaines attitudes extrêmement précoces du petit enfant confronté à diverses situations nouvelles peuvent déjà évoquer le phénomène de l'anxiété sociale, si elles vont s'avérer passagères ou disparaître et si elles peuvent prédire en partie l'installation d'une véritable anxiété sociale à l'âge adulte.

Une des plus intéressantes études conduites dans ce domaine a permis d'observer comment de très jeunes enfants âgés de quatre mois réagissaient à des stimulations peu familières (voix, objets ou comportements inconnus) [15]. Une centaine d'enfants étaient classés selon deux types de réaction : le niveau d'activité motrice et la présence ou non de pleurs. Quatre groupes d'enfants ont ainsi pu être distingués. Celui des très réactifs (forte réaction motrice et nombreux pleurs) représentait 23 % des enfants, celui des très peu réactifs (faible réaction motrice et pas ou peu de pleurs) constituait 37 % de l'ensemble, et les deux autres groupes intermédiaires (celui des enfants présentant une faible réaction motrice avec beaucoup de pleurs et celui des enfants à forte réaction motrice et peu ou pas de pleurs) concernaient respectivement 22 % et 18 % des enfants. Tous les enfants étaient ensuite réévalués à l'âge de neuf mois, quatorze mois et vingt et un mois, toujours dans des situations sociales susceptibles de provoquer de l'inquiétude en raison de leur caractère inhabituel. Ce sont les enfants du premier groupe, les plus réactifs à l'âge de quatre mois, qui avaient le plus tendance à montrer des comportements d'anxiété sociale, essentiellement sous la forme d'inhibition, plusieurs mois plus tard.

D'autres chercheurs ont montré que ces manifestations comportementales d'inhibition pouvaient très facilement être repérées à l'âge de deux ans et qu'elles concerneraient environ 15 % des enfants [16]. À cet âge, confronté à un inconnu, l'enfant a en effet deux grandes tendances, soit se replier sur lui-même, voire à fuir, soit au contraire à aller vers l'interlocuteur. Les enfants décrits comme timides et craintifs par leur entourage à l'âge de deux ans ont ensuite tendance, pour les trois quarts d'entre eux, à conserver le même type de comportements à l'âge de huit ans [17].

Faisant la synthèse des nombreux travaux, beaucoup d'auteurs pensent actuellement que, à partir d'une prédisposition constitutionnelle qui s'exprimerait dès les premiers mois de la vie par une forte réactivité aux situations inhabituelles, des manifestations d'inhibition comportementale pourraient apparaître vers l'âge de deux ans et évolueraient ensuite vers l'anxiété sociale, puis la phobie sociale [18]. Il faut cependant signaler que, dans ces études, la possibilité de passer de comportements inhibés à des comportements non inhibés est supérieure à la possibilité inverse. D'autre part, avec l'âge, cette prédisposition à développer une anxiété sociale tend à s'estomper sous l'effet de facteurs acquis, éducatifs et environnementaux.

L'inégalité des sexes

Comme la plupart des troubles anxieux (agoraphobie, attaques de panique, anxiété généralisée) la phobie sociale touche davantage de femmes que d'hommes [19]. Au-delà d'une explication génétique ou biologique qu'il reste à trouver pour comprendre ce phénomène, on peut aussi constater que l'anxiété sociale est mieux acceptée socialement chez les femmes que chez les hommes, ce qui n'est pas sans conséquence sur son développement : est-ce que les parents ne tolèrent pas davantage d'inhibition chez leurs filles ? En ne réalisant pas, parfois, qu'elle est pathologique… Les stéréotypes sociaux traditionnellement exigés des hommes sont souvent en opposition avec les caractéristiques des sujets anxieux sociaux, alors qu'ils correspondent mieux aux qualités habituellement attendues chez les femmes. Une étude qui s'attachait aux caractéristiques que l'on attribue spontanément aux sujets timides recensait parmi celles-ci : douceur, modestie, sensibilité et réserve… alors que les qualités opposées (ne caractérisant donc pas les timides) étaient la confiance en soi, l'agressivité, etc. [20]. L'influence des représentations sociales des hommes et des femmes dans le développement de l'anxiété sociale a d'ailleurs été retrouvée dans une étude suédoise [21]. Près de deux cents enfants représentatifs de la population urbaine suédoise furent suivis et évalués entre l'âge de trois mois et celui de seize ans. Une inhibition caractérisée dans les premiers mois de la vie permettait de prédire une inhibition persistante à l'âge de sept ans. En revanche, seules les petites filles très inhibées le restaient jusqu'à l'adolescence, tandis que la corrélation était moins nette pour les garçons. Il semblerait que les garçons anxieux soient fortement encouragés par leur environnement à abandonner leur inhibition, quitte à conserver leur anxiété sociale et à l'exprimer d'autres manières, par l'agressivité ou la fuite en avant dans des attitudes contra-phobiques. Cette étude a aussi montré que les mères, qui évaluaient l'inhibition de leurs enfants comme le faisaient les psychologues de l'expérience, étaient moins bonnes observatrices que ces derniers, qui prédisaient beaucoup mieux la survenue de timidité à l'adolescence. Très souvent aussi, la timidité, ou toute forme d'anxiété sociale, n'inquiète pas outre mesure les proches de ces enfants ; elle les arrange et leur simplifie la tâche. C'est vrai des parents mais aussi des enseignants, à qui les enfants timides permettent de se concentrer sur les élèves les plus turbulents [22].

L'environnement familial

Si l'on examine les parents et l'entourage familial d'adultes ou d'enfants qui présentent de l'anxiété sociale, on retrouve fréquemment des problèmes psychologiques. L'héritabilité (qui est différente de l'hérédité) de l'anxiété sociale est démontrée. On a ainsi observé que chez les sujets présentant une phobie sociale, les chances qu'un de leurs parents de premier degré présente lui aussi une phobie sociale étaient multipliées par plus de trois par rapport à la population générale [23]. Une autre étude montrait qu'on retrouvait chez les parents d'enfants inhibés des scores significativement plus élevés d'anxiété sociale, mais aussi de dépression ou d'autres troubles anxieux comme l'agoraphobie. L'association enfant inhibé parent anxieux aurait toutes les chances de déboucher sur des troubles anxieux à l'âge adulte, que ceux-ci appartiennent ou non à la sphère de l'anxiété sociale [24]. En faisant une recherche systématique auprès de 867 enfants d'une école primaire, une étude a pu montrer que 20 % des mères d'enfants timides souffraient elles-mêmes de phobie sociale [25]. Comment se passe la « transmission » éventuelle de l'anxiété sociale ?

Conseils aux parents d'enfants timides

Si vous avez observé qu'un de vos enfants manifeste déjà des signes de timidité, voici quelques conseils pour l'aider à faire face. Attention, aider un(e) petit(e) timide est un travail toujours fructueux mais de longue haleine : inutile d'attendre des changements en quelques jours, il faudra au minimum quelques mois. En cas de doute, prenez l'avis d'un professionnel.

Nos conseils	Quelques exemples
Soyez vous-même sociable	En sa présence, bavardez systématiquement avec les voisins, les commerçants, les parents d'élèves à la sortie de l'école…
Facilitez ses contacts directs avec les autres adultes	Lorsque vous invitez des amis, présentez-leur votre petit timide, prévenez-les de lui poser des questions simples et valorisantes.
Favorisez sa vie sociale avec d'autres enfants	Invitez aussi souvent que possible (anniversaires, fêtes…) des enfants à la maison, et cherchez des parents prêts à inviter votre enfant en retour.
Vivez en grand groupe à certains moments	En vacances, partez régulièrement avec de la famille, des amis, ou en villages de vacances.
Aidez-le à aller vers les autres enfants	Au bac à sable, asseyez-vous à ses côtés et parlez aux autres enfants en leur posant des questions simples (comment t'appelles-tu ? quel âge as-tu ? etc.) : en vous observant, votre enfant apprendra à les poser un jour lui-même.
Ne le brusquez pas	Dans tous les cas, respectez le rythme de votre enfant : ne l'inscrivez pas de force à un club de sport ou à une activité en groupe. Laissez-lui le temps de franchir les étapes intermédiaires.

Certains parents sont eux-mêmes inhibés, timides, anxieux sociaux. L'enfant adopte alors leurs comportements. D'autres impriment à leur famille un mode de vie spécifique : pas de contacts avec l'extérieur, pas de visites d'amis, etc. L'enfant est donc peu familiarisé avec des interactions sociales variées. Il y a aussi les parents qui présentent au contraire peu de manifestations observables d'anxiété sociale, mais transmettent à leurs enfants des règles de vie de nature à induire des troubles de ce type : par exemple en insistant sur les dangers qui peuvent venir des autres, sur la nécessité de faire attention à ce que pensent les autres, de ne pas les déranger, voire de se soumettre à eux pour éviter les problèmes. D'autres communiquent selon un mode particulier : pas d'expression des émotions, pas de discussions autres que factuelles, etc. Enfin, bien sûr, il existe des modes éducatifs pathologiques : éducation très sévère et dévalorisante, exigence de performances permanentes et parfaites... Comme le concluait tristement un de nos patients : « J'ai été timidifié par mes parents... »

Des événements marquants

Mais l'influence parentale n'est pas seule en cause. Certains événements sont de nature à favoriser l'éclosion de troubles liés à l'anxiété sociale. Ils agissent alors comme un traumatisme initial à partir duquel tout un cortège d'angoisses et de comportements perturbés se met en place de manière plus ou moins durable. Cela peut être une humiliation subie en classe, comme pour une de nos patientes qui avait perdu ses urines à l'âge de sept ans en passant au tableau, ou comme pour certains enfants porteurs de signes les différenciant des autres (lunettes, couleur de la peau ou des cheveux, etc.). Nous avons eu l'occasion de soigner une jeune femme qui avait un bec-de-lièvre congénital. Durant son enfance, elle n'avait pas souffert outre mesure de sa malformation, jusqu'à ce qu'à l'âge de treize ans, un de ses camarades de classe se moque ouvertement d'elle devant les autres. Cet événement a été à l'origine d'une phobie sociale qui a rendu sa vie particulièrement pénible jusqu'à ce qu'elle se fasse traiter.

Le traumatisme est-il à lui seul à l'origine du trouble ou bien n'a-t-il fait que révéler une fragilité sous-jacente, le même événement chez une autre personne ne déclenchant rien ? Les deux possibilités existent. Si le traumatisme est suffisamment intense, il est possible qu'il marque très durablement la personne : un patient d'origine asiatique avait subi les persécutions des Khmers rouges, notamment d'interminables séances de confessions publiques de ses supposées fautes politiques, régulièrement suivies par l'exécution de certains participants. Sa phobie sociale, qui portait surtout sur les situations de prise de parole en public et d'oraux d'examens, trouvait là une évidente explication. En revanche, d'autres récits d'humiliations par la réflexion d'un professeur de mathématiques ou le regard ironique d'un camarade de classe semblent plutôt corroborer la thèse d'une fragilité préexistante se révélant à l'occasion de certains événements, ces derniers n'ayant par eux-mêmes qu'un faible caractère traumatique...

Un trouble universel mais inégalement répandu...

Entre les facteurs innés, génétiques ou prénatals, et les facteurs individuels, développementaux ou événementiels, existe-t-il une place pour des facteurs sociologiques ?

Autrement dit, l'anxiété sociale est-elle un trouble universel ou bien est-elle liée à certaines cultures ? Si les chiffres sont relativement stables dans les populations occidentales en ce qui concerne les formes sévères d'anxiété sociale, à savoir la phobie sociale et la personnalité évitante, ils varient beaucoup, semble-t-il, d'une culture à l'autre.

Une étude interculturelle sur la timidité a montré que certaines populations comptent dans leurs rangs plus de timides que d'autres [26] : les plus timides, de façon durable ou occasionnelle, seraient les Japonais et les Allemands (60 et 50 % de prévalence, 82 et 92 % d'incidence) ; les moins timides les Israéliens et les Juifs américains (31 et 24 % de prévalence, et 70 % d'incidence). Le Pr Zimbardo, responsable de cette étude, commente ces chiffres en plaisantant : « Au Japon, si un gosse réussit, ce sont les parents qui en bénéficient ; s'il échoue, c'est lui qu'on blâme. Tandis qu'en Israël, si un enfant devient champion, il est choyé. S'il rate, c'est que l'entraîneur est mauvais, que le stade était trop bruyant et que le monde entier est contre les Juifs ! »

Les psychiatres et psychologues japonais ont de longue date étudié l'anxiété sociale à travers ce qu'ils ont appelé le *Taijin Kyofusho* [27]. Il s'agit d'un sentiment obsédant de honte à l'idée d'offenser les autres par son rougissement, des odeurs corporelles, des flatulences, ou même tout simplement par certaines de ses attitudes, comme un regard ou un sourire déplacé. La ressemblance avec la phobie sociale décrite par les auteurs occidentaux est grande, sauf sur un point : la phobie sociale provient surtout de la crainte de se sentir embarrassé ; dans le *Taijin Kyofusho,* c'est la crainte de gêner autrui qui occupe le premier plan. Pour les Occidentaux, la peur d'être ridicule l'emporte sur celle de mettre les autres mal à l'aise [28].

Les caractéristiques de la société japonaise et de la société occidentale permettent peut-être d'expliquer ces différences : prédominance du collectif et de l'intégration au groupe dans un cas, culte de l'individualité et de l'autonomie dans l'autre. Selon certains auteurs, l'anxiété sociale sous toutes ses formes concernerait de un à deux tiers des Japonais [29]. Le rôle du confucianisme, prônant la soumission de l'individu aux exigences du groupe familial et social, permet peut-être d'expliquer la fréquence du *Taijin Kyofusho* dans d'autres pays d'Asie, comme la Chine et la Corée [30].

Une étude conduite sur de jeunes enfants américains d'origine chinoise ou caucasienne a révélé que les petits Chinois étaient significativement plus timides et inhibés que leurs homologues anglo-saxons [31]. Une autre étude, conduite chez des étudiants de Hong Kong et qui portait sur leurs capacités à s'affirmer dans les situations sociales, a mis en évidence leur difficulté à exprimer leurs sentiments négatifs ou à faire des remarques critiques aux autres personnes, tandis que d'autres capacités n'étaient pas diminuées [32]. Les valeurs traditionnelles, marquées par le respect dû aux détenteurs de savoir, d'expérience, d'autorité, sont de nature à faire percevoir comme déplacées certaines attitudes sociales, considérées comme normales en Occident.

De l'exigence sociale à l'anxiété sociale

À l'inverse, une société tout entière tournée vers la performance individuelle, l'apparence et la maîtrise de son image, comme l'est la nôtre depuis quelque temps, ne suscite-t-elle pas davantage d'anxiété sociale ? En fait, elle rend plus vulnérables les personnes qui ont une forme mineure d'anxiété sociale. Un peu à l'image de ce qui s'est passé avec le déficit intellectuel au moment de la scolarisation obligatoire, à la fin du XIXᵉ siècle : les « débiles légers », jusque-là correctement intégrés, bien que cantonnés à des tâches simples, se sont soudain trouvés rejetés car incapables d'apprendre à lire et à écrire avec les méthodes usuelles d'enseignement. En matière de communication, notre société est ambivalente : elle facilite la vie des anxieux sociaux par des inventions comme le téléphone ou les grandes surfaces, en leur permettant d'éviter un nombre croissant de tête-à-tête (ce qui favorise les comportements d'évitement), mais du fait de sa médiatisation croissante, elle leur renvoie beaucoup plus violemment qu'autrefois l'évidence que pour réussir, il faut savoir communiquer…

De manière générale, nous devons bien avouer que les origines et les causes de l'anxiété sociale restent encore assez mal connues. Nous disposons toutefois d'un certain nombre d'éléments. L'anxiété sociale et ses manifestations (comportementales, émotionnelles ou cognitives) semblent appartenir au patrimoine de l'espèce humaine : sa fonction a sans doute été importante dans la préservation des individus et de l'espèce ; elle est normale chez l'enfant entre huit mois et deux ans. Dans un certain nombre de cas, cet héritage de l'espèce humaine est un peu trop lourdement transmis et une prédisposition à l'anxiété sociale paraît exister : de manière héréditaire ou congénitale, certaines personnes viendraient au monde avec une émotivité plus ou moins importante, qui se déclenche en réaction à toutes sortes d'événements nouveaux. Cela donne notamment lieu à des manifestations physiologiques au niveau du cœur, des pupilles, etc., en réponse à des situations de stress. Des comportements parentaux peuvent de leur côté alourdir ces tendances ou bien créer par eux-mêmes de l'anxiété sociale. Enfin, des composantes culturelles (sexe, nationalité, époque...) peuvent aggraver ou alléger le tableau.

Mais au fond, tout cela c'est le passé de l'anxiété sociale. Ce qui importe le plus aux anxieux sociaux, c'est leur présent et leur avenir, autrement dit, leur capacité à évoluer, à changer. Comment s'y prendre ?

QUATRIÈME PARTIE

Comment vaincre la peur des autres

Les difficultés qui vont de pair avec l'anxiété sociale semblent bien faire partie de la condition humaine. Nous devons tous entrer en relation avec les autres et d'une certaine manière dépendre d'eux, mais aussi nous affirmer nous-mêmes dans notre individualité, donc aussi affronter autrui. Chacun doit se débattre entre ces deux contraintes qui sont la base même de l'existence. Le médecin à cet égard peut prodiguer des conseils, mais il n'y a là rien qui soit d'emblée « médical ». Du moins pour beaucoup d'entre nous. Cependant, le début de ce livre l'a montré, il est de nombreux cas très complexes, très douloureux, beaucoup plus proches de la maladie qu'on ne veut bien le dire. À cet égard, le médecin peut apporter plus que des conseils de bon sens.

La médecine servait autrefois avant tout à sauver des vies ou à alléger les pires souffrances. De nos jours, elle est supposée également améliorer la qualité de la vie. Cette évolution a été rendue possible par l'amélioration des conditions générales de vie et d'hygiène, et par la prévention. Désormais, on consulte autant pour des rhumatismes ou de l'acné que pour un cancer ou une insuffisance cardiaque. C'est vrai aussi en psychiatrie : cette spécialité a cessé de se concentrer seulement sur les maladies graves et socialement dérangeantes pour s'intéresser aux troubles plus « légers » et discrets, comme les troubles anxieux ou la boulimie. Mais dans le domaine psychologique, où est la frontière entre ce qui concerne la survie et ce qui a seulement trait au confort personnnel ?

Est-ce à dire, puisque nos relations avec les autres ne sont pas toujours simples ou harmonieuses, que nous sommes tous malades ? Certainement pas. Toute la différence est dans le degré de cette souffrance morale que représente l'anxiété sociale. Traditionnellement, la médecine, en particulier dans les pays de culture catholique, accordait peu d'importance à la souffrance. Aujourd'hui, la lutte contre la douleur fait partie intégrante des soins, notamment dans le cas d'affections sévères comme le cancer. On a compris non seulement qu'il était immoral de négliger la douleur, mais que cette attitude rendait encore plus difficile le traitement de la maladie. Il en va de même pour l'angoisse. Après les avoir souvent traités par-dessus la jambe, on s'est avisé que les troubles anxieux pouvaient avoir de redoutables conséquences.

La vraie question est donc non pas de savoir s'il faut traiter, mais à partir de quand aider [1]. À partir de quelle intensité de trouble, de quel degré de gêne ou de souffrance doit-on proposer ou accepter de fournir un traitement ? La décision n'est facile à prendre que dans les cas extrêmes : le trac discret d'un orateur qui est par ailleurs bien dans sa peau et qui ne se trouble que quelques secondes avant de prendre la parole n'appelle évidemment pas de traitement ; la phobie sociale, qui peut parfois aller jusqu'à empêcher quelqu'un de sortir de chez lui ou même de se servir de son téléphone, doit au contraire être prise en charge. Mais entre ces extrêmes ? Le timide qui va d'échecs sentimentaux en déboires professionnels doit-il être soigné ? Et le solitaire, sans contacts ni amis, qui végète dans une vie morne, et boit beaucoup trop lorsque sa sœur aînée l'invite à dîner avec des inconnus ?

Tout dépend, bien sûr, de ce que veut la personne concernée. Mais quels sont les instruments dont on peut disposer ? Comment s'en sortir ?

La première étape est évidemment de briser certains obstacles personnels. Ils peuvent venir d'une simple méconnaissance du problème (« Je pensais que tout le monde était plus ou moins comme ça. ») ou d'une ignorance des solutions éventuelles (« C'est dans mon caractère, on ne se refait pas. »), mais aussi d'une forme envahissante de honte ou encore de la peur d'être pris en charge médicalement, de se trouver entraîné dans un engrenage « psychiatrique ». Plus difficile à éliminer sont les réticences de l'anxieux qui ne tient guère à perturber l'équilibre qu'il s'est construit petit à petit : les évitements sociaux ont quelque chose de confortable à court terme, même s'ils appauvrissent l'existence à long terme. Des obstacles similaires proviennent des médecins eux-mêmes, qu'ils soient généralistes ou psychiatres : « Ce n'est rien, ça arrive à tout le monde, n'y pensez plus, ça passera… De toute façon, ce n'est pas bien grave ! »

Lorsque le patient est un enfant, ce genre de banalisation est particulièrement dangereux, et il faut encourager tout ce qui peut permettre d'informer, sans dramatiser, aussi bien les parents que les enseignants, voire les enfants eux-mêmes [2]. Certes, l'enfant vit en général dans un milieu assez protégé et son anxiété sociale ne le gênera pas vraiment avant un bon moment. Mais plus tard ? Quant à l'adolescent, les difficultés propres à cet âge ne doivent pas faire oublier que c'est précisément à cette période que se mettent en place la plus grande partie des phobies sociales, dont on a vu la sévérité.

La deuxième étape consiste à s'orienter parmi les mille et une possibilités thérapeutiques qui existent. Nous avons choisi dans cet ouvrage de ne parler que des traitements dont l'efficacité a pu être validée par des études scientifiques. Cela ne signifie pas que nous tenons pour négligeables d'autres types de prise en charge. Simplement, elles n'ont pas fait, à ce jour, la preuve de leur efficacité sur un nombre suffisant de personnes.

La troisième étape est enfin de s'engager dans le traitement choisi. Mais d'abord il faut savoir lequel choisir.

Efforts personnels ou thérapie ?

Ce petit questionnaire veut vous aider à réfléchir sur vos capacités à changer : seul ou avec de l'aide ?

	Vrai	Faux
Vous avez souvent observé que plus vous affrontiez les mêmes situations sociales, plus votre anxiété diminuait.		
En situation sociale, votre anxiété reste contrôlable, même si elle est parfois pénible, et elle atteint rarement le stade de la panique.		
L'idée que l'on puisse remarquer votre anxiété sociale ne vous remplit pas de honte, même si cela ne vous fait pas particulièrement plaisir.		
Si vous en faites l'effort, vous arrivez le plus souvent à réfléchir sur vos peurs, et à comprendre qu'elles sont excessives.		

	Vrai	Faux
Si vous êtes en difficulté sous le regard des autres, vous n'en ressentez pas de la honte pendant plusieurs jours ou davantage.		
Vous ne vous sentez pas particulièrement déprimé.		
Vous n'êtes pas particulièrement tenté de boire de l'alcool pour soulager votre anxiété sociale.		
Vous avez un travail.		
Vous avez des amis.		
Vous voyez régulièrement les membres de votre famille.		

Si vous avez obtenu plus de 6 réponses « vrai », il est possible que vous puissiez modifier par vous-même votre anxiété sociale.

Si vous avez seulement 6 réponses « vrai » ou moins, peut-être aurez-vous intérêt à vous faire aider par un spécialiste de l'anxiété sociale.

Chapitre 1

Médicaments ou psychothérapie ?

> « Le malade ne demande pas
> un médecin beau parleur. »
>
> Sénèque

Il est aujourd'hui de bon ton de dire que nous consommons trop de médicaments psychotropes, c'est-à-dire agissant sur le système nerveux. Ironiquement, ceux qui tiennent ce discours sont souvent ceux-là mêmes qui en réclament ou qui en prescrivent ! Et chacun, dans ce débat, d'avancer des arguments de principe pour répondre à la question de savoir si c'est une bonne chose qu'un produit chimique apaise les troubles de l'âme, comme s'il fallait nécessairement être pour ou contre. Le risque est grand, certes, d'une dérive dans l'utilisation des psychotropes [1]. Elle peut être le fait des médecins, par manque de temps pour l'écoute ou par méconnaisance des techniques de psychothérapie ; mais elle peut aussi venir des patients, trop pressés ou trop peu motivés pour s'engager dans une démarche plus exigeante pour eux. Cela ne doit pas conduire à rejeter en bloc les psychotropes. Bien au

contraire, c'est leur bon usage qu'il convient de développer. La bonne démarche devrait être essentiellement
pragmatique. Tel traitement est-il efficace ? A-t-il des
effets secondaires ? Lesquels ? Peut-il être remplacé par
un autre qui soit au moins aussi efficace ? Voilà sans doute
les bonnes questions, les vraies questions. Plus générale-
ment, que peut-on attendre des médicaments ? Dispensent-
ils d'une éventuelle thérapie ? De quel type et dans quel
but ?

Règles d'utilisation des psychotropes dans les cas d'anxiété sociale

1. Le traitement doit être nécessaire et efficace : il est fréquent que les patients prennent, depuis parfois longtemps,
des traitements parfaitement inutiles, voire nuisibles.

2. Le traitement doit être bien toléré, ou du moins ses
effets indésirables ne doivent pas dépasser ses bénéfices.

3. Le traitement doit être prescrit à une posologie contrôlée par le médecin.

4. La durée de la prescription doit être limitée, ou du
moins les bénéfices thérapeutiques doivent être régulièrement réévalués.

5. Le traitement doit être associé à des mesures psychologiques : au minimum, accompagnement et suivi psychologique, au mieux véritable psychothérapie.

Du bon usage des psychotropes

Dans l'anxiété sociale, les psychotropes permettent de
débloquer une situation, de démarrer un processus de
changement personnel. Ils peuvent aussi servir de
béquille, en facilitant ce changement tant que le sujet n'est
pas vraiment capable de le prendre en charge seul. Mais il

est rare que les médicaments se suffisent entièrement à eux-mêmes. La pilule contre la peur des autres n'est pas encore inventée, si elle doit l'être un jour... Dans les formes gênantes d'anxiété sociale, qui nécessitent un traitement médicamenteux, la meilleure façon de se servir des psychotropes c'est de les accompagner d'une psychothérapie adaptée, qui accélérera leur action, et empêchera les rechutes à l'arrêt du traitement [2].

Les bêtabloquants

Ce sont des médicaments utilisés au départ en cardiologie pour lutter contre l'hypertension artérielle, l'angine de poitrine, pour prévenir l'infarctus du myocarde, mais aussi contre la migraine notamment. Les cardiologues qui les prescrivaient avaient depuis longtemps identifié leurs effets psychologiques favorables chez certains de leurs patients. Leur utilisation en psychiatrie a été progressivement introduite à partir de 1966, date de la première étude contrôlée réalisée à cet égard [3]. On admet communément aujourd'hui qu'ils permettent de réduire certaines manifestations physiologiques liées à l'anxiété sociale, comme la tachycardie, les tremblements, etc.

Un patient plein de malice nous demandait un jour si les bêtabloquants étaient ainsi nommés parce qu'ils servaient à débloquer les « bêtas »... En fait, cette appellation vient de leur mode d'action sur de petites zones situées sur divers organes : les « récepteurs bêta ». C'est là que les catécholamines ou hormones du stress, comme la noradrénaline et surtout l'adrénaline, agissent, accélérant le rythme cardiaque, provoquant une transpiration cutanée et une sécheresse de la bouche, etc. Les bêtabloquants empêchent ces hormones de développer leurs effets [4].

Une étude réalisée sur des violonistes a montré que les bêtabloquants donnaient de bons résultats pour réduire le trac [5]. Non seulement l'anxiété ressentie par les musiciens diminuait, mais la qualité de leur jeu semblait s'améliorer, notamment parce que la disparition de leur tremblement évitait à leur archet de trop rebondir sur les cordes. Toujours dans le monde musical, on a observé que les bêtabloquants diminuaient la sécheresse de la bouche des joueurs d'instruments à vent [6]. *A contrario*, l'absorption de bêtastimulants dégradait leurs performances musicales et faisait apparaître des signes d'anxiété sociale. On a observé des phénomènes similaires chez des étudiants [7] et des conférenciers [8].

Attention, cependant, les bêtabloquants ne doivent pas être maniés à la légère. Ils comportent en particulier un certain nombre de contre-indications : certains troubles cardiaques, l'asthme, l'association à certains autres médicaments, etc. Ils ne peuvent donc être prescrits que par un médecin qui a vérifié ces différents points. Ils ne sont efficaces que chez les sujets anxieux : ils n'amélioreront pas la performance de personnes non « traqueuses ». Ils sont indiqués lorsque l'anxiété sociale est une anxiété de performance, c'est-à-dire déclenchée par une situation bien précise, limitée dans le temps et l'espace, et dont les symptômes physiques sont importants et gênants. Ils sont donc peu efficaces dans les cas de phobies sociales généralisées, de personnalité évitante, d'appréhensions sans trac [9].

En tout état de cause, il convient de prendre une dose une à deux heures avant la situation qui pose problème. L'effet dure quelques heures, en fonction des molécules utilisées. On observe souvent que le recours à ces médicaments diminue progressivement avec le temps, comme si les personnes qui en prennent en avaient de moins en moins besoin. C'est sans doute dû au fait que, s'exposant plus volontiers aux situations qui rendent nécessaire ce traitement, elles apprennent petit à petit à mieux y faire face et peuvent ainsi se dispenser d'un médicament qui n'induit pas de dépendance [10].

Bêtabloquants : mode d'emploi

1. Les bêtabloquants ne doivent être utilisés qu'après avis médical (il existe des contre-indications)

2. Ils n'ont d'intérêt que dans l'anxiété de performance invalidante (par exemple, forte angoisse lors des prises de parole en public) et sont peu utiles dans les cas de phobie sociale généralisée ou de timidité.

3. Ils doivent être pris une heure environ avant la situation sociale anxiogène.

4. Ils ne diminuent pas, dans un premier temps, la sensation subjective d'anxiété psychologique, ni l'anxiété anticipatoire.

5 . Par contre, ils limitent fortement les sensations physiques d'anxiété (accélération du rythme cardiaque, gorge serrée, barre sur la poitrine, etc.).

6. De ce fait, la spirale anxieuse est désamorcée (l'attention est moins accaparée par les signes de trac, et peut se reporter sur ce qu'on a à dire ou à faire). L'anxiété sociale reprend un niveau normal, et redevient gérable.

L'utilisation des bêtabloquants est encore relativement limitée en France, les tranquillisants étant encore les plus facilement prescrits. Un seul bêtabloquant, l'Avlocardyl®, peut être officiellement prescrit dans notre pays lors des « manifestations fonctionnelles cardiaques à type de tachycardie et de palpitations au cours de situations émotionnelles transitoires [11] ». Dans les pays anglo-saxons, en revanche, ce traitement jouit d'une grande popularité. Une enquête menée auprès d'une grande association de musiciens professionnels américains a révélé que près de 30 %

de ses membres avaient recours à des bêtabloquants pour améliorer leurs performances [12]. Parmi eux, les trois quarts les utilisaient en automédication et 96 % en étaient satisfaits ! Une autre enquête, cette fois auprès de cardiologues devant présenter une communication devant leurs confrères à un congrès, a montré que 13 % d'entre eux avaient pris au préalable des bêtabloquants [13].

Les tranquillisants

Absorber des tranquillisants pour diminuer son anxiété sociale pourrait paraître logique. En fait, leur efficacité à cet égard est assez limitée. Les benzodiazépines, nom scientifique des tranquillisants les plus utilisés, sont des médicaments remarquablement efficaces pour réduire les manifestations psychologiques de l'anxiété et certaines de ses manifestations physiques, notamment la tension musculaire. Ils peuvent diminuer la sensation subjective d'anxiété, mais n'ont guère d'influence sur le comportement relationnel. L'anxieux social qui prend des tranquillisants se sent mieux, mais ne cherche pas forcément à communiquer et à affronter le regard des autres davantage qu'auparavant. Il persiste par exemple dans ses stratégies d'évitement. Dans certains cas, les benzodiazépines peuvent même renforcer cette tendance à éviter les situations angoissantes [14] et attiser l'anxiété au moment de l'arrêt du traitement : c'est ce qu'on appelle « l'effet rebond [15] ». De plus, les benzodiazépines entraînent une certaine dépendance et leur effet s'atténue avec le temps. C'est la raison pour laquelle on déconseille de plus en plus de les prescrire dans l'anxiété sociale, sauf pour une durée limitée. Les médecins ne devraient les utiliser actuellement qu'en cas de forte anxiété généralisée associée à l'anxiété sociale.

Cependant, plusieurs enquêtes ont montré que les tranquillisants restaient encore trop systématiquement prescrits aux patients phobiques sociaux [16].

Les antidépresseurs

Il peut sembler illogique de prescrire des antidépresseurs à des anxieux sociaux, du moins tant que ceux-ci ne sont pas déprimés. Pourtant, de nombreux travaux ont démontré l'efficacité des antidépresseurs sur la phobie sociale, et sans doute aussi contre la personnalité évitante [17]. Cette amélioration porte sur les différentes dimensions de l'anxiété sociale, émotionnelle, comportementale et cognitive.

Toutes les catégories d'antidépresseurs ne sont pas aussi efficaces : les antidépresseurs traditionnels (essentiellement la classe chimique des tricycliques, ainsi nommés en raison de la forme de leur molécule, composée de trois structures circulaires imbriquées) paraissent ainsi, au vu de la majorité des études, assez peu efficaces. En revanche, certains IMAO (inhibiteurs de la monoamine-oxydase, petite enzyme cérébrale impliquée dans la régulation de l'humeur et donc dans la dépression) sont particulièrement adaptés au traitement des formes sévères d'anxiété sociale [18]. Il est à ce propos intéressant de constater que cette catégorie médicamenteuse est aussi celle qui donne les meilleurs résultats dans le traitement de formes particulières de dépression, les dépressions dites atypiques, marquées par une grande sensibilité à toute forme de critique ou de rejet. Ce n'est certainement pas un hasard.

Antidépresseurs ISRS : mode d'emploi [19]

1. Les ISRS ne doivent être utilisés qu'après avis médical (il existe des contre-indications).

2. Ils n'ont d'intérêt que dans la phobie sociale généralisée, et ne doivent donc pas être pris dans les cas d'anxiété sociale limitée ou de timidité.

3. Ils doivent être absorbés quotidiennement, et pendant une durée prolongée (au moins 6 mois).

4. Leur délai d'action est de une à trois semaines, pendant lesquelles leur effet thérapeutique ne se manifeste pas encore pleinement.

5. Ils limitent l'intensité de l'anxiété sociale, et permettent donc de prendre davantage de recul par rapport aux pensées angoissantes (qu'ils ne modifient pas directement : on a toujours – du moins au début – ses craintes sociales mais on est moins déstabilisé par elles).

6. De ce fait, ils permettent peu à peu, si la personne en fait l'effort, de prendre l'habitude de se re-confronter aux situations sociales jusque-là évitées.

7. Ils exercent également un effet de stabilisation de l'humeur (la personne ressent moins de baisses de moral).

Cependant, les molécules IMAO les plus récentes, plus maniables, ont déçu et se sont avérées moins efficaces que prévu pour soigner les phobiques sociaux [20].

Mais la catégorie médicamenteuse la plus prometteuse aujourd'hui est celle des ISRS, les « inhibiteurs sélectifs de la recapture de la sérotonine [21] ». Ces molécules sont aussi appelées « sérotoninergiques », car elles augmentent au niveau des synapses cérébrales les taux de sérotonine, un neurotransmetteur très important. Ces sérotoninergiques, au départ conçus et utilisés comme des antidépresseurs, ont aussi manifesté de remarquables effets anti-anxiété dans le trouble panique et dans le TOC (trouble obsessionnel-compulsif), pour lesquels ils sont officiellement recommandés depuis plusieurs années. Récemment, plusieurs travaux ont montré leur utilité dans la phobie sociale [22-23].

Une de ces molécules, la paroxétine, s'est avérée efficace dans plusieurs études [24-25-26] et a obtenu une autorisation officielle de mise sur le marché dans l'indication « phobie sociale » aux États-Unis, au Canada, et dans la plupart des pays européens (dont tous nos voisins : Grande-Bretagne, Belgique, Pays-Bas, Allemagne, Suisse, Italie, Espagne, Portugal...). La France fit quelque temps de la résistance, car certains experts de l'Agence du Médicament s'opposaient à cette commercialisation, en grande partie par crainte d'un dérapage des prescriptions (« on va prescrire des médicaments à tous les timides, et non pas seulement aux phobiques sociaux »). Ces difficultés à obtenir une autorisation de mise sur le marché dans notre pays (qui fut le dernier pays occidental à l'accorder) sont tout de même assez étonnantes, pour ne pas dire choquantes, pour qui connaît le handicap et la souffrance liés à la maladie, et montrent combien la phobie sociale est victime de son cousinage – même lointain – avec la timidité. Rappelons que la commercialisation en Grande-Bretagne de la paroxétine dans l'indication « phobie sociale » avait été l'objet d'une médiatisation importante... en France, beaucoup de journalistes s'étonnant que l'on veuille soigner la timidité par des médicaments [27]. Pourtant, l'autorisation de prescription a toujours et partout été clairement – et prudemment – réservée à l'anxiété sociale pathologique et invalidante. Alors, pourquoi cette levée de boucliers ? Interdirait-on un antidépresseur sous le prétexte qu'il pourrait être prescrit à des personnes simplement tristes ? Ceci montre bien les rapports étroits que l'anxiété sociale entretient avec chacun d'entre nous : tout le monde en a ressenti un jour et pense donc avoir légitimité à se prononcer sur un médicament destiné à en traiter seulement les formes graves. Bien que dommageables dans l'immédiat, ces atermoiements administratifs n'auront qu'un temps : l'évidence scientifique finira par l'emporter, et des médicaments efficaces pourront enfin être prescrits chaque fois que nécessaire aux phobiques sociaux généralisés et handicapés par leur trouble. Signalons d'ailleurs que de nouvelles molécules sont à l'étude, et donnent elles aussi des résultats prometteurs [28].

L'usage des antidépresseurs ne saurait être banalisé : il s'agit de médicaments puissants qui ont des effets secondaires. Leur prescription ne peut être ponctuelle, comme pour les bêtabloquants ; elle doit au contraire, pour avoir un effet, être prolongée sur plusieurs mois, en général six à douze et parfois même davantage. À l'arrêt du médicament, il peut exister des rechutes [29]. Ce type de traitement ne peut donc dispenser d'une aide psychologique.

Les thérapies cognitivo-comportementales

Les thérapies cognitives et comportementales sont les psychothérapies les plus utilisées dans la prise en charge de l'anxiété sociale [30]. Elles ont fait l'objet du plus grand nombre d'études attestant de leur efficacité. Leur objectif est d'intervenir de manière directe sur les modes de pensée et les comportements des patients. Elles partent du principe, vérifié, que nombre de difficultés psychologiques sont en grande partie dues à l'apprentissage et au maintien de comportements et de modes de pensée dysfonctionnels : il s'agit donc, pour remédier au problème incriminé, d'apprendre de nouvelles façons d'agir et de penser. La question du pourquoi et des raisons de ces dysfonctionnements passe délibérément au second plan, car à ce jour rien ne permet de penser – ni études scientifiques ni témoignages des patients – que comprendre pourquoi on était anxieux social améliorerait l'anxiété sociale. De plus, aucune recherche n'a pu démontrer qu'il y aurait des rechutes ou des substitutions de symptômes chez les personnes traitées par thérapies comportementales, comme on l'entend parfois dire par certains thérapeutes mal informés. La tendance des thérapeutes spécialisés dans le traitement de l'anxiété sociale est donc de se concentrer plutôt sur les efforts de changements concrets et actuels que sur la réflexion à propos du passé ou de l'inconscient du phobique social.

C'est ce qui explique la polémique qui a longtemps opposé les tenants de ce type de thérapie à ceux de la psychanalyse. « Vous ne traitez pas les causes. Vous cherchez seulement à agir sur les symptômes, mais à la moindre occasion, ils réapparaissent », disaient en substance les analystes. « Prouvez donc que vous agissez sur les causes, répliquaient les cognitivo-comportementalistes. Les résultats de vos thérapies ne peuvent même pas être évalués [31] ! » Ce conflit tend aujourd'hui à s'estomper. L'avenir nous dira si l'une ou l'autre de ces écoles l'emportera, si chacune finira par avoir ses propres indications (selon les personnalités des patients ou le moment d'évolution de leur trouble), ou si de nouvelles formes de thérapie émergeront. Car aujourd'hui, des techniques de psychothérapie continuent de voir le jour : thérapies interpersonnelles [32], formes adaptées des thérapies comportementales [33], ou ajout à ces mêmes thérapies comportementales de techniques comme l'hypnose [34].

Quoi qu'il en soit, le succès et la réussite, en groupe ou individuellement, des thérapies cognitives et comportementales auprès des patients souffrant d'anxiété sociale est une évidence, attestée par un très grand nombre de publications scientifiques [35]. Un autre facteur intervient sans doute aussi pour expliquer leur popularité croissante : c'est la qualité du lien relationnel, de l'alliance thérapeutique entre le thérapeute et son patient. À la différence du modèle classique, inspiré de la psychanalyse, où le thérapeute est en apparence peu impliqué, observant la fameuse neutralité bienveillante, les thérapies cognitives et comportementales supposent une grande implication de sa part. Il doit en particulier expliquer aussi souvent que possible les troubles, leurs mécanismes, le pourquoi de telle ou telle option thérapeutique, et répondre aussi clairement et précisément que possible à toutes les questions. De même, il propose plus qu'il n'impose des directions de travail, les présentant comme des hypothèses à tester et à rejeter en cas d'échec. Les objectifs sont fixés et évalués en commun. Enfin, il demande au patient d'accomplir certains exercices entre les consultations, destinés à mettre en pratique les techniques apprises en séance. En fait, il s'agit d'apprendre au patient le maniement d'outils de changement personnel qu'il doit pouvoir continuer à utiliser seul une fois la thérapie terminée [36]. C'est sans doute ce qui explique leur efficacité à long terme. À condition bien sûr que le patient s'implique lui aussi, qu'il soit vraiment motivé et qu'il ait des capacités d'auto-observation et d'introspection suffisantes.

Peut-on associer psychothérapies et médicaments ?

Nous avons déjà dit que les médicaments psychotropes devraient, chaque fois que possible, s'appuyer sur une psychothérapie, ou un accompagnement psychologique basé sur des informations et des conseils. L'effet des médicaments est d'alléger l'angoisse, ce qui est déjà capital, mais les conditionnements et réflexes phobiques, souvent très anciens, ne céderont qu'à la reprise et la pratique régulière de nouveaux comportements confrontatifs, liés à des efforts personnels ou à une psychothérapie [37]. De même, les psychothérapies ont souvent besoin, en début de traitement, de pouvoir s'appuyer sur un « effet starter » des médicaments. C'est pourquoi il est vain de vouloir opposer ces deux démarches, souvent associées sur le terrain pour le traitement des formes sévères d'anxiété sociale : les thérapeutes sont heureux d'avoir ces deux familles d'outils à leur disposition [38]. Quelques travaux ont cependant voulu comparer médicaments et psychothérapie ; l'étude la plus convaincante en ce domaine a montré que les résultats après trois mois de traitement, soit par un antidépresseur IMAO (la phénelzine, non disponible en France), soit par une thérapie comportementale de groupe, étaient légèrement en faveur du médicament à court terme, mais que la psychothérapie rattrapait son retard au suivi à moyen terme [39].

Comment se déroulent, en pratique, les thérapies cognitivo-comportementales ?

Avec ou sans médicaments, les principes en sont toujours à peu près les mêmes : le thérapeute aide son patient à affronter les situations qu'il redoute en développant son savoir-faire relationnel et en lui apprenant à contrôler ses pensées excessivement négatives. Il s'agit au fond de répondre à trois problèmes : comment ne pas fuir, comment mieux communiquer, comment penser autrement...

Chapitre 2

Ne plus fuir

« *Just do it !* »

La tendance des anxieux sociaux à fuir, à se retirer dans un petit monde solitaire est une constante. Elle leur permet d'apaiser leur anxiété et devient vite un automatisme. L'une des premières étapes pour s'en sortir consiste donc à s'habituer progressivement à affronter les situations redoutées [1]. Du reste, beaucoup d'améliorations survenues en l'absence de thérapie tiennent à des événements, à des circonstances qui ont en quelque sorte forcé les choses. C'est d'ailleurs le cas pour la majorité des enfants : si les parents ne les isolent pas et leur font mener une vie ouverte, avec rencontres et séparations en nombre progressivement croissant, l'anxiété sociale qui est « normale » chez eux entre le huitième mois et la deuxième année disparaîtra.

Il existe, pour faciliter ce genre de processus, des techniques très simples, dites d'exposition. Leur principe est le suivant : tant que l'on évite quelque chose, on ne peut que continuer d'en avoir peur (« si je n'avais pas évité, une catastrophe serait arrivée »). Si par contre on se confronte, selon des règles bien connues des comportementalistes, à ce qui nous fait peur, on finit toujours – toujours ! – par voir son anxiété diminuer.

Les principales étapes des techniques d'exposition

Percevoir les difficultés en termes de situations-problèmes	« Dans quelles situations m'arrive-t-il de ressentir de l'anxiété sociale ? »
Établir une liste de ces situations	« Quelles sont ces situations ? »
Hiérarchiser les situations, de la plus facile à la difficile	« Quelles sont, pour commencer, les moins angoissantes ? Quelles sont, ensuite, celles que j'ai le plus tendance à éviter ? »
Préparer la confrontation avec les situations	« Que dois-je accepter pour affronter ces situations ? »
Planifier l'affrontement	« Dans quel ordre et à quels moments vais-je les affronter ? »
Exposition	« Je me jette à l'eau. »
Évaluation des résultats	« Qu'est-ce qui a marché, qu'est-ce qui est à revoir ? »
Généralisation	« Après plusieurs succès, j'aborde des situations auxquelles je ne me suis pas préparé. »

Être concret

La meilleure façon de ne jamais arriver à régler un problème, surtout s'il est ancien et complexe, c'est de le percevoir dans sa globalité, comme un ensemble indivisible. Lorsque nos patients viennent nous consulter, bien souvent ils ne savent pas comment parler de leurs difficultés, tant celles-ci leur paraissent floues, confuses. Une de nos premières tâches consiste à les aider à y voir plus clair ou plus juste, dans les différentes composantes de leurs difficultés. Il est fréquent que la perception qu'ils ont de leur anxiété sociale se résume à des phrases telles que « je suis mal dans ma peau », « je ne suis pas à l'aise dans la société », « j'ai peur de communiquer avec les autres »... Tant que la perception de leurs difficultés en reste à ce niveau de généralité, il est difficile pour eux d'espérer un changement, puisqu'ils ne discernent pas clairement dans quelle direction doivent porter leurs efforts. Formulé globalement, leur problème demeure sans solution et appelle seulement les habituels conseils de l'entourage : « Secoue-toi... »

Il convient donc de fragmenter le problème en une série de difficultés plus limitées qui pourront ensuite être abordées séparément. Imaginez par exemple que vous deviez ranger une maison ou une pièce en grand désordre. Tant que vous considérerez le désordre comme un tout, comme un vaste problème qu'il faut résoudre d'un coup, vous serez envahi par un sentiment d'impuissance ou de découragement. À partir du moment où vous aurez décidé de segmenter le problème, par exemple de commencer par telle pièce puis par tel type d'objet, vous serez beaucoup plus à même d'agir efficacement.

En d'autres termes, pour changer les choses (en l'occurrence soi-même, ou plutôt ses comportements...), il faut sortir du constat global du type « je suis timide » pour se demander où, quand, avec qui, en faisant quoi, etc. Il convient alors de relever durant quelques jours les principales situations qui posent des problèmes. D'observateur passif de ses propres difficultés, on devient alors un spectateur plus actif et engagé.

Il faut ensuite établir une sorte de « hit-parade » de son anxiété sociale. Dans quelles circonstances est-elle la plus forte ? Quelles situations déclenchent les plus importantes sensations d'anxiété ? Quelles situations sont les plus systématiquement évitées ? Cette phase est destinée à préparer l'exposition, en déterminant par quelles situations celle-ci débutera : selon un bon vieux principe pédagogique, on commencera par des situations relativement peu angoissantes, se réservant les plus difficiles pour la fin de la thérapie. Il est particulièrement important d'analyser assez précisément les détails des situations abordées [2] : sexe et statut des interlocuteurs, présence ou non d'observateurs extérieurs à la scène, caractère prévisible ou non de la situation, etc. Chacun de ces éléments peut faire considérablement varier le degré d'anxiété ressentie.

Faire face

Si le patient n'a pas affronté la situation depuis longtemps ou s'il ne l'a jamais affrontée, il doit être préparé, entraîné. Cela permet d'ailleurs au thérapeute de mieux comprendre son mode de pensée et ses comportements, et cela aide le patient à développer un nouveau savoir-faire. Cette phase permet aussi de vérifier que les buts que se fixe le patient sont bien réalistes.

Elle a pour but de faire prendre conscience qu'il est possible d'affronter une situation sans que se produisent les catastrophes redoutées. Pour cela, le temps d'exposition doit être assez long. L'angoisse ressentie doit avoir diminué d'au moins 50 % avant qu'une retraite soit souhaitable. Dans les cas où le patient présente un niveau d'angoisse particulièrement élevé, il arrive que le thérapeute l'accompagne dans certaines de ses démarches.

C'est ainsi qu'une de nos collègues, soignant un patient particulièrement phobique qui devait demander des renseignements à des commerçants, s'est un jour retrouvée dans une situation cocasse. Le service où elle travaillait se trouvait en face d'un hôtel. Elle proposa donc à son patient de commencer par aller demander le prix d'une chambre… Ce n'est qu'en croisant le regard du réceptionniste qu'elle comprit le caractère ambigu de cette démarche. Elle ressentit tout à coup le même inconfort que son patient en train de suer sang et eau pour se faire communiquer les tarifs des chambres avec ou sans baignoire…

Chaque exposition doit être évaluée aussi précisément que possible. Le thérapeute peut juger l'exposition réussie alors que le patient estime que c'est une catastrophe. C'est pourquoi il faut définir des objectifs « raisonnables » et progressifs, des paliers. Quelqu'un qui n'ose pas prendre la parole en public ne peut espérer dès sa première intervention parler pendant dix minutes avec aisance et brio : ses premières interventions se limiteront sans doute à quelques mots d'approbation ou à une question formulée à voix un peu trop basse. L'important est que son intervention ait eu lieu, quelle qu'en soit la qualité. C'est ensuite, avec la répétition de ces expériences, que l'angoisse diminue et qu'une relative aisance peut s'installer.

Après un certain temps de pratique des expositions programmées et planifiées, on observe habituellement une généralisation, c'est-à-dire une extension des expositions spontanées à d'autres situations que celles abordées en thérapie.

Les peurs d'Alain

Alain, quarante-trois ans, enseignant dans un lycée, vint un jour nous consulter pour une phobie sociale généralisée. Son frère semblait présenter une anxiété sociale modérée par rapport à la sienne. Ses deux parents étaient selon ses dires plutôt réservés, mais assez sociables. Ses troubles avaient débuté au moment de l'entrée en faculté. Auparavant, il avait beaucoup d'amis et paraissait plutôt à l'aise dans le microcosme de son lycée. Le premier trimestre universitaire avait été très pénible : il avait notamment présenté une panique lors d'un oral face à une vingtaine d'autres étudiants. À partir de ce moment-là, il s'était replié sur lui-même, évitant de plus en plus toutes les situations sociales qui ne lui étaient pas imposées. Après ses études, il avait choisi l'enseignement pour des raisons de tradition familiale, mais sans doute aussi par nostalgie de ce qu'il appelait son âge d'or, ses années heureuses au lycée. Sa phobie sociale, quoique gênante par l'intensité de son angoisse, ne l'avait pas empêché d'exercer son métier de professeur de mathématiques : il était à peu près à l'aise avec ses élèves, à condition d'avoir des petites classes, composées d'enfants plus dociles, ou des classes de terminale, préparant le bac, dans lesquelles l'enjeu de fin d'année représentait un garde-fou contre d'éventuels débordements. En revanche, quasiment tous les rapports qu'il devait avoir avec des adultes autres que sa famille ou ses amis d'enfance représentaient pour lui une véritable épreuve de force. Il lui arrivait alors de prendre de l'alcool ou un tranquillisant pour essayer de se détendre un peu. Alain n'était pas déprimé et disposait de capacités relationnelles de bonne qualité. En revanche, son anxiété extrêmement forte en situation et les nombreux évitements qui en découlaient étaient un handicap. Il fut donc décidé, en accord avec lui, que la thérapie s'appuierait essentiellement sur des séances d'exposition.

Une liste de situations-problèmes fut d'abord élaborée avec son thérapeute. Celle-ci est reproduite dans le tableau ci-dessous.

Évaluation des situations anxiogènes d'Alain

Situations-problèmes	Anxiété (de 0 à 10)	Évitement (de 0 à 10)
Aller au cinéma un samedi soir et se trouver obligé de faire la queue	3	3
Faire des démarches administratives (banque, sécurité sociale…)	3	4
Signer un chèque sous le regard d'une autre personne	5	5
Demander des renseignements assez longs dans un magasin	5	6
Bavarder avec ses voisins d'immeuble, sur le parking, dans l'escalier ou devant les boîtes aux lettres	5	7
Accepter des invitations à dîner chez des nouveaux collègues	6	7
Prendre la parole plusieurs minutes lors d'un conseil de classe	7	8
Oser inviter une collègue, ou une nouvelle rencontre, au cinéma ou au restaurant	9	10

Une fois dressée cette liste, Alain nous confia : « C'est la première fois que je commence à raisonner mon problème en termes d'objectifs, et non pas en termes de plaintes ! » Ensuite, il dut hiérarchiser ces situations en fonction du degré d'angoisse et de l'importance des évitements qu'elles déclenchaient. Le chiffre 0 correspond à

une absence d'angoisse et à une situation jamais évitée ;
le chiffre 10 à une angoisse majeure, proche de la crise de
panique, et à un évitement complet. Les chiffres intermédiaires permettent de nuancer la gêne ressentie : 5 correspond à une anxiété significative mais encore supportable
et à une tendance à éviter assez fréquemment.

Ensuite, il s'est agi de passer en revue chacune de ces
situations et d'examiner les pensées d'Alain à cet égard.
Dans le premier cas, dit Alain, « on va voir que je suis tout
seul, alors que tout le monde va au cinéma en couple ou
avec des amis... on va me trouver nerveux, avec un air
bizarre... si les gens me regardent fixement, je vais
paniquer ». Il avait beau reconnaître le caractère irrationnel et excessif de ces pensées, elles n'en surgissaient
pas moins à son esprit à chaque fois qu'il s'imaginait faisant la queue seul devant un cinéma.

Il fallait donc modifier ce mode de pensée et créer les
conditions pour qu'Alain puisse se dire : « Il n'y a pas que
moi qui vais seul au cinéma. Si je regarde bien, je suis sûr
que je découvrirai beaucoup de personnes seules ; j'ai bien
le droit de sortir en célibataire. Et puis, les gens ne passent
pas leur temps à m'observer. Au pire, ils se diront que je
suis timide. Je vais essayer quand même, et si je suis trop
mal à l'aise, je rentrerai. » Déjà son niveau d'angoisse
descendit de un à deux points.

Les comportements furent ensuite évalués. Tout d'abord
par un jeu de rôle en imagination, dans lequel Alain fut
invité, par des questions très précises, à se décrire tel qu'il
serait dans la situation : « J'ai la tête basse, je n'ose pas
regarder les gens, je parle tout doucement à la caissière,
elle me fait répéter, je n'ose pas demander une place précise à l'ouvreuse... » Ensuite, par un jeu de rôle, Alain fut
invité à se mettre debout, à montrer quelle posture il adop-
tait dans la file d'attente, comment il s'adresserait exacte-

ment à la caissière, etc. Cette fois encore, des comportements plus adaptés furent travaillés en séance : amener une revue pour se donner une contenance en la lisant dans la file d'attente ; regarder de temps en temps le ciel et non pas toujours le trottoir, tête basse ; parler plus fort à la caissière, etc.

L'ensemble de ces conseils simples de préparation fut complété par un entraînement à des principes élémentaires de relaxation, notamment de contrôle respiratoire. Par exemple, on lui conseilla de respirer par le ventre plutôt que par la poitrine, lentement (inspirer pendant trois secondes, bloquer la respiration une seconde, expirer pendant trois secondes, et ainsi de suite). À l'issue de la séance, l'exposition fut planifiée : Alain choisit pour ce premier test un petit cinéma de quartier et un film sorti depuis quelque temps déjà, afin d'éviter une foule trop importante. Il ne fallait pas risquer un échec, qui susciterait d'emblée une fuite ou une crise d'angoisse sévère ! En effet, Alain n'avait pas fait la queue au cinéma depuis qu'il était étudiant. Une autre solution, pour ménager un palier de plus, aurait été de demander à Alain de se faire accompagner par un ami : mais vu leur petit nombre, la chose n'était pas facile à programmer. De plus, comme beaucoup de phobiques sociaux, Alain tendait plutôt à masquer ses problèmes à ses proches. Il aurait été honteux de paraître angoissé en présence d'un ami. Rendez-vous fut pris pour la semaine suivante...

En arrivant, Alain arborait un grand sourire. Tout s'était bien passé, beaucoup plus facilement que prévu. L'anxiété avait été assez importante lorsqu'il s'était retrouvé devant le cinéma, où il y avait plus de monde qu'escompté. Mais il n'avait pas fait demi-tour. Son angoisse avait donc plafonné pendant trois à quatre minutes, puis elle s'était progressivement estompée, lui permettant de profiter du film.

Les expositions suivantes se déroulèrent sur le même mode. Des situations qui n'étaient pas inscrites sur la liste furent spontanément abordées (comme demander son chemin dans la rue, ou plaisanter avec un collègue à la sortie du lycée…). Cependant, une fois arrivé aux trois dernières étapes, il fallut élaborer une autre liste, davantage centrée sur ces situations, qui s'avérèrent plus difficiles à maîtriser que prévu. Accepter une invitation à dîner, par exemple, fut fragmenté en plusieurs étapes : aller déjeuner plus souvent et régulièrement avec ses vieux amis, les inviter à dîner chez lui, accepter des invitations chez eux en leur demandant d'inviter des nouvelles connaissances, etc.

Alain parvint finalement à atteindre l'ensemble des objectifs qu'il s'était fixé avec le thérapeute. Sa qualité de vie s'améliora, comme ses rapports avec ses collègues. Il s'inscrivit à une chorale et décida même de partir en voyage organisé sans connaître personne. Dès les premiers jours, il se mit à parler avec presque tous les membres du groupe et certains devinrent même ses amis.

« En fait, une fois qu'on a fait les choses, on s'aperçoit que c'était beaucoup plus facile que prévu ; le tout, c'est d'oser les faire », commenta-t-il lors d'une des dernières séances, retrouvant par lui-même la célèbre maxime de Sénèque…

En savoir plus sur les techniques d'exposition

Si vous souhaitez pratiquer les techniques d'exposition décrites dans ce chapitre (seul ou dans le cadre d'une psychothérapie) vous devez en savoir un peu plus.

Tout d'abord, vous devez bien comprendre que l'angoisse, pour aussi pénible qu'elle puisse paraître lorsqu'on commence à la subir, finit toujours par diminuer d'elle-même, comme le montre la courbe ci-dessous. Bien évidemment, votre conviction pendant la bouffée anxieuse sera d'abord que l'anxiété risque de continuer indéfiniment de monter (et de vous conduire à une crise de panique), ensuite qu'elle ne s'arrêtera jamais (et que vous allez vous épuiser ou perdre la raison). Dans les deux cas, vous serez tenté, si nous n'avons pas pu l'éviter à l'avance, d'interrompre la situation, soit en la fuyant (échappement), soit en vous protégeant davantage par des évitements subtils (ne plus parler, ne plus regarder dans les yeux, etc.). Pourtant, tous nos patients qui ont pu en faire l'expérience avec nous ont découvert que s'ils restaient suffisamment longtemps dans une situation, c'était toujours l'anxiété qui reculait, et non plus eux.

Figure 2. *Intensité de l'anxiété lors d'une séance d'exposition prolongée*

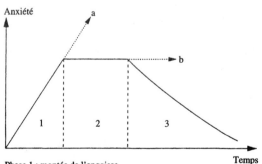

Phase 1 : montée de l'angoisse
Phase 2 : stabilisation de l'angoisse
Phase 3 : décroissance de l'angoisse
Pointillés :
(a) anticipation d'une montée sans limites de l'anxiété (scénario catastrophe) ; (b) anticipation d'un maintien sans fin de l'anxiété à son niveau maximum.

Ensuite, il faut savoir que ces exercices d'exposition doivent être répétés régulièrement : pour se débarrasser d'une anxiété aussi enracinée dans la personne que l'anxiété sociale, une fois ne suffit pas. Ce n'est pas parce que vous aurez affronté victorieusement une situation que vous pourrez ne plus ressentir d'angoisse les fois prochaines. L'angoisse va effectivement diminuer de confrontation en confrontation, mais de manière très progressive, comme indiqué dans la figure ci-dessous.

Figure 3. *Évolution du niveau d'anxiété*
lors de séances répétées d'exposition

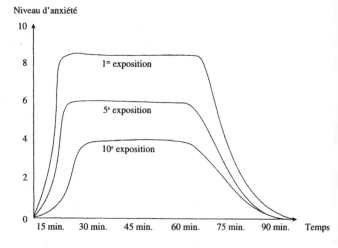

Quatre conseils fondamentaux pour mener
avec succès vos efforts d'exposition

Conseil	En pratique	Commentaire
Les exercices d'exposition doivent être suffisamment longs	La durée moyenne pour ressentir une diminution de l'angoisse est en général située entre 20 et 40 minutes	Autre possibilité, répéter dans la foulée de brefs exercices pendant la même durée (par exemple, demander son chemin à de nombreux passants consécutifs)
Les exercices d'exposition doivent être régulièrement répétés	Pour guérir d'une anxiété sociale invalidante, vous aurez à y investir du temps : consacrez à vos exercices 20 à 30 minutes par jour	Plus l'anxiété sociale est sévère, plus la diminution de l'angoisse au fur et à mesure des répétitions se fera lentement [3] ; mais elle se fait toujours
Les exercices d'exposition doivent être complets	Complets, c'est-à-dire sans évitements subtils : évitement du regard, silence, etc.	Si vous répétez les exercices sans voir l'angoisse diminuer, recherchez ces micro-évitements, qui peuvent passer inaperçus à vos yeux, s'ils sont devenus une manière de faire habituelle
Les exercices d'exposition doivent s'accompagner d'efforts de décentration	Pendant vos exercices, concentrez-vous sur l'extérieur et non sur vos sensations et vos craintes : observez les autres personnes, les détails de lieux, etc.	Certaines études montrent que plus l'anxieux social arrive à projeter son attention à l'extérieur de lui-même, plus vite son malaise décroît [4]

Finalement, ces exercices d'exposition se révèlent aussi efficaces que simples. On a par exemple montré qu'ils jouaient un rôle fondamental dans l'après-psychothérapie : les patients qui continuent de les pratiquer régulièrement continuent de s'améliorer par la suite [5]. Des travaux ont attesté que les résultats obtenus par ces techniques restaient stables après plus d'un an et demi [6]. Plus encore, de manière apparemment paradoxale, ces méthodes d'exposition, d'esprit comportementaliste pur et dur (« exposez-vous et la guérison viendra »), s'avéraient capables de modifier les systèmes de croyance des patients [7]. Ce qui n'est pas étonnant en soi : la vision que l'on a de ses capacités se modifie forcément lorsqu'on affronte avec succès des situations fuies depuis des années. Et la majorité des experts du traitement de la phobie sociale s'accordent à reconnaître que ces exercices d'exposition représentent le composant obligé de toute psychothérapie efficace [8] : on ne guérit pas d'une anxiété sociale pathologique sans accepter de s'exposer. Il n'y a donc pas de « talking cure » possible de ce trouble, et les thérapies consistant à simplement parler de ses problèmes ne feront pas reculer l'anxiété sociale [9].

Si la parole peut y être parfois libératrice, ce n'est pas dans le cadre feutré d'une thérapie sur fauteuil ou sur divan, mais dans l'apprentissage de règles de communication utilisables dans la vie quotidienne : nous allons voir comment.

Chapitre 3

Mieux communiquer

> « L'homme vraiment libre, c'est celui
> qui sait refuser une invitation à dîner sans
> donner de prétextes. »
>
> Jules Renard

L'anxiété sociale est assez fréquemment associée à ce qu'on peut appeler un déficit en compétences sociales [1]. Qu'entend-on au juste par là ? Les compétences sociales sont l'ensemble des comportements relationnels développés par un individu, ceux qui lui permettent d'avoir des échanges efficaces, adaptés et gratifiants avec son entourage. Elles ont trait aux communications non verbales (lors d'une discussion, regarde-t-on son interlocuteur dans les yeux, parle-t-on d'une voix audible, etc. ?), mais aussi bien sûr verbales (exprime-t-on clairement et directement ce qu'on souhaite, respecte-t-on son interlocuteur en tenant compte de ce que souhaite celui-ci, etc. ?). Ces comportements sont en grande partie acquis en fonction des modes éducatifs, des modèles parentaux et de diverses circonstances de vie. De ce fait, on peut dire que certaines personnes les ont mieux appris que d'autres. Heureusement, il reste toujours possible de les réapprendre, de les perfectionner, même tardivement. Contrairement à une idée largement répandue, rien à cet égard n'est donné une fois pour toutes [2].

Développer ses compétences sociales

Ces compétences sociales peuvent être altérées par l'anxiété sociale : face à une personne intimidante, vous pouvez tout à coup ne plus savoir quoi dire, alors que vous ne manquez pas de brillants sujets de conversation en temps normal... À l'inverse, un déficit en compétences sociales peut être à l'origine d'une anxiété sociale. C'est un phénomène classique auquel chacun de nous a pu être confronté : si vous êtes invité à un dîner très chic, alors que vous n'êtes pas familier des habitudes de ce milieu, il se peut que vous soyez légèrement angoissé en découvrant les six paires de fourchettes et de couteaux autour de votre assiette, au moment où l'on vous sert de surcroît des crevettes non décortiquées ! C'est, en moins violent, du moins nous l'espérons pour vous, l'équivalent de ce que peuvent ressentir certains anxieux sociaux face à des situations qu'ils sont persuadés de ne pas pouvoir maîtriser, car ils ne savent comment se comporter.

En développant ses compétences sociales, on peut améliorer son sentiment de contrôle et même la maîtrise réelle d'une situation. Par là même, on peut diminuer son anxiété. On peut ainsi devenir plus acteur et moins spectateur, l'engagement dans l'action faisant baisser le sentiment de stress et de tension. Enfin, de manière indirecte, ce type d'entraînement favorise les comportements d'exposition et conduit à revoir ses modes de pensée [3].

S'affirmer

Un des modèles les plus utilisés en matière de développement de compétences sociales est celui de l'affirmation de soi [4]. En situation sociale, il existe trois principaux types de comportements relationnels, dont les principales caractéristiques sont résumées dans le tableau ci-dessous. Deux d'entre eux reposent vraisemblablement sur une programmation génétique au niveau de l'espèce, et sont donc d'apprentissage extrêmement facile : les comportements agressifs et les comportements inhibés. Chacun d'eux comporte des avantages, mais surtout beaucoup d'inconvénients. Le troisième est le comportement affirmé, dont l'apprentissage est plus difficile que les deux précédents. Être capable de s'affirmer, c'est pouvoir exprimer ce que l'on pense, souhaite ou ressent de la manière la plus claire et directe possible, tout en tenant compte de ce que l'autre pense, souhaite, ressent, et avec le plus bas niveau d'anxiété possible.

Les trois types de comportements relationnels

	Comportement inhibé	Comportement affirmé	Comportement agressif
Avantages	peu coûteux en énergie, bien toléré par l'entourage	efficace pour atteindre ses objectifs, relativement confortable	relativement efficace
Inconvénients	frustrant, peu efficace pour atteindre ses objectifs	nécessité d'un apprentissage et d'une maintenance	conflictuel, stressant

Contrairement aux comportements agressif et inhibé, le comportement affirmé est adapté à un très large éventail de situations, en tout cas à toutes celles qu'on rencontre couramment dans la vie quotidienne.

L'affirmation de soi est aujourd'hui une technique d'entraînement aux compétences sociales qui est très répandue et a d'ailleurs largement débordé le champ des psychothérapies pour gagner celui de la formation continue en entreprise et en matière de développement personnel. On commence par définir des situations qu'il faudra affronter après un entraînement qui permettra de mieux y faire face. Le travail doit aussi porter sur les modes de pensée [5], notamment ceux qui poussent les individus anxieux sociaux à adopter des comportements inhibés (« si je dis ce que je pense, cela va mal se passer ») ou agressifs (« pour obtenir ce que je veux, je dois être le plus fort »). Mais son originalité réside surtout dans le fait qu'elle promeut des relations dynamiques et égalitaires entre les individus.

La gêne d'Anita

D'origine sud-américaine, Anita est une architecte âgée de trente-quatre ans. Après avoir présenté deux dépressions, elle vient nous consulter pour tenter de résoudre ses difficultés relationnelles. Elle souffre en fait d'une timidité ancienne, devenue particulièrement gênante depuis quelques années.

Secrète et réservée depuis l'enfance, Anita n'a cependant jamais manqué d'amis ; elle était même très populaire auprès des autres enfants et de ses enseignants. Son arrivée en France à l'âge de sept ans n'a guère modifié sa timidité, déjà bien structurée, mais dont elle sait jouer à merveille pour séduire et attirer à elle. Vivant dans une famille très unie, elle était psychologiquement équilibrée et s'adaptait assez facilement aux nouveaux milieux et aux nouvelles personnes qu'elle était amenée à rencontrer, malgré son statut de fille unique. Elle se maria peu après la fin de ses études, avec un haut fonctionnaire, souvent absent. Après quelques années de vie conjugale, Anita se lassa des absences répétées de son époux et divorça, décidée à concrétiser son rêve d'enfance : avoir un cabinet d'architecte. Hélas, les difficultés furent plus importantes que prévu... N'ayant jamais vécu seule, elle supporta finalement assez mal le divorce auquel elle avait pourtant aspiré. D'autant que ses parents, ne comprenant guère son geste, s'éloignèrent d'elle, restant en contact étroit avec son ex-mari, qu'ils considéraient un peu comme un fils adoptif. Par ailleurs, elle découvrit avec surprise qu'elle ne disposait pas des compétences relationnelles requises pour mener à bien son cabinet d'architecte : les démarchages commerciaux, les conflits avec les corps de métier sur les chantiers, les litiges avec les clients mécontents, la place à se faire en jouant des coudes au milieu des cabinets concurrents, tout ceci la dépasse rapidement... Peu à peu, une anxiété anticipatoire apparut, chaque fois qu'elle devait aller visiter un chantier ou faire une demande délicate. Après deux dépressions en trois ans, et de sévères problèmes financiers, elle se résout à consulter...

Élevée dans une famille aisée, mais fragilisée par son origine étrangère, Anita avait appris de ses parents l'art de ne pas faire de vagues, de ne pas contrarier, de ne pas déranger ; les besoins des autres ayant toujours primé sur les siens propres, elle était passée d'un entourage familial à un entourage conjugal sans jamais avoir à affronter par elle-même des situations difficiles.

Après quelques entretiens d'évaluation, nous avons décidé

de commencer à travailler avec elle sur le problème de ses compétences sociales défectueuses. Une première phase consista à dresser un bilan assez précis des compétences sociales de base, sorte de « grammaire relationnelle » indispensable au quotidien, à l'aide du tableau ci-après.

L'évaluation des difficultés relationnelles d'Anita

0 = très facile, 10 = très difficile	avec des proches	avec des personnes de connaissance	avec des inconnus	avec des personnes intimidantes
exprimer des messages positifs	2	5	7	10
recevoir des messages positifs	3	4	6	8
faire des demandes	2	5	7	9
refuser	3	6	7	8
faire des critiques	3	5	8	8
répondre à des critiques	4	6	7	7
engager la conversation	0	2	6	8

Anita éprouvait de manière générale beaucoup de difficultés dès qu'il s'agissait d'échanger avec des personnes inconnues ou intimidantes (plus compétentes, plus fortunées, plus à l'aise pour s'exprimer…). Elle était alors dans la quasi-incapacité par exemple de demander un rendez-vous professionnel ou de faire des critiques à propos d'un travail mal fait.

Une première phase fut donc consacrée à l'apprentissage de techniques simples de communication, lui permettant de mieux maîtriser les « habiletés » de base décrites dans le tableau. Chacune de ces situations fut l'objet d'un entraînement spécifique, se présentant à chaque fois selon le plan suivant : la situation est précisément définie : avec quelle personne, pour quelle raison, à quel endroit ; la scène est jouée une première fois, de la manière dont la patiente l'aurait fait dans sa vie de tous les jours ; le thérapeute fait des commentaires précis sur les composantes verbales et non verbales de la communication ; il donne des consignes précises pour améliorer le comportement du patient ; la scène est rejouée par le patient, en tenant compte des remarques effectuées ; le patient est encouragé à transférer ce qu'il a appris dans sa vie de tous les jours.

Cette phase dura environ trois à quatre mois ; durant cette période, Anita fut encouragée à appliquer ce qu'elle apprenait en séance dans sa vie quotidienne, mais en se limitant à des situations simples et sans enjeu majeur, correspondant en fait aux deux colonnes de gauche. Il s'agissait de faire des gammes, en quelque sorte, à l'image d'un musicien développant sa virtuosité sur des mélodies sans difficultés.

Dans une deuxième phase, il fut décidé de s'attaquer aux situations plus délicates, mais dont l'importance était capitale par rapport à ses choix de vie. Sept situations furent choisies, qui correspondaient à des situations appelées à se renouveler régulièrement : savoir « se vendre », en parlant positivement d'elle à de nouveaux clients (au lieu de ne pas oser le faire pour ne pas paraître prétentieuse, ou par peur de décevoir ensuite) ; oser parler d'argent, fixer des prix suffisamment élevés, résister aux tentatives pour obtenir des rabais, savoir relancer les mauvais payeurs (au lieu de passer ce sujet sous silence, et de renoncer plutôt que d'exiger son dû) ; critiquer les retards ou malfaçons sur les chantiers, et exiger des artisans ce qui était prévu (et non se soumettre à leurs justifications toujours polyargumentées) ; se mettre plus en avant lors de réunions professionnelles ou mondaines (au lieu de rester dans son coin en attendant qu'on la sollicite) ; mieux se défendre et se justifier lors de ses visites chez le banquier pour des problèmes de découvert (au lieu de subir les réprimandes comme une enfant coupable) ; répondre avec calme et fermeté aux critiques des clients mécontents (plutôt que s'affoler, se justifier, ou finir par s'énerver et rentrer en conflit) ; oser contacter des collègues pour échanger des idées de projets en commun (et non penser que c'est perdu d'avance et qu'elle ne peut intéresser personne pour un grand projet, car elle manque d'expérience). À l'exception de la dernière, ces situations ne correspondaient en fait pas à des évitements complets, puisque Anita arrivait parfois à les affronter ; simplement, ses interventions n'étaient pas à la hauteur de ce qu'elle souhaitait.

Dans le cas d'Anita, le travail sur la gestion du client mécontent se déroula de la façon suivante : le jeu de rôle commença par révéler d'importants dysfonctionnements. En raison de son anxiété dans cette situation, Anita avait tendance à beaucoup se justifier (« je n'ai pas eu le temps de passer sur le chantier, je suis complètement débordée »), à sous-entendre que le client en rajoutait (« vous exagérez un peu, tout de même »), puis à chercher s'il n'était pas lui-même à l'origine d'une partie de ses malheurs (« vous êtes sûr que vous me l'aviez clairement demandé ? Ça n'est pas sur le contrat ») ; pour finir, selon le degré de stress atteint, elle finissait par ne plus rien dire en attendant que ça passe (attitude inhibée) ou par se mettre en colère et à proposer au client de rompre le contrat (attitude agressive).

Le thérapeute, lui rappelant les bases de l'affirmation de soi adaptées à ce type de situation (reconnaître le problème de l'autre sans forcément l'approuver, exprimer ses propres sentiments sans agressivité), rechercha avec elle quels types de réponse étaient adaptés, ce qui permit, après bon nombre d'essais et tâtonnements, le dialogue suivant en jeu de rôle :

« Madame E., je suis furieux, les carrelages ne sont pas à la bonne dimension, c'est incroyable, vous auriez pu vous en occuper, il faut que ce soit moi qui aille m'en apercevoir !

– Écoutez, je comprends que vous soyez en colère, mais je vais me débrouiller pour arranger ça.

– Non, mais tout de même, c'était à vous de vous en apercevoir avant !

– Je ne peux pas être en permanence sur le chantier. Je vous assure que j'y passe tous les jours, et que je vais aller immédiatement régler ce problème. Dès demain, tout sera rattrapé.

– Bon, parce que moi, je paie assez cher comme ça. Si en plus le travail est mal fait, ça ne vaut pas la peine.

– Vous avez tout à fait raison d'exiger que le travail soit bien fait, mais on ne peut pas éviter qu'il y ait parfois des erreurs, l'important est que vous ayez la garantie qu'elles seront corrigées, je m'en charge. Faites-moi confiance… »

En répétant de tels jeux de rôle, Anita développa peu à peu tout un ensemble de compétences sociales bien meilleures qu'auparavant. Le nombre d'occasions où elle arrivait à s'affirmer alla peu à peu croissant, tandis que l'intensité de son anxiété diminuait.

Cette phase dura là encore quatre à cinq mois. À l'issue de près d'un an de traitement, à raison d'une séance heb-domadaire environ, Anita avait pu construire et maîtriser un savoir-faire relationnel adapté à son nouveau mode de vie. Durant la thérapie, elle avait rencontré un nouveau compagnon et avait commencé à préparer une association avec un autre architecte, qu'elle avait toujours beaucoup admiré et considéré comme un maître.

Ses tendances dépressives, régulièrement évaluées par des échelles adaptées, avaient disparu, comme cela est souvent le cas lors de ce type de prise en charge, même si la dépression ne représente pas la cible directe des interventions thérapeutiques.

La prise en compte des difficultés de l'anxieux social à s'affirmer fait systématiquement partie des stratégies thérapeutiques [6]. Ce travail peut aussi avoir lieu en groupe, avec autant de succès [7-8]. On réunit alors six à douze participants, avec un ou deux thérapeutes, et ils suivent sensiblement la même procédure. Ces deux formules ont leurs avantages. Le groupe permet de travailler dans une ambiance conviviale, les participants se soutenant mutuellement et s'encourageant, voire se retrouvant pour travailler ensemble en dehors des séances. Il assure également une plus grande véracité aux jeux de rôle, en fournissant un grand choix de partenaires possibles pour donner la réplique. Enfin, il a un côté dédramatisant, montrant à chacun qu'il n'est pas le seul à souffrir d'anxiété sociale... À l'inverse, la prise en charge individuelle favorise sans doute un travail plus personnalisé et un abord plus précis des mécanismes cognitifs notamment. Si des troubles de la personnalité sont associés au problème d'affirmation de soi, une prise en charge individuelle est indispensable [9]. En pratique, l'entraînement aux compétences sociales est souvent associé à un travail cognitif comme celui que nous allons maintenant décrire.

Chapitre 4

Penser autrement

> « Ce qui trouble les hommes,
> ce ne sont pas les choses,
> mais les opinions qu'ils en ont. »
>
> Épictète

Nous avons vu que l'anxiété sociale est avant tout une anxiété d'évaluation, dans laquelle on tend à percevoir toutes les situations sociales comme évaluatives, même celles qui apparaissent banales aux yeux des non-phobiques (échanger des banalités avec un voisin de palier ou passer à la caisse d'un magasin). Cette anxiété d'évaluation s'accompagne également d'une tendance à focaliser l'attention sur soi et ses manifestations d'anxiété (physiologiques, comportementales et cognitives), dans la crainte obsédante qu'elles n'apparaissent visibles à autrui. L'anxiété sociale repose donc sur une double peur : peur des autres et peur de soi. Les thérapies cognitives [1] vont se donner pour but d'aider les patients à modifier leurs contenus de pensée et leur vision angoissante du monde.

Comment procède le thérapeute pour aider son patient ?

Celui-ci est d'abord entraîné à observer et relever ses contenus de pensée, les « cognitions » (voir le tableau ci-dessous). Ces cognitions portent le plus souvent sur trois familles de craintes : d'abord la *surévaluation de la visibilité des symptômes* (rougir, trembler, transpirer...) ou des défauts présumés (manque de culture, d'intérêt personnel...) : « ils vont voir que... » ; ensuite, la *surévaluation de la négativité du jugement d'autrui* sur ces symptômes : « ils vont penser que... » ; enfin, la *surévaluation des conséquences négatives* de ces jugements sociaux : « ils vont me dire... », « ils vont me faire... »

Un exemple de relevé d'auto-observation rédigé par un patient (43 ans, cadre) lors d'une thérapie cognitive

Situation	Comportement social	Cognition
croisé ma voisine dans l'escalier, sans pouvoir répondre à son interpellation « il fait beau aujourd'hui, hein ? »	j'ai bafouillé, j'ai été inaudible, je l'ai à peine regardée	« j'ai l'air d'un imbécile » « je réagis toujours 3 heures après lorsque les gens me parlent »
exposé à faire dans mon entreprise devant mes supérieurs	très tendu malgré les bêtabloquants, j'ai été trop « speed », j'avais peur qu'on me pose des questions, je regardais à peine le public, j'avais le dos tourné à la salle, fixé sur mes transpas	« je manque d'assurance » « tout le monde a dû remarquer que je n'étais pas à l'aise »
invité à une soirée, je ne parle pas beaucoup, car je ne connais presque personne	j'ai peu parlé, je n'ai posé de questions à personne, j'ai répondu par monosyllabes, avec l'air gêné	« je ne suis pas intéressant » « on ne me réinvitera plus » « tout le monde a repéré que j'étais tendu »

Le thérapeute aide ensuite son patient à discuter ses contenus de pensée, en contrôlant notamment certaines erreurs interprétatives, comme par exemple le jugement émotionnel, qui consiste à confondre sa perception et la réalité observée : « si je me *sens* incompétent, c'est que je *suis* incompétent », « si je me *sens* mal à l'aise, alors les autres me *voient* mal à l'aise »…

Enfin, les principales croyances activées lors des situations anxiogènes, et expliquant les distorsions cognitives (voir tableau ci-dessous) sont abordées et assouplies. Ces croyances portent sur des domaines variés comme la nécessité d'une performance sociale parfaite, ou d'un *self-control* émotionnel absolu en situation sociale.

Nous allons illustrer tout ceci plus loin par le récit d'une thérapie.

Les principales croyances rencontrées dans l'anxiété sociale

Type de croyance	Énoncé de la croyance	Conséquences pour le patient
Soumission à autrui	« Je ne dois pas contrarier, déranger, ou me mettre en avant, sinon je serai rejeté. »	« J'évite de donner mon avis, demander quelque chose, refuser, critiquer… »
Performance sociale	« Quand je me trouve avec d'autres personnes, je ne dois pas commettre d'erreur, ni subir de défaillance, sinon cela se retournera immédiatement et gravement contre moi. »	« Je cherche toujours la perfection dans ce que je fais face à autrui. Mais comme c'est impossible, j'évite beaucoup de situations, ou bien je suis insatisfait de la manière imparfaite dont je les ai gérées, et je me dévalorise ensuite à l'excès. »

Type de croyance	Énoncé de la croyance	Conséquences pour le patient
Hypervigilance vis-à-vis d'autrui	« Je dois être excessivement attentif aux attitudes des autres, sinon des choses importantes et graves vont m'échapper. »	« Je recherche toujours dans les yeux ou les attitudes de mes interlocuteurs ce qui peut témoigner d'un jugement défavorable à mon égard ou d'une intention de s'opposer à moi. »
Hypercontrôle de soi	« Je ne dois pas laisser transparaître ma gêne ou mes émotions. »	« Je veux à tout prix masquer mes émotions, même minimes, par peur qu'elles ne soient remarquées, ce qui ne manquerait pas de me mettre en position d'infériorité absolue. »
Visibilité des faiblesses personnelles ou des manifestations émotionnelles	« Les manifestations d'émotivité que je ressens sont aisément décelables. » « Mon manque de culture et d'intelligence sont faciles à détecter. »	« La moindre de mes émotions est instantanément décelable par autrui, je suis transparent(e) et désarmé(e). J'ai à chaque fois l'air coupable ou vulnérable. »
Vigilance et menace de la part d'autrui	« Les gens surveillent les attitudes des autres et jugent négativement les faibles, en les rejetant ou en les agressant. »	« Les gens sont sans pitié pour les personnes comme moi, et ont tôt fait de voir comment les dominer ou les mettre à l'écart. »

Les doutes de Philippe

Lorsqu'il vint nous consulter, Philippe était interne en médecine. Âgé de vingt-quatre ans, il s'apprêtait à effectuer son premier remplacement et l'idée l'angoissait au point qu'il avait pris avec nous un rendez-vous « de la dernière chance », selon ses propres dires !

Brillant étudiant, au moins à l'écrit, Philippe souffrait d'une phobie sociale focalisée sur un problème précis : être observé en train de faire quelque chose. Elle s'étendait à d'assez nombreuses situations, du repas au restaurant à l'exposé en public, en passant par la conduite d'un examen médical sous le regard de son chef de service, ou tout simplement du malade lui-même ! Philippe présentait par ailleurs de nombreux traits de personnalité évitante : il était hautement sensible à toute critique ou remarque de la part d'autrui, construisait avec talent des évitements complexes pour éviter certaines circonstances sociales, en fournissant des explications absolument plausibles. Il avait pendant longtemps considéré sa façon d'être comme quasi normale. Ses propres parents semblaient fonctionner de la même façon, jetant sur le monde extérieur un regard extrêmement critique et cherchant avant tout à bâtir leur vie autour de la cellule familiale, repliée sur elle-même. Dans son enfance, en dehors de ses camarades d'école, qu'il ne revoyait jamais hors des horaires de classe, Philippe n'avait fréquenté que ses deux frères et ses parents. Durant toutes ses études en faculté, il avait continué à vivre en famille, et c'était encore le cas maintenant. Les jeunes de son âge le « décevaient », il les trouvait « superficiels et instables ». Il en était de même pour sa vie sentimentale : « Chaque chose en son temps, je me consacre d'abord à mes études, on verra ensuite. » Il n'avait jamais abordé une fille de sa vie, sans avoir conscience qu'il en était en fait incapable… Sa façon d'être était encouragée par ses parents, qui lui vouaient la plus grande admiration et menaient eux-mêmes une vie terne et grise, sans contacts ni sorties.

Ses études de médecine s'étaient passées sans difficultés jusqu'à ses premiers stages d'externe à l'hôpital. Il avait alors dû affronter des situations pour lui assez difficiles : prendre la tension, ausculter un cœur, faire une injection intramusculaire… le tout sous l'œil évaluateur des autres étudiants, des infirmières ou du chef de clinique. Mais durant son premier stage, il avait réussi à ne se faire coincer que trois ou quatre fois, se débrouillant pour rester caché derrière le troupeau des étudiants suivant la visite dans le couloir, ne se portant jamais volontaire pour effectuer des soins…

Par la suite, il avait choisi des stages dans des services réputés pour abandonner les étudiants à leur sort, ce qui lui convenait totalement. Son excuse étant alors que cela lui laissait plus de temps pour réviser ses examens ; il était d'ailleurs reçu très brillamment à ceux-ci, ce qui entretenait le mythe familial du futur grand médecin… Tant et si bien qu'arrivé à la fin de ses études, et avant de commencer ses stages d'internat, Philippe n'avait quasiment pas approché de malades. Lorsque son oncle, médecin généraliste à l'autre bout de la France, lui proposa de le remplacer quinze jours pendant l'été, il n'osa refuser, d'une part pour ne pas perdre la face, d'autre part parce que, au fond, cela pourrait s'avérer une bonne préparation pour ses stages d'internat qu'il voyait arriver avec la plus grande angoisse, se demandant s'il n'allait pas prendre un an de disponibilité, « pour mieux se préparer ».

C'est la lecture d'un de nos articles sur la phobie sociale, paru dans une revue de médecine, et dans lequel il s'était instantanément reconnu, qui lui avait donné l'idée de venir nous consulter. Sa thérapie, comme souvent dans les troubles de la personnalité tels que la personnalité évitante, fut longue et parfois difficile, s'étendant sur près de deux ans, durant lesquels les progrès furent cependant réguliers dès le début. Nous n'en livrerons ici que quelques aspects illustrant le travail cognitif effectué en préparation du remplacement redouté.

Dialoguer *

« *Une de vos inquiétudes, c'est d'être très mal à l'aise pendant ce remplacement, c'est ça ?*

– Oui, c'est ça.

– Dans quel genre de situation, par exemple, pouvez-vous imaginer être mal à l'aise ?

– Eh bien, j'ai peur de ne pas savoir répondre à certaines questions des patients.

– Par exemple ?

– Par exemple, s'ils me demandent si je connais tel médicament et que je n'en sache rien, ou s'ils me questionnent sur une maladie rare d'un membre de leur famille, maladie dont je n'aurais jamais entendu parler...

– Et que se passerait-il dans ce cas ?

– J'aurais l'air complètement ridicule.

– L'air ridicule ? C'est-à-dire ?

– Eh bien, rougir, bafouiller, devoir avouer que je ne sais pas, ou inventer une réponse passe-partout pour ne pas perdre la face...

---

* Les dialogues ici reproduits sont extraits de consultations ayant réellement eu lieu, mais ont été écourtés et réagencés ; l'impression de cohérence et de facilité qui peut s'en dégager est donc trompeuse, les choses étant sur le terrain beaucoup plus lentes, confuses et répétitives, au moins en début de thérapie.

— Et que vous diriez-vous à ce moment-là ?

— Ce que je me dirais ? Que je suis nul, au fond, que je suis en train de perdre la face...

— Perdre la face ?

— Oui, aux yeux du patient, je perdrais la face.

— Pourquoi cela, que se dirait-il ?

— Que je ne suis pas très doué, pas très au point comme remplaçant, que je ne ferai probablement pas un bon médecin... (Il s'arrête, mais continue visiblement d'être traversé par des cognitions négatives.)

— Mmm... Vous imaginez encore d'autres choses ?

— Oui, qu'il ne me rappellera plus, qu'il en parlera à mon oncle, qui me retirera sa confiance, en parlera à mes parents...

— Et tout cela est angoissant pour vous, je suppose ?

— Épouvantablement, rien que d'en discuter avec vous, j'en suis mal à l'aise. En général, j'essaie de chasser ce genre de pensées de mon esprit lorsqu'elles se présentent.

— Vous avez raison, mais il faut aussi savoir les aborder de front régulièrement, pour ne pas être dominé par elles. Récapitulons : la situation que vous redoutez, c'est de ne pas savoir répondre à une question d'un patient. Et de vous imaginer confronté à cette situation déclenche en vous des pensées du type : "je suis nul de ne pas savoir répondre", "le patient va trouver que je ne suis pas à la hauteur", et d'autres pensées angoissantes encore.

— C'est ça. »

Durant ce type d'échanges, le thérapeute pousse le patient à exprimer clairement les pensées que suscite chez lui la situation. Il souligne leur caractère hypothétique et déductif, en disant chaque fois : « La situation, c'est que..., et ce que vous en pensez, c'est que... ? »

Noter ses pensées

Entre les séances, le patient est encouragé à continuer sa réflexion, en remplissant de petits relevés, comme celui qui est présenté ci-dessous, effectué en cours de thérapie, alors que le remplacement avait commencé.

Auto-observation des pensées de Philippe

Situations	Gêne	Pensées automatiques
J'ai tremblé en prenant la tension artérielle à un patient	8/10	« J'ai eu l'air idiot » « Il l'a sûrement remarqué » « Il va me prendre pour un malade » « Il ne va pas me faire confiance, et se dire que je ne sais pas prendre la tension »
J'ai dû chercher la posologie d'un antibiotique courant dans le Vidal, devant le patient, car je l'avais oubliée	5/10	« Je devrais le savoir » « Ce n'est pas normal » « Jamais un vrai médecin ne ferait ça »
J'ai rougi en examinant les seins d'une jeune patiente qui venait se faire prescrire la pilule	9/10	« Elle va me prendre pour un obsédé » « Elle va croire que j'ai un problème avec les femmes » « Elle va en parler à son mari »
J'ai dû appeler un confrère car je ne savais pas comment rédiger un certificat administratif particulier pour un ancien combattant	8/10	« Je vais le déranger » « Il n'a pas que ça à faire » « Je devrais me débrouiller tout seul »

Modifier ses pensées

Ce travail a lieu en séance au travers du dialogue thérapeute-patient. De son côté, le patient est encouragé à développer systématiquement un discours alternatif et à le noter sur ses relevés, auxquels il adjoint dans ce cas deux colonnes supplémentaires. Voici comment fut complété le tableau précédent :

Réévaluation des pensées de Philippe

Pensées alternatives	Réévaluation de la gêne
« Il ne l'a peut-être même pas remarqué » « Il sait bien que je n'ai pas une grande expérience » « Ce sont ses chiffres de tension habituels, il n'y a pas de raison pour qu'il les remette en doute »	4/10
« Ça peut arriver à tout le monde » « Il y a des milliers de médicaments, on ne peut pas tous les connaître » « Les vieux médecins en connaissent plus que moi, mais c'est logique, ils font ce boulot depuis des années »	3/10
« C'est normal d'être intimidé dans ces circonstances ! » « Elle voit bien que je ne fais pas ça pour le plaisir » « Elle n'a pas eu l'air mal à l'aise ou contrariée, elle est restée souriante et détendue après l'examen »	7/10
« C'est un ami de mon oncle, il est prêt à m'aider » « Je l'ai eu au téléphone avant-hier pour le problème du tour de garde de ce week-end, il avait l'air très sympathique » « Ce genre de certificat est rarissime, je suis obligé de demander de l'aide » « Ça ne prendra pas longtemps »	5/10

Reprenons un extrait de dialogue avec Philippe, quelques séances plus tard...

« *Bien, nous allons maintenant travailler sur une des situations que vous avez notées dans vos relevés de pensées automatiques, afin de mieux comprendre pourquoi vous avez à l'esprit des cognitions si alarmantes dans ce genre de situations.*

– Mmm...

– Alors, dans la situation où vous tremblez légèrement en prenant la tension artérielle, vous avez peur que le patient le remarque et vous trouve bizarre... Dans d'autres situations, vous redoutez qu'on vous prenne pour un obsédé ou un incompétent...

– Oui, c'est toujours un peu la même chose, je ne peux pas m'en empêcher.

– Essayons de suivre la logique de vos pensées. Dans la situation où vous tremblez en prenant la tension, vous craignez que le patient ne le remarque, et en déduise que vous êtes "dérangé" et peu fait pour la médecine.

– Oui, c'est un peu ça...

– Admettons que ce soit vrai, que le patient pense effectivement cela, quelles conclusions en tireriez-vous ?

– Que j'ai complètement perdu la face.

– Admettons que ce soit vrai, que vous ayez perdu la face, quelles conséquences ?

– Eh bien, je ne serai plus respecté par aucun patient, ça se saurait...

– Continuons notre jeu des "si"... Si c'était vrai que les patients ne vous respectent plus, que se passerait-il alors ?

> *– Inutile de continuer ce genre de métier si vous n'êtes pas respecté par les patients. Vous le savez bien, vous qui êtes médecin...*
>
> *– Bon, je crois que nous sommes arrivés au problème. Finalement, si on poursuit, comme nous l'avons fait, la logique de vos pensées automatiques, on arrive à un raisonnement du type : "Si je n'ai pas un* self-control *complet de tous mes gestes de médecin, dans toutes les situations professionnelles, alors je ne serai jamais respecté par mes patients, et donc je ne pourrai jamais exercer la médecine dans de bonnes conditions..." C'est un peu ça ?*
>
> *– Oui, c'est même tout à fait ça. C'est vrai que je n'arrête pas de me mettre la pression, comme on dit en langage sportif. Ça va trop loin, c'est sûr ; pour un petit tremblement en prenant la tension, je suis prêt à renoncer à la médecine... Mais quand même, c'est nécessaire d'être sûr de soi, non ?*
>
> *– Oui, mais on va voir ensemble jusqu'où on peut aller dans cette exigence... »*

Cet extrait de dialogue illustre une des méthodes utilisées pour la mise en évidence de croyances excessivement angoissantes : la méthode de la flèche descendante, qui poursuit la logique des scénarios catastrophes cachés derrière les cognitions anxieuses du sujet. D'autres méthodes sont aussi employées, certaines relevant de l'auto-observation : on demande au patient de reprendre ses relevés d'auto-observations, et d'identifier quelles sont les familles de cognitions les plus fréquentes, celles-ci dérivant en général de la même croyance.

Dans le cas de Philippe, les croyances les plus fréquentes étaient : ne pas montrer de signe de faiblesse au risque de perdre la face ; tout connaître sinon c'était la preuve de son incompétence, etc.

Une fois toutes ces croyances mises en évidence, la thérapie se donne pour but de les modifier.

> « *Si cette règle de la nécessité d'un* self-control
> *absolu est si profondément enracinée en vous, c'est*
> *peut-être qu'elle a certains avantages. Lesquels,*
> *d'après vous ?*
> *– Je n'en vois pas beaucoup ; les inconvénients*
> *sont plus faciles à repérer.*
> *– Par exemple ?*
> *– Eh bien, de me mettre toujours moi-même sous*
> *pression, même lorsque c'est totalement inutile et*
> *déplacé.*
> *– Oui. Y a-t-il d'autres inconvénients ?*
> *– Ça me pousse à me replier sur moi-même, au*
> *lieu de prendre du recul, d'avoir de l'humour ; il fau-*
> *drait que je puisse me dire : "Ne te mets pas sous*
> *pression en prenant la pression artérielle des*
> *autres !" Mais ça me vient toujours huit jours plus*
> *tard... Et puis, ces pensées, ça me fait me bloquer*
> *dans un sentiment de honte, au lieu de me pousser à*
> *me détendre et à dialoguer. Au fond, je pense que ça*
> *me rend moins bon médecin, je me surveille sans*
> *arrêt, au lieu d'être à l'écoute des patients...*
> *– Mmm... Il y a donc un bon nombre de désavan-*
> *tages à obéir à ce type d'exigences personnelles, de*
> *règles rigides. Mais n'y a-t-il pas quelques avantages*
> *qui expliqueraient que vous fonctionniez tout de*
> *même ainsi ?*
> *– Sans doute, si on cherche bien. C'est comme*
> *pour mon perfectionnisme : comme ça me stresse*
> *longtemps à l'avance, ça me pousse à bien me pré-*

parer, à réviser mes cours, les médicaments les plus
fréquents, les posologies, tout ça. Je n'arrive jamais
sans m'être préparé. C'est un avantage, mais je ne
vois que celui-là.
— Il y a donc beaucoup plus d'inconvénients que
d'avantages. Donc, l'intérêt de modifier ce genre
d'exigences personnelles est manifeste... »

Nos croyances ne peuvent être facilement supprimées,
tant elles sont profondément enracinées dans notre esprit.
Ce ne serait d'ailleurs pas souhaitable. Elles véhiculent en
effet une idée de départ tout à fait légitime dans certaines
circonstances. C'est simplement son application rigide et
généralisée qui est source de difficultés. Ces croyances
sont donc souvent présentées aux patients comme des
contrats qu'ils auraient inconsciemment passés avec eux-
mêmes à une période de leur vie où cela s'avérait nécessaire.

Pour Philippe, cela remontait, selon ses souvenirs, à une
période difficile de son enfance où, à la suite d'un démé-
nagement de ses parents, il était arrivé en cours d'année
dans une nouvelle école en province. Âgé de huit ans, il y
avait passé une année scolaire très pénible, ayant été très
vite rejeté par les autres enfants, en raison de son accent
parisien, de son aspect chétif et de ses lunettes à gros
verres correcteurs. Il se souvenait avoir un jour pleuré
dans la cour de récréation, qui était pour lui le lieu de tous
les dangers : les autres enfants s'étaient alors bruyamment
moqué de lui, et les agressions verbales sur ce thème
s'étaient prolongées toute l'année durant. Il avait alors tiré
de cette expérience la conviction que les autres étaient
potentiellement malveillants et qu'il valait mieux être
soi-même suffisamment dur et ne pas extérioriser ses
faiblesses.

La renégociation de cette croyance personnelle, à travers divers échanges avec le thérapeute, permit d'aboutir à une formulation de la croyance assez nettement assouplie, qui se présentait de la façon suivante.

Postulat de base : « Il est préférable de cacher ses émotions face à des interlocuteurs hostiles ou inconnus. »

Amendement 1 : « Mais il est inutile de procéder systématiquement ainsi en toutes circonstances. »

Amendement 2 : « La plupart des gens peuvent être compréhensifs à la souffrance ou à la gêne. »

Amendement 3 : « Dans de tels moments, il est alors préférable de dialoguer et non de se fermer. »

Le travail de modification des croyances comprend aussi souvent des exercices de désobéissance à ladite croyance. Dans le cas de Philippe, cela avait consisté à parler de ses doutes de remplaçant débutant avec une patiente, en fin de consultation lors d'une journée calme, où il avait du temps devant lui. La patiente lui avait alors dit : « Vous serez sûrement un très bon médecin, car vous êtes très sensible, c'est une qualité indispensable pour bien faire votre travail. » Cet événement avait d'ailleurs été à la base de l'amendement 3 ajouté par Philippe à sa croyance.

*

Derrière l'apparente simplicité des techniques ici brièvement développées, se dissimule en fait tout un art de l'alliance thérapeutique, sans lequel aucune thérapie cognitive n'est possible [2]. Il est clair que nous ne livrons ici que les moments clés de la thérapie. L'apparente facilité du déroulement de celle-ci ne doit pas cacher les nombreuses entraves rencontrées : il est fréquent que la thérapie piétine à certains moments, avant de repartir de plus belle… Nous n'avons pas développé ces difficultés, qui sont davantage le problème du thérapeute que celui du patient [3].

En pratique, les thérapies cognitives ne sont jamais proposées seules dans l'anxiété sociale, elles sont toujours associées à des exercices comportementaux, soit au sein d'une thérapie mixant les deux approches [4], soit en approche séquentielle : on fait précéder une thérapie comportementale par une thérapie cognitive [5].

Dans le cas d'efforts personnels, les données restent les mêmes : la réflexion sur la vision que l'on a de soi et du monde reste un préalable indispensable, mais sera insuffisante pour modifier à elle seule l'anxiété sociale si elle ne s'accompagne pas d'exercices réguliers pour affronter ses peurs sociales sur le terrain, et non plus seulement dans sa tête [6].

Chapitre 5

Faut-il soigner les phobiques sociaux ?

> « Nous avons tous assez de force
> pour supporter les maux d'autrui. »
>
> La Rochefoucauld

Au terme de ce voyage au pays de l'anxiété sociale, voici le moment de procéder ensemble à un dernier état des lieux. Depuis la première version de cet ouvrage parue en 1995, la phobie sociale, pour ne parler que d'elle, est littéralement sortie de l'ombre. Car bien qu'elle fût connue et identifiée depuis longtemps dans la littérature médicale [1], elle n'était pas diagnostiquée par les médecins et les psychologues. Les phobiques sociaux se sentaient souvent incompris par des thérapeutes qui ne prenaient pas l'exacte mesure de la souffrance quotidienne immense que représentait leur trouble. Aujourd'hui, un nombre toujours croissant de thèses et d'articles scientifiques lui sont consacrés, et on peut espérer que, d'ici quelques années, tout praticien saura faire rapidement le diagnostic d'anxiété sociale.

Mieux connue des chercheurs, l'anxiété sociale dispose

aujourd'hui de traitements véritablement efficaces. Qu'ils soient médicamenteux (les antidépresseurs sérotoninergiques) ou psychologiques (les thérapies comportementales et cognitives), ceux-ci ont largement fait la preuve de leur efficacité pourvu qu'ils soient correctement prescrits. Actuellement, seule une petite minorité de patients s'avère ne pas réagir favorablement à ces traitements [2] : ils doivent alors être confiés à des centres ou des thérapeutes très spécialisés en matière de phobie sociale.

Enfin, les attentes des personnes concernées sont très importantes : à chaque émission de radio ou de télévision, à chaque article de journal ou de revue consacrés à ce thème, c'est toujours le même afflux de coups de téléphone ou de courriers de la part de personnes souhaitant être conseillées, orientées, ou soignées. Nous recevons plusieurs centaines de lettres par an de phobiques sociaux lecteurs de cet ouvrage, nous remerciant ou nous demandant de l'aide. Des associations de patients ont récemment vu le jour, dans lesquelles des anxieux sociaux guéris ou en voie de l'être se proposent d'apporter de l'information et du soutien à ceux qui vivent encore leur trouble dans l'incompréhension ou la solitude [3].

Des anxieux sociaux motivés pour être aidés, des professionnels correctement informés, des traitements efficaces : tout va donc pour le mieux dans le meilleur des mondes ? Hélas, non. Les choses ne bougent pas aussi vite que l'on pourrait le souhaiter. Il semble que la phobie sociale, par exemple, soit encore trop peu diagnostiquée par les médecins. Une étude française commanditée par l'Organisation mondiale de la Santé montrait que ce diagnostic n'était fait que dans un cas sur quatre [4]. Cette même étude montrait aussi que les phobiques sociaux allaient peu consulter pour leur problème, mais plutôt pour d'autres raisons, soit des problèmes de santé physique, soit lorsqu'ils déprimaient. Les principaux obstacles empêchant les phobiques sociaux d'aller chercher de l'aide auprès des professionnels de santé semblent être, d'après une étude américaine, le problème du coût des soins, le manque d'information sur les adresses vers lesquelles se tourner, et le sentiment de honte associé à la crainte d'être jugé négativement [5].

Une autre étude constatait quant à elle que les patients phobiques sociaux se voyaient proposer des thérapies d'inspiration analytique – qui n'ont jamais fait la preuve de leur efficacité dans l'anxiété sociale – beaucoup plus souvent que des thérapies comportementales et cognitives [6]. Les raisons en sont sans doute simples : les thérapeutes de tous bords ont toujours tendance à considérer comme plus efficace – et donc à systématiquement proposer – la psychothérapie qu'ils pratiquent et pour laquelle ils ont été formés [7], et en France, la plupart d'entre eux se réclament de l'approche psychanalytique. Il est encore rare, même si cela commence à se voir, qu'un patient s'entende dire : « Vous souffrez d'une phobie sociale. Mes méthodes de soins ne sont peut-être pas les plus adaptées dans votre cas, du moins dans l'immédiat. Je vous recommande donc d'aller voir le docteur Dupont, plus spécialisé que moi dans ce domaine. »

Peut-on alors dire que, malgré les progrès des dernières années, les thérapeutes sont encore insuffisamment préparés à la prise en charge ou à l'orientation des patients anxieux sociaux ? Sans doute, et les efforts de formation et d'information des professionnels doivent donc être continués. Mais il existe aussi chez certains des réticences idéologiques : en France, beaucoup de psychiatres et de psychologues présentent un attachement viscéral aux thérapies psychanalytiques, qu'ils considèrent comme les seules « vraies » psychothérapies. Enfin, et c'est peut-être le principal problème, la conviction que l'anxiété sociale est une difficulté bénigne, et ne doit donc pas être médicalisée, reste encore profondément ancrée dans les esprits de certains « leaders d'opinion » en psychiatrie. Il y a encore peu, nous entendions l'un d'entre eux affirmer que la phobie sociale n'existait pas, et qu'il ne s'agissait en fait que de timides déprimés… Certes, il n'est dans l'intérêt de personne de médicaliser toutes les anxiétés sociales : nous avons largement montré dans ces pages qu'il en existait des formes bénignes, et que tout le monde pouvait la ressentir à certains moments. Il est bien évidemment hors de question de prescrire un traitement à tous les timides de France. Mais pourquoi ne pas laisser les individus concernés juger de ce qu'ils désirent faire ? Si une timidité s'avère invalidante, ne vaut-il pas mieux aller consulter un praticien pour recueillir son avis ? Celui-ci pourra rassurer, ou dans certains cas diagnostiquer une phobie sociale qui serait sans cela passée inaperçue. De plus, toutes les études tendent à montrer que l'anxiété sociale, même si elle n'atteint pas l'intensité de la phobie sociale, est une source de handicap importante [8]. Les professionnels de santé ne doivent donc pas reprendre à leur compte la maxime de La Rochefoucauld placée en exergue de ce chapitre, et décider une fois pour toutes que l'anxiété sociale est un trouble charmant, qui ne fait de mal à personne, et qu'il ne faut surtout pas changer…

Notre pratique de psychothérapeutes nous a rendus très attentifs à toutes les demandes de changement personnel. De ce fait, il nous arrive parfois d'être amenés à traiter des personnes dont les difficultés n'auraient jamais été prises en compte par un médecin jusqu'à une époque récente. De nombreuses enquêtes ont montré comment l'anxiété sociale était systématiquement oubliée, négligée ou sous-estimée, tant par les médecins et les psychologues que par l'entourage [9]. Vu l'existence de solutions efficaces, les conséquences de l'anxiété sociale non reconnue et non prise en charge apparaissent inacceptables.

Voici deux cas de patients présentant des formes d'anxiété sociale dites « bénignes »... mais qui ne l'étaient pas vraiment à leurs yeux.

Le trac de Jean-Michel

Jeune élève ingénieur issu d'une grande école, Jean-Michel est à vingt-sept ans ce que l'on appelle un garçon bien sous tous rapports, discret, mais sans timidité excessive. Il a un contact souriant et plutôt facile, s'intéresse volontiers à ses interlocuteurs à qui il n'hésite pas à poser de nombreuses questions, étant d'un naturel curieux. Entouré d'un réseau étendu d'amis et de connaissances, il a de nombreuses activités sociales. Il n'a pas de problèmes particuliers pour s'affirmer. « Mon seul problème, c'est le trac », avoue-t-il. Un trac paralysant, qui étonne chez lui, étant donné l'absence d'autres difficultés.

Bien qu'il nous ait tout d'abord annoncé le contraire, son trouble est en fait relativement ancien. Dès l'école primaire, ses bulletins signalaient que ses performances à l'écrit faisaient regretter son peu d'engagement à l'oral. Mais il était cependant capable de répondre aux questions et de passer au tableau, sans grande aisance il est vrai. Lors de la préparation du concours d'entrée à son école d'ingénieurs, tous les oraux avaient été encore plus pénibles qu'au lycée, mais Jean-Michel s'était dit que cela passerait, et que c'était probablement dû à la tension générale accumulée pendant ses deux années de « prépa ». Le médecin de famille, à qui il en avait vaguement parlé, mais en minimisant largement les faits, lui avait prescrit un tranquillisant, qu'il avait depuis l'habitude de consommer systématiquement avant d'affronter la moindre situation où existait un risque qu'il doive prendre la parole devant un groupe. Comme son travail comportait de très nombreuses réunions de travail et de multiples exposés devant des équipes de recherche ou de bureaux d'études, la prise de tranquillisants était devenue une habitude plusieurs fois par semaine, depuis cinq à six ans. Il n'en était d'ailleurs pas satisfait : « Les tranquillisants amortissent le choc, mais laissent la peur intacte ; si j'augmente la dose, comme ces derniers temps, je suis juste un peu plus tassé, mais plus très opérationnel, et pas du tout vif ; pourtant, je me vois mal les arrêter », expliquait-il.

Au moment de son premier emploi, à la sortie de l'école d'ingénieurs, il s'était retrouvé dans un milieu très compétitif, où les réunions et les prises de parole en public étaient systématiquement le lieu d'âpres critiques et de questions déstabilisantes à l'adresse des orateurs. Il avait alors souffert d'insomnies rebelles, ses nuits étant parasitées par une très importante anxiété anticipatoire. Il avait fini par donner sa démission après six mois, en grande partie à cause de ses angoisses, alors que sa carrière dans cette entreprise semblait très prometteuse. Son trac s'était ensuite considérablement aggravé, à tel point que pendant les mois qui suivirent il eut même une petite crise d'angoisse lors d'une fête dans son club de parachutisme célébrant le diplôme de moniteur qu'il venait de passer, alors que ses amis lui réclamaient un discours…

Lorsqu'il vint consulter, il « pantouflait » dans une petite PME, où il savait qu'il ne devait pas rester longtemps s'il voulait faire carrière, mais dont il appréciait l'ambiance familiale, les rapports humains détendus et chaleureux, le fait que tout se réglait lors de réunions informelles ou entre deux portes en tête-à-tête.

En dehors de ce problème, ni l'entretien ni les tests psychologiques ne révélèrent d'éléments pathologiques. Son trac était cependant à la limite de la phobie sociale caractérisée, tant les descriptions qu'il en faisait étaient impressionnantes. Il convenait donc de centrer la prise en charge sur cette difficulté.

De façon un peu paradoxale, il évitait depuis quelque temps de prendre la parole même en milieu amical, familial ou associatif. Il fuyait les situations dans lesquelles il devait donner son avis devant un groupe de plus de six personnes. Dédaignant de s'exercer en milieu bienveillant, il ne se préparait pas à affronter des occasions un peu plus stressantes, se trouvant un peu dans la situation d'un sportif qui ne se rendrait pas aux entraînements, parce que c'est fatigant, et qui de ce fait ne serait pas compétitif pour les matchs officiels... Il était donc nécessaire d'interrompre ces évitements, qui aggravaient et étendaient peu à peu son trouble, et de l'inciter à s'exposer aux situations redoutées. Toute une série d'« exercices » furent ainsi mis au point : il dut par exemple s'attacher à raconter des histoires à ses jeunes neveux, faire de petits discours durant les repas de famille, raconter des blagues ou des anecdotes à ses proches, mais aussi modifier sa manière de mener les réunions de travail avec sa petite équipe, se proposer le plus souvent possible pour aller faire des exposés aux clients de l'entreprise sur les derniers produits mis au point, etc. Jean-Michel franchit les premières étapes sous l'œil d'abord amusé, puis complice, de ses proches, à qui il avait confié qu'il suivait une thérapie. Il s'inscrivit même assez vite à un cours d'expression théâtrale, où il arriva à participer de façon à peu près normale, ce qui accéléra sans doute ses progrès. Le fait qu'il n'y connaisse personne était pour lui un grand soulagement.

À travers de très nombreux jeux de rôle, dont certains repris sur son propre matériel vidéo, un travail spécifique fut également effectué sur les compétences sociales spécifiques en matière de communication.

Le plus difficile fut cependant de modifier son mode de pensée. En effet, Jean-Michel en était venu à considérer qu'on peut très bien s'en sortir dans la vie sans avoir besoin de savoir parler en public, idée bien enracinée chez lui, sa famille ayant toujours valorisé la discrétion. Il était également particulièrement soucieux de rechercher la perfection, schéma de pensée qui traduisait le bon élève qu'il avait toujours été.

Le travail thérapeutique, ou le « training » comme l'appelait Jean-Michel dans son jargon, dura environ un an et demi. À partir du quatrième mois, la prise de parole en public ne représentait plus une idée à la fois obsédante et angoissante, mais un objectif accessible avec de l'entraînement. En fin de première année, dans certaines occasions impressionnantes, des bêtabloquants furent associés aux exercices. Il les utilisa pendant environ un an, puis les diminua progressivement en six mois. Depuis trois ans, Jean-Michel n'y a plus recours ; il prend la parole en public sans difficultés majeures. S'il ressent parfois de l'anxiété resurgir en ce genre de circonstances, il arrive systématiquement à ne plus paniquer et à reprendre rapidement le dessus.

Les joues rouges de Patricia

Patricia a trente ans. Journaliste dans la presse féminine, elle vient de prendre de nouvelles fonctions dans un grand titre de la profession. « Je pensais que cela améliorerait peut-être mon problème de repartir à zéro avec des gens nouveaux, un boulot nouveau, dit-elle. Mais non, c'est tout à fait comme avant, peut-être même pire : je rougis à tout bout de champ. » Patricia souffre d'éreutophobie.

Elle avait été une petite fille vive et capricieuse, ayant longtemps présenté des peurs diverses, notamment du noir et des piqûres, mais qui n'étaient pas de véritables phobies. À l'adolescence, elle avait souffert d'une acné assez importante, et passait de longues heures devant le miroir de la salle de bains à « contempler les dégâts » et à essayer de les dissimuler derrière ses mèches de cheveux blonds. De manière étonnante, elle se souvenait très précisément de la première fois où elle avait rougi, du moins de la première fois où elle en avait eu une conscience douloureuse et pénible. C'était un samedi soir, elle était dans sa chambre à rêvasser tandis que ses parents prenaient l'apéritif avec des amis qu'ils avaient invités à dîner, lorsque ceux-ci demandèrent à faire sa connaissance. Ses parents l'appelèrent et la présentèrent, mais son père eut le malheur de faire une plaisanterie sur l'acné de sa fille et ses longues stations devant le miroir. Elle devint tout à coup écarlate, et quitta précipitamment la pièce. Elle avait passé des années en thérapie à réfléchir sur cet épisode troublant : l'ami de ses parents était un homme séduisant ; l'humiliation n'en avait été que plus grande. Mais la piste des rapports entre son rougissement et des désirs sexuels refoulés ne l'avait conduite nulle part... Peut-être n'y avait-elle pas mis toute l'énergie nécessaire ou n'était-elle pas tombée sur le bon thérapeute... Quoi qu'il en soit, quinze ans après, son trouble persistait.

Ses rougissements survenaient bien sûr dans les pires moments ; ils n'obéissaient pas à une logique absolue, mais simplement à des lois statistiques. Elle savait que certaines circonstances multipliaient par dix le risque de rouge aux joues, mais que parfois il ne se passerait rien. D'autres fois, elle se sentait rougir alors que rien d'important ne se déroulait, c'était simplement plus rare. Son mari l'avait d'ailleurs bien compris : alors qu'au début de leur aventure, il pensait que cela ferait plaisir à Patricia de s'entendre dire « tu vois, cette fois-ci tu n'as pas rougi », il avait dû plusieurs fois battre en retraite sous le regard bleu glacial de sa compagne, lui signifiant qu'elle ne souhaitait pas qu'il aborde ce sujet.

Elle ne présentait pas de troubles psychologiques associés, sinon une tendance à se montrer un peu agressive dans ses relations interpersonnelles lorsqu'elle se sentait critiquée ou faisait l'objet de remarques moqueuses ou ironiques. Sa façon d'être générale était d'ailleurs dans cette tonalité : elle avait une façon sèche d'expliquer ses symptômes, comme pour dire « finissons-en ». Il fallut du temps pour qu'elle se détende.

Son mode de vie était tout ce qu'il y a de plus adapté : mariée, un enfant, des amis, des sorties... « Tout est normal, sauf mon rougissement », concluait-elle. Souvent, lorsque les patients parlent ainsi, les thérapeutes restent un peu méfiants, sachant qu'il s'agit souvent de l'arbre qui cache la forêt. Mais dans le cas de Patricia, le rougissement paraissait assez isolé. Et sa demande d'aide en ce sens légitime.

L'objectif de la thérapie était particulièrement simple à définir : il s'agissait en fait de l'inciter à accepter de rougir face à quelqu'un et d'accepter d'en parler. Cette démarche se révéla en fait extrêmement difficile, et fut à l'origine de quelques consultations tendues où la patiente avait le sentiment que son thérapeute lui voulait du mal... Patricia était très réticente au fait de s'exposer à rougir devant autrui. Après un long travail, elle s'habitua d'abord au fait de rougir devant des proches. Elle se mit même à en parler avec humour. Petit à petit, les choses s'améliorèrent aussi face à des collègues de travail, des commerçants, etc. Le rougissement devint de plus en plus rare et peu intense. Il restait à aborder le rougissement face à des interlocuteurs plus « gênants » : des supérieurs, certains hommes « troublants » (c'est-à-dire qui lui plaisaient), des concurrents, des rivaux, etc. Mais les progrès étaient suffisants. Patricia avait compris la démarche et pouvait poursuivre seule ce travail. Surtout, lorsqu'elle rougissait, elle était capable de continuer à parler et à agir comme si de rien n'était.

Tout ce travail d'exposition progressive ne fut possible qu'étroitement associé à un entraînement à une meilleure communication. Patricia dut apprendre à exprimer régulièrement ses émotions, positives ou négatives, à répondre de manière affirmée aux critiques. Ce fut sans doute un moment décisif dans l'évolution de ses difficultés. Elle avait par exemple horreur d'être complimentée, car cela la faisait rougir. Le travail porta sur le fait de dire, dans ces moments, « ce que vous dites me touche beaucoup », de sorte que son interlocuteur associe le rougissement éventuellement observé à un sentiment de plaisir. De même, dans les moments de tension, Patricia apprit à renoncer au mythe du contrôle de soi absolu, pour apprendre à dire : « Je suis vraiment en colère à cause de ce que vous venez de dire. » Elle avait toujours évité de parler de ses sentiments, ceci sans doute en raison de son passé familial : son père était extrêmement pudique et dissimulateur à ce sujet, tournant même systématiquement en dérision tout ce qui gravitait autour des émotions et de l'émotivité, tandis que sa mère avait au contraire tendance à « en faire un peu trop », selon Patricia, utilisant l'expression des émotions dans le but de culpabiliser ou de manipuler ses interlocuteurs (« ton comportement me déçoit beaucoup, je te croyais au-dessus de ça », « ce que tu dis me fait de la peine, ce n'est pas gentil de parler à sa maman comme ça »). La capacité à répondre de manière affirmée aux critiques nécessita d'assez nombreux jeux de rôle en séances : Patricia avait tendance soit à ne rien répondre, soit à agresser de façon mordante son interlocuteur, souvent de façon disproportionnée par rapport à la portée de la critique initiale. Dans les deux cas, son rougissement s'en trouvait accentué ; elle le percevait comme un signe de faiblesse que l'autre pourrait exploiter pour riposter ou enfoncer plus encore le clou. La capacité à répondre calmement, en reformulant la critique, en exprimant posément son mécontentement, et en demandant des précisions ou des suggestions lui permit de considérer peu à peu les échanges critiques sous un angle plus constructif, et non plus simplement comme un bras de fer, dans lequel il devait y avoir un vainqueur et un vaincu.

Patricia avait bien sûr, comme tous les éreutophobes, une vision très négative de son rougissement. Elle avait tendance à penser que son rougissement était hautement repérable et était incapable de continuer à interagir correctement dès lors qu'il apparaissait. De plus, elle jugeait ce rougissement de manière très dévalorisante.

En fin de prise en charge, Patricia parvint au contraire à formuler ainsi sa position envers le rougissement : « Cela continue de me gêner et de me déplaire de rougir, mais je ne considère plus cela comme humiliant, je ne redoute plus d'être en position d'infériorité à cause de cela, et j'arrive à ne pas y penser et à me concentrer sur ce que je suis en train de faire ou de dire… » L'objectif, modeste il est vrai, était largement dépassé : Patricia se sentait « mieux dans sa peau » et arrivait à développer avec son entourage des rapports moins tendus et moins agressifs. Elle dormait mieux et ne souffrait plus des colites qu'elle traînait depuis des années, toutes choses dont elle n'avait soufflé mot au début des entretiens. Lorsque le thérapeute le lui fit remarquer, elle lui répondit en souriant : « Je ne voulais pas que vous me preniez pour une pleurnicheuse… »

Faut-il traiter les « petits » problèmes, et comment ?

Les deux cas de Patricia et Jean-Michel sont représentatifs du problème posé par les formes mineures d'anxiété sociale. Où finit le normal et où s'arrête le pathologique ? S'agit-il de « vraies » pathologies, et à ce titre faut-il leur proposer de « vrais » (et coûteux) traitements ?

Si une « vraie » pathologie est celle qui met la vie de la personne en danger ou fait d'elle un handicapé incapable de mener une existence adaptée, alors ces troubles ne sont pas de « vraies » pathologies : l'anxiété sociale est en effet très souvent compatible avec une vie « normale »… Si au contraire on ajoute à ces critères définissant la gravité d'un mal, une notion simple – de plus en plus prise en compte par les médecins psychiatres [10] –, qui est l'altération de la qualité de vie, alors oui, sans aucun doute, les formes mineures d'anxiété sociale sont de « vraies » pathologies, par la souffrance, l'inconfort, les entraves qu'elles sont susceptibles d'engendrer. De nombreuses études ont démontré les conséquences néfastes des formes « mineures » d'anxiété sociale [11] et il est important qu'une aide psychologique efficace soit proposée aux personnes qui en souffrent et en font la demande.

Certains professionnels contestent parfois l'appellation de « psychothérapie » à un type d'approche relativement simple et bref, comme celui qui est proposé par les thérapies cognitives et comportementales. D'autres en parlent comme de techniques de « rééducation [12] ». Faut-il qu'une thérapie soit longue et complexe pour qu'elle soit efficace ? Faut-il qu'elle se berce de grandes phrases et de grandes ambitions ? C'est en tout cas ce qu'on a réussi pendant longtemps à faire croire à un grand nombre de personnes : « dix ans de divan, ou du vent… ». Il est vrai que dans notre pays paraître intelligent consiste encore trop souvent à utiliser des mots savants et à expliquer que tout est beaucoup plus compliqué qu'il ne semble. Ce qui est simple serait faux, et donc, en matière de thérapie, inefficace. Or, la psychothérapie est un soin, ce que certains « psy » ont eu fâcheusement tendance à oublier. De ce fait, ses résultats priment sur sa conformité aux modes d'une époque. Et c'est bien ainsi qu'il s'agit de la juger. Et, pour ce qui est de l'anxiété sociale, seules les thérapies cognitives et comportementales ont fait à ce jour la preuve de leur efficacité [13].

Thérapie efficace ou thérapie orthodoxe ?

Comment peut-on évaluer scientifiquement l'efficacité d'une psychothérapie ? Ce n'est pas forcément le souhait de toutes les psychothérapies de prétendre au statut de démarche scientifique. Mais lorsqu'elle y aspire, une méthode psychothérapique doit être passée par ce que l'on appelle des « études contrôlées », la guérison de cas au coup par coup relevant plus de l'histoire de chasse ou du charisme personnel du thérapeute que d'une démonstration rigoureuse et convaincante quant à l'efficacité de la technique de soins.

Il faut pour cela disposer d'un nombre suffisant de patients, les répartir de façon aléatoire (c'est ce que l'on appelle une « randomisation ») en deux groupes que l'on peut ensuite comparer. Un groupe peut par exemple recevoir la psychothérapie pendant plusieurs mois, pendant que l'autre reste en liste d'attente durant ce même intervalle de temps. Ou bien le premier groupe suit un type de psychothérapie, pendant que le second en suit une autre, ou des entretiens de même durée sans psychothérapie, ou encore reçoit un médicament. On compare les résultats obtenus entre les deux groupes à la fin de la période de temps choisie, en tenant compte évidemment de l'état de départ des patients de chaque groupe. Il faut alors que les différences soient suffisamment importantes pour être considérées comme « statistiquement significatives », c'est-à-dire ne pouvant pas dépendre du hasard. Ce type d'étude est extrêmement complexe, long, minutieux, et exige beaucoup de rigueur dans l'évaluation des progrès des patients : il faut définir clairement dès le départ les critères choisis pour définir la pathologie traitée, et les critères d'amélioration ; il est aussi nécessaire que les personnes qui soignent ne soient pas celles qui évaluent les résultats, pour éviter tout biais, volontaire ou inconscient.

Malgré ces exigences et ces difficultés, d'assez nombreuses études de ce type ont pu être conduites. À ce jour, les thérapies cognitives et comportementales ont démontré leur efficacité dans nombre de pathologies, dont l'anxiété et la phobie sociales [14]. Cette efficacité a d'ailleurs été consacrée par l'Organisation mondiale de la Santé dans un rapport officiel [15]. Remarquons au passage qu'efficacité ne veut pas dire toute-puissance : dans un certain nombre de cas, les thérapies cognitives et comportementales se trouvent mises en échec. La tendance actuelle, dans beaucoup d'équipes de recherche, est d'essayer de mieux comprendre pourquoi tel ou tel type de patient ou de pathologie ne répondent pas au traitement.

Des thérapies pragmatiques

La démarche des thérapies cognitives et comportementales est simple, logique, pragmatique. Elle prône des principes de bon sens comme d'affronter peu à peu ce que l'on redoute, de s'entraîner à communiquer, de modifier son point de vue sur la vie et souligne l'importance de les appliquer de façon systématique et structurée. Sans doute pourront-elles encore progresser en efficacité en se penchant plus méthodiquement sur les stratégies spontanément utilisées par les anxieux sociaux qui ont procédé à leur « autothérapie ». En effet, nombre de personnes que les « psy » ne verront jamais ont ainsi réglé leur anxiété sociale d'elles-mêmes ou avec l'aide de proches, voire à l'issue d'événements précis ou de rencontres. Les possibilités des individus sont sans doute beaucoup plus grandes que le psychothérapeute, confronté depuis son cabinet aux échecs de ceux qui sont devenus ses patients, ne peut être tenté de le croire.

Dans cet esprit d'une meilleure utilisation des capacités des patients, certains chercheurs ont essayé de démontrer comment l'utilisation de manuels d'autothérapie, pour peu que ceux-ci soient bien conçus, pouvait permettre à certaines personnes de guérir de leur trouble, en s'appuyant sur un nombre relativement limité de rencontres avec leur thérapeute [16]. Les gardiens du temple, en matière de psychothérapie « comme il faut », ne manqueront pas de crier au scandale, à la dérive et à la trahison des Saintes Écritures et des recommandations des Grands Anciens... Ce n'est pas une argumentation théorique, mais une évaluation méthodique et systématique des résultats obtenus par de telles démarches qui devra les faire condamner ou

accepter. Il est normal, après tout, d'accepter qu'une psychothérapie puisse ne pas forcément se dérouler sur un
divan, et durant plusieurs années. Beaucoup de travaux ont
d'ailleurs démontré que des interventions psychologiques
efficaces peuvent être prodiguées en l'espace de peu de
consultations, et même de la part de professionnels de
santé moins diplômés que des psychologues ou des médecins psychiatres [17]. Mais il existe de la part de certains une
réticence plus ou moins ouverte à la « vulgarisation » de
la psychothérapie au dehors du petit cercle d'une élite.

La psychothérapie au service
de la performance individuelle ?

Trac, timidité, inhibition, évitements, rougissements :
ces troubles « bénins » qui gâchent la vie ne pèsent pas
seulement sur les relations personnelles. Ils viennent aussi
gêner le travail et peuvent même perturber une carrière qui
pourrait être brillante. Parmi les grands hommes qui ont
marqué leur époque, qu'il s'agisse d'artistes, de savants ou
d'hommes politiques, rares ont été ceux qui sont restés
isolés [18]. Tous avaient construit leur vie autour de riches et
nombreuses interactions sociales, même si celles-ci
n'avaient pas toujours été faciles. Le mythe du génie solitaire et incompris relève de l'exception ou du stéréotype
social, mais il ne correspond à aucune réalité tangible. Ce
qui est vrai pour les grands hommes l'est sans nul doute
pour les gens ordinaires que nous sommes : sans liens
réussis avec les autres, comment espérer devenir soi-
même ? Beaucoup de nos patients nous ont raconté comment ils avaient été amenés par exemple à renoncer à certaines promotions du fait de leur anxiété sociale : ils
n'auraient alors pu assumer les exigences de leur nouveau

statut professionnel, comme de diriger une équipe, d'animer des réunions, de parler à des conférences... Ce n'est pas seulement un mieux-être qu'il faut alors apporter, c'est aussi et d'abord une amélioration des performances à communiquer et animer. Le travail psychothérapique effectué avec Jean-Michel portait sur de tels aspects.

Mais il nous est aussi arrivé d'intervenir par exemple auprès de dirigeants de haut niveau, dans le cadre de ce que l'on appelle le « conseil individuel » : il s'agit d'une série de dix à vingt sessions de deux ou trois heures, durant lesquelles tous les aspects comportementaux et psychologiques gravitant autour de leurs stratégies et attitudes relationnelles sont abordés. Sortant d'un contexte de soins médicaux, de telles approches s'inscrivent alors davantage dans des démarches de développement personnel. On pourrait penser qu'étant parvenus au faîte du pouvoir, ces dirigeants maîtrisent parfaitement leur anxiété sociale puisqu'ils doivent être capables de remplir tous les aspects publics et relationnels de leur profession. Ce n'est cependant pas toujours le cas. Nombre d'entre eux, apparemment à l'aise, vivent ces moments en se sentant en permanence sous tension et sur leurs gardes ; la pression qui pèse sur eux, l'obligation de résultat, la course au succès qu'ils mènent le plus souvent les rendent demandeurs d'une aide à cet égard... même si la démarche n'est jamais facile pour eux.

De telles interventions posent de multiples problèmes, techniques et éthiques. Techniques tout d'abord, car les séances de conseil individuel nécessitent un recours à des outils spécifiques, comme par exemple la vidéo, dont l'utilisation permet une identification très fine et approfondie de phénomènes relationnels discrets, qui seraient passés inaperçus « à l'œil nu ». Éthiques ensuite, puisque la limite avec la psychothérapie n'est pas simple à définir. Durant ce type d'interventions de conseil individuel, nous n'abordons que des objectifs stratégiques bien définis, choisissant délibérément de ne pas intervenir de façon approfondie sur des éléments du passé ou de la vie privée de ceux qui sont ainsi plus des clients que des patients. D'autres écoles, comme l'approche développée par le grand hypnothérapeute Milton Erickson [19] ou les thérapeutes systémiciens [20], ont formulé les mêmes prises de position : il semble bel et bien possible de n'aborder un problème que sous un angle bien défini et délimité, et d'observer ensuite des améliorations dans d'autres aspects du fonctionnement psychologique global. En matière d'anxiété sociale, lorsque l'on a aidé quelqu'un à mieux communiquer et échanger avec les autres, on modifie profondément le regard que cette personne porte sur elle-même, la façon dont elle perçoit les rapports humains, la vision qu'elle a de son avenir, etc. L'essentiel est donc plus le point d'appui qui peut servir à mettre en œuvre un changement que l'origine du problème. Une telle démarche n'est peut-être pas « psychologiquement correcte » aux yeux de certains, mais il faudra bien un jour trancher : souhaite-t-on guérir les patients, ou obéir aux habitudes ?

Conclusion
« Imaginez que vous êtes tout nu… »

Congrès mondial de Psychiatrie, Rio de Janeiro, juin 1993. De la tribune de la salle de conférence, une femme s'adresse à un auditoire composé de spécialistes. C'est Jerilyn Ross, présidente de l'Association américaine des troubles anxieux, la plus grande organisation regroupant des patients anxieux :

> *« Imaginez qu'en rentrant dans cette salle, vous vous aperceviez soudain que vous êtes tout nu… Imaginez bien tout ce que vous ressentiriez alors… Sans doute de la gêne, de la honte. Que feriez-vous ? Chercheriez-vous à fuir, à vous dérober au regard des gens ? Et si peu après, vous deviez rencontrer à nouveau les personnes vous ayant vu ainsi, dans quelles dispositions seriez-vous ?*
>
> *« Tout cela, c'est ce que vivent, avec plus ou moins d'intensité il est vrai, les anxieux et les phobiques sociaux, mais dans des situations d'une banalité extrême, comme prendre la parole devant un groupe d'amis, ou aller acheter une baguette de pain… »*

La représentante de cette puissante association de « consommateurs de soins », qui hélas n'a pas d'équivalent en France, nous disait recevoir chaque année plusieurs milliers de lettres de personnes dont un très grand nombre décrivent tous les handicaps et les souffrances liés à leur anxiété et à leur phobie sociale et leur désarroi de ne pas trouver d'aide. Lorsqu'on sait aujourd'hui quels dégâts considérables peut entraîner la phobie sociale dans une vie [1], quand on sait aussi que de récents travaux semblent indiquer que sa fréquence serait en augmentation [2], on ne peut plus se contenter de conseiller aux phobiques sociaux « d'attendre que ça passe »…

Notre ambition, dans cet ouvrage, a été de lever un peu le voile de l'ignorance qui recouvre la peur des autres, à travers tous ses masques. Prendre conscience de son trouble, en comprendre les mécanismes intimes, c'est déjà ne plus en être totalement la victime. Connaître les stratégies thérapeutiques efficaces utilisées par les spécialistes, c'est commencer à mieux le maîtriser. S'engager dans la résolution de son anxiété et de ses difficultés relationnelles, c'est enfin s'ouvrir à une existence plus gratifiante.

L'homme se construit au travers d'échanges avec les autres. Cette « nourriture relationnelle » nous est aussi indispensable que son homologue matériel. L'importance de ce que l'on appelle le support social est bien établie, en matière de prévention de quasiment toutes les formes de difficultés psychologiques et de troubles mentaux. Un individu possédant un réseau relationnel de bonne qualité autour de lui est mieux protégé que celui qui n'en disposera pas. Cela est vrai non seulement pour les maladies psychiques mais, sans doute aussi, pour beaucoup de pathologies somatiques. Aussi l'abord systématique des problèmes d'anxiété sociale peut permettre un véritable progrès dans la recherche du bien-être de l'homme. De même que le médecin s'enquiert, lorsque nous le rencontrons, de la qualité de notre sommeil ou de notre appétit, pourquoi n'explorerait-il pas la qualité et l'aisance de nos contacts avec les autres ? Certes, on ne peut pas tout attendre de cette dimension relationnelle : il ne suffit pas d'être bien avec autrui pour être bien avec soi-même. C'est pourtant nécessaire, à défaut d'être suffisant, à l'équilibre de tout être humain.

Trop longtemps la psychologie a été centrée sur le sujet isolé. On s'est intéressé à l'inconscient, au passé, aux fantasmes, aux refoulements, aux désirs… Peut-être est-il temps de considérer aussi l'interface de l'individu avec son environnement, en particulier social. Ce salutaire recentrage trouve toute sa justification dans les problèmes d'anxiété sociale : à l'évidence, l'être humain n'est alors pas seulement confronté à lui-même.

À l'école, nous avons appris la gymnastique, la musique ou la peinture. Plus tard, si nous le souhaitons, nous trouverons toujours à nous former au serbo-croate, à la méditation transcendantale ou à l'art de la céramique. Comme (presque) tout ce qui est important dans la vie, l'art d'être à l'aise avec les autres n'est pas enseigné. Pourquoi un domaine aussi fondamental à l'épanouissement humain est-il ainsi laissé à l'abandon ?

ANNEXES

Évaluez votre peur des autres

Vous trouverez dans les pages suivantes une liste de situations que chacun d'entre nous peut être amené à rencontrer.

Veuillez indiquer dans les cases correspondantes, en mettant une note de 0 à 3, ce que sont **actuellement** (et non il y a un an ou même un mois) :

– dans la première colonne, l'intensité de la gêne ressentie dans la situation indiquée,

– dans la deuxième colonne, la tendance à éviter cette situation.

S'il s'agit d'une situation à laquelle vous n'êtes jamais confronté, imaginez simplement ce que seraient, à votre avis, votre gêne et votre évitement.

Il n'y a pas, bien sûr, de « bonne » ou de « mauvaise » réponse. **Soyez sincère** avec vous-même.

Ne perdez pas trop de temps à répondre, votre première impression sera sans doute la plus exacte...

Le questionnaire que vous venez de remplir n'a pas la prétention de vous fournir un « diagnostic » infaillible de vos problèmes d'anxiété sociale. Seul un spécialiste (médecin ou psychologue) pourrait le faire correctement.

Cependant, si vous y avez répondu sincèrement et si vous suivez les instructions données ci-dessous, vous pouvez obtenir quelques indications utiles sur votre peur des autres.

	Cette situation me procure 0 = aucune gêne 1 = une gêne légère 2 = une anxiété importante 3 = une vraie panique	J'évite cette situation 0 = jamais 1 = rarement 2 = souvent 3 = systématiquement
1) Prendre la parole devant un groupe de personnes (pour faire un discours, un exposé, etc.)		
2) Livrer vos sentiments intimes lors d'un tête-à-tête avec quelqu'un qui compte pour vous		
3) Intervenir pour donner votre point de vue lors d'une discussion		
4) Demander à quelqu'un qui parle à voix haute, au cinéma, au théâtre ou au concert, de se taire		
5) Être observé par quelqu'un quand vous faites un travail (taper à la machine, bricoler, coudre, etc.)		
6) Aller à une soirée où vous connaissez très peu de monde		
7) Téléphoner à une grande administration pour des renseignements (préfecture, sécurité sociale, etc.)		

	Cette situation me procure 0 = aucune gêne 1 = une gêne légère 2 = une anxiété importante 3 = une vraie panique	J'évite cette situation 0 = jamais 1 = rarement 2 = souvent 3 = systématiquement
8) Dire non à une personne qui vous demande de lui rendre un service		
9) Rencontrer quelqu'un d'important ou de haut placé (patron, personnalité, etc.)		
10) Engager la conversation avec des gens que vous ne connaissez pas		
11) Écrire, manger, boire ou marcher devant des gens		
12) Rapporter un achat qui ne vous convient pas à un commerçant		
13) Passer un oral d'examen, un test d'aptitude ou un entretien d'embauche		
14) Parler de banalités (« de la pluie et du beau temps ») avec des voisins ou des commerçants		

Votre degré de peur

Pour connaître l'importance de votre peur des autres, faites la somme de toutes les notes que vous avez inscrites dans les vingt-quatre cases des deux colonnes.

Vous obtenez un score total compris entre 0 et 84.

Votre score total est inférieur à 10 :
vous semblez ne jamais éprouver la moindre gêne devant les autres. Êtes-vous bien sincère avec vous-même ? À moins que vous ne soyez un mutant dans l'espèce humaine !

Votre score total est compris entre 10 et 29 :
vous ressentez de temps en temps une légère anxiété face aux autres. Cette réaction est normale, mais elle peut gâcher certains de vos contacts sociaux, surtout si vous avez plusieurs fois mis des notes de 2 ou 3.

Votre score total est compris entre 30 et 50 :
vous paraissez redouter de nombreuses confrontations avec les autres et vous semblez en souffrir. Et si vous songiez à résoudre votre problème d'anxiété sociale ?

Votre score total est supérieur à 50 :
vous éprouvez beaucoup d'anxiété dans vos contacts avec les autres et votre vie s'en ressent grandement. Vous pourriez utilement en parler avec un médecin ou un psychologue.

Vos réactions de peur

Si vous avez une réelle peur des autres, c'est-à-dire si votre score total précédemment calculé est d'au moins 10, vous pouvez maintenant analyser la manière dont vous réagissez à cette peur.

Tout d'abord calculez votre score « anxiété » en faisant la somme des quatorze notes de la première colonne. Ce score anxiété est compris entre 0 et 42.

Ensuite calculez votre score « évitement » en faisant la somme des quatorze notes de la deuxième colonne. Ce score « évitement » est compris entre 0 et 42.

Enfin, calculez la différence existant entre ces deux scores.

Votre score « anxiété » est nettement inférieur à votre score « évitement » (de plus de 5 points) :
votre peur des autres vous pousse à éviter certains contacts. C'est fort compréhensible, mais vous ne vous donnez pas les meilleures chances de voir cette peur diminuer. Essayez d'affronter davantage de situations.

Votre score « anxiété » est à peu près équivalent à votre score « évitement » (à 5 points près) :
vous tentez de faire face aux situations de contacts avec les autres, même si vous n'êtes pas toujours très à l'aise. Mais attention, car parfois vous y renoncez. C'est dommage car cela risque, d'une certaine façon, d'entretenir votre peur.

Votre score « anxiété » est nettement supérieur à votre score « évitement » (de plus de 5 points) :
malgré la peur que vous inspire un certain nombre de contacts avec les autres, vous essayez souvent d'affronter la situation. Bravo, c'est dans ce sens qu'il faut continuer. Cependant, si votre anxiété ne diminue pas à la longue, c'est peut-être que des évitements « subtils » persistent, ou que certaines de vos craintes sociales n'ont pas été clarifiées : prenez alors l'avis d'un thérapeute spécialisé en matière d'anxiété sociale.

Votre type de peur

Si vous avez une réelle peur des autres, c'est-à-dire si votre score total est d'au moins 10, vous pouvez mieux connaître ce qui, dans le contact avec les autres, vous fait vraiment peur. Regardez les notes que vous obtenez, situation par situation.

Vos notes les plus élevées (anxiété ou évitement) concernent surtout les situations n° 1, 3, 7, 9 et 13 :
   ce que vous redoutez avant tout, c'est d'***être évalué par les autres***. C'est-à-dire qu'ils portent un jugement négatif sur vous ou sur ce que vous venez de faire.

Vos notes les plus élevées (anxiété ou évitement) concernent surtout les situations n° 2, 6, 10 et 14 :
   ce qui vous rend surtout anxieux, c'est de **vous livrer aux autres**. C'est-à-dire qu'ils puissent mieux connaître vos sentiments intimes, votre personnalité profonde.

Vos notes les plus élevées (anxiété ou évitement) concernent surtout les situations n° 4, 8 et 12 :
   ce qui vous gêne le plus, c'est de **vous imposer face aux autres.** C'est-à-dire de faire valoir vos droits, de défendre vos opinions.

Vos notes les plus élevées (anxiété ou évitement) concernent surtout les situations n° 5 et 11 :
   ce qui vous met particulièrement mal à l'aise, c'est le **regard des autres.** C'est-à-dire qu'ils vous observent avec plus ou moins d'attention.

Critères diagnostiques
de la phobie sociale

D'après le DSM IV
(Diagnostic and Statistical Manual of Mental Disorders)
American Psychiatric Association, Washington DC, 1994

A) Peur importante et persistante d'une ou plusieurs situations sociales ou de performance, dans lesquelles le sujet est exposé à des personnes qu'il ne connaît pas ou à l'observation attentive d'autrui. Le sujet craint de se conduire d'une manière (ou montrer des signes d'anxiété) qui va l'humilier ou l'embarrasser.

Note : chez les enfants, il faut prendre en compte l'âge où s'établissent des relations sociales avec les personnes familières, et l'anxiété doit survenir avec d'autres enfants et pas seulement lors de contacts avec des adultes.

B) La confrontation à la situation sociale redoutée provoque systématiquement l'anxiété, qui peut prendre la forme d'une attaque de panique, soit liée à la situation, soit prédisposée.

Note : chez l'enfant, l'anxiété peut s'exprimer par des pleurs, des colères, des inhibitions, des retraits des situations sociales où se trouvent des personnes non familières.

C) Le sujet reconnaît que sa peur est excessive et irrationnelle.
Note : chez l'enfant, cet élément peut être absent.

D) Les situations sociales ou de performance redoutées sont évitées, ou, sinon, elles sont vécues avec une anxiété intense ou une détresse.

E) L'évitement, l'anticipation anxieuse ou la détresse dans ces situations sociales ou de performance interfèrent avec le fonctionnement de la vie de tous les jours, le fonctionnement professionnel (ou scolaire), ou les activités et les relations sociales, ou il existe une détresse liée à la conscience d'avoir cette phobie.

F) Chez les sujets de moins de dix-huit ans, la durée est d'au moins six mois.

G) La peur ou l'évitement ne sont pas dus aux effets physiologiques directs d'une substance (par exemple drogue ou médicament) ou à une maladie médicale ou ne correspond pas à un autre trouble mental (panique avec ou sans agoraphobie, anxiété de séparation, dysmorphophobie, personnalité schizoïde).

H) S'il existe une maladie médicale ou un autre trouble mental, la peur du critère A) n'est pas liée à celle-ci ou celui-ci. Par exemple le sujet ne craint pas de bégayer (s'il est atteint de bégaiement), de trembler (s'il a une maladie de Parkinson), de révéler un comportement alimentaire anormal (s'il présente une anorexie mentale ou une boulimie).

Préciser s'il s'agit d'une forme généralisée : les peurs concernent la plupart des situations sociales.

Considérer aussi le diagnostic additionnel de Personnalité évitante.

Critères diagnostiques
de la personnalité évitante

D'après le DSM IV
(Diagnostic and Statistical Manual of Mental Disorders)
American Psychiatric Association, Washington DC, 1994

Ensemble envahissant d'inhibition sociale, de sentiment de ne pas être à la hauteur, et d'hypersensibilité à l'évaluation négative, apparaissant au début de l'âge adulte et présent dans des contextes divers, se traduisant par au moins quatre des manifestations suivantes :

A) évite les activités professionnelles qui entraînent des contacts importants avec autrui, par peur d'être critiqué, désapprouvé ou rejeté ;

B) est réticent à s'impliquer avec autrui, à moins d'être certain d'être aimé ;

C) restreint ses relations d'intimité par peur de se sentir honteux ou ridicule ;

D) craint d'être critiqué ou rejeté en situations sociales ;

E) reste réservé lors de nouvelles situations interpersonnelles, car ne se sent pas à la hauteur ;

F) se perçoit comme socialement incompétent, pas attirant, ou inférieur aux autres ;

G) est, de façon inhabituelle, réticent à prendre des risques personnels ou à s'engager dans des activités nouvelles, car susceptibles de le mettre dans l'embarras.

Si vous souhaitez, après la lecture de ce livre, informer un
de vos proches sur la phobie sociale ou sur les efforts
nécessaires pour s'en sortir,
nous avons rédigé deux documents résumés
à cette intention : leur lecture ne demande
que quelques minutes. Pensez aussi à relire
régulièrement ces pages pour accompagner
vos efforts personnels de changement

Comprendre la phobie sociale :
ce que vous devez savoir

Vous (ou l'un de vos proches) souffrez de phobie sociale.

La phobie sociale est une maladie psychologique de mieux en mieux connue des médecins et des chercheurs, et pour laquelle il existe aujourd'hui des traitements efficaces.

Pour mieux faire face à la phobie sociale et à ses répercussions sur votre vie, il est important que vous preniez connaissance des informations contenues dans ces pages.

Lisez et relisez attentivement ce document. Reparlez-en ensuite avec votre médecin, ou votre thérapeute, et n'hésitez pas à lui poser toutes les questions qui vous seront venues à l'esprit durant cette lecture.

I) Qu'est-ce que l'anxiété sociale ?

Vous avez peut-être déjà essayé de parler de vos difficultés à des proches. Et peut-être ceux-ci vous ont répondu qu'eux aussi ressentaient parfois de la timidité ou du trac dans certaines situations sociales. Pourtant, vous aviez le sentiment que vos difficultés étaient plus fortes, et de nature différente.

En fait, la plupart des personnes ont déjà ressenti de l'**anxiété sociale** : c'est tout simplement la crainte d'être jugé par les autres. Cette crainte se retrouve par exemple dans le **trac** (peur de parler face à un public ou à une personne impressionnante) ou dans la **timidité** (réserve excessive lors des premiers contacts avec des inconnus).

L'anxiété sociale n'empêche pas de vivre normalement, et n'est pas considérée comme une maladie. Par contre, sa forme la plus grave et la plus intense, la phobie sociale, représente une vraie maladie psychologique.

Tableau 1. *Ce qui est normal et ce qui ne l'est pas*

Anxiété sociale normale	Anxiété sociale pathologique = phobie sociale
Votre anxiété sociale ne vous oblige pas à fuir les situations sociales.	Vous êtes obligé(e) d'éviter un grand nombre de situations sociales.
Au bout d'un certain nombre de rencontres avec les personnes ou les situations, votre anxiété est moins forte.	Il arrive que vous ne soyez jamais rassuré, même auprès de personnes ou de situations que vous rencontrez très souvent.
Vous ressentez surtout de la gêne, et de l'embarras.	Vous éprouvez souvent une véritable panique et une grande honte.
Vous avez des amis et des relations, même s'il vous faut du temps pour vous lier.	Vous avez peu d'amis et de relations.

II) Qu'est-ce que la phobie sociale ?

La phobie sociale se compose de trois sortes de manifestations :

Des émotions pénibles, avec d'une part des crises d'angoisse avant et pendant les situations sociales, et d'autre part un sentiment de honte après celles-ci. L'**angoisse** est souvent difficile à contrôler, et donne à la personne l'envie de ne pas affronter les situations. La **honte** est liée à l'impression que l'on a été ridicule ou inintéressant, et elle pousse la personne à se replier sur elle-même, au lieu de chercher du réconfort ou de l'information auprès des proches.

Des modes de pensée négatifs. La personne phobique sociale a une **peur permanente d'être jugée par les autres,** avec l'impression que les gens vont l'observer et remarquer ses faiblesses, peut-être même l'agresser verbalement. La phobie sociale entraîne aussi une **mauvaise estime de soi** : on se sent inférieur aux autres, et l'on juge toujours négativement ce que l'on a fait.

Des comportements d'évitement. La phobie sociale pousse la personne à **éviter les situations sociales** où elle se sent trop vulnérable : elle refuse certaines invitations, ne se rend pas aux réunions, etc. Si elle ne peut éviter, elle adopte des comportements de protection, destinés à **ne pas attirer l'attention sur elle** : ne pas parler ou le faire très brièvement, ne pas regarder dans les yeux, ne pas donner son avis, etc.

Ces évitements, ces pensées, ces émotions se renforcent les uns les autres, et représentent un véritable piège pour la personne phobique sociale : plus elle évite, plus elle a honte d'elle et continue d'avoir peur, ce qui augmente encore ses idées négatives sur elle-même, ce qui la pousse à éviter encore plus, etc. C'est pourquoi, en général, la phobie sociale ne disparaît pas d'elle-même, et peut au contraire durer toute une vie.

III) La phobie sociale touche-t-elle beaucoup de personnes ?

Des travaux récents ont montré que 2 à 4 % de la population au minimum souffre de phobie sociale. Ce qui représente plus d'un à deux millions de personnes dans notre pays. La phobie sociale est un des troubles psychologiques les plus fréquents. Mais c'est aussi un des plus discrets : comme les individus qui en souffrent essaient de le cacher, ils ont souvent l'impression d'être les seuls dans leur cas.

IV) Les conséquences quotidiennes de la phobie sociale

Les études des spécialistes montrent que la phobie sociale entraîne un **lourd handicap** : davantage de solitude, des difficultés professionnelles, et aussi d'autres maladies, comme la dépression ou la tendance excessive à boire de l'alcool. La **souffrance quotidienne** de ces personnes est importante, d'autant plus que souvent elles ne sont pas perçues comme timides par leur entourage, mais plutôt comme distantes, froides, peu sympathiques. Cette impression erronée vient de leur tendance à se protéger et à mettre de la distance entre elles et les autres.

V) Les différentes formes de phobie sociale

Il existe différentes formes de phobies sociales. Parfois, la personne a surtout **peur de l'apparition d'un signe physique** d'anxiété : peur de se mettre à rougir, à transpirer, à trembler… D'autres fois, c'est une **situation précise** que l'on va redouter : écrire devant les autres, ou prendre la parole s'il y a plus de 3 ou 4 personnes. Il existe également des formes « généralisées » de phobie sociale : on a alors **peur de toute forme de contact avec autrui**, même le simple fait d'être regardé entraîne alors de l'angoisse.

Tableau 2. *Les situations quotidiennes difficiles*
dans la phobie sociale

Famille de situations	Exemples concrets	Gêne dans la vie quotidienne
Situations où il faut réussir une performance	Faire un exposé ou lire un texte face à un groupe, passer un examen oral, un entretien d'embauche…	On ne peut prendre la parole dans les réunions professionnelles ou de parents d'élèves, lire de texte lors de cérémonies familiales ou religieuses…
Situations où il faut bavarder ou échanger quelques mots	Parler de la pluie et du beau temps avec des voisins, des commerçants, des collègues de travail…	On évite de croiser ses voisins, ou d'aller chez les petits commerçants, on ne participe pas à la pause-café au travail…
Situations où il faut se révéler ou rentrer dans des discussions approfondies	Nouer une relation durable avec quelqu'un, parler de soi, répondre à des questions personnelles…	On évite les invitations, on fuit les relations amicales ou sentimentales…
Situations où il faut s'affirmer	Donner son avis, dire que l'on n'est pas d'accord, répondre à des critiques ou des remarques…	On ne fait jamais entendre son point de vue dans les discussions, on ne sait pas réclamer ou faire face aux vendeurs…
Situations où l'on va être observé	Manger, boire, écrire si on nous regarde ; rentrer dans un endroit où il y a déjà du monde (transports en commun, salle d'attente)…	Ne plus aller au restaurant, aux « pots », ne plus pouvoir rédiger un chèque ou un formulaire. Devoir arriver en premier dans les salles de réunion…

VI) D'où vient la phobie sociale ?

Aujourd'hui, on manque encore de certitudes pour affirmer ce qui cause la phobie sociale. Dans certains cas, on pense qu'il existe dès la naissance des **tendances anxieuses face à tout ce qui est nouveau ou inconnu**. Mais on sait aussi que le fait d'avoir été élevé dans une **famille** où on parlait peu aux autres personnes, où on recevait peu d'invités, peut aggraver des tendances à la timidité. De même certains **événements** traumatisants (avoir été l'objet de moqueries ou de mises à l'écart) survenus à l'adolescence peuvent jouer un rôle dans la survenue d'une phobie sociale.

VII) Peut-on s'en sortir ?

Il existe aujourd'hui des **solutions efficaces** pour faire face à la phobie sociale. Certains médicaments peuvent vous être prescrits par votre médecin, et vous aider à reprendre le contrôle de vos peurs, parfois avec l'aide d'une psychothérapie.

Les **médicaments** les plus efficaces dans la phobie sociale ne sont pas les tranquillisants mais certains antidépresseurs dits « sérotoninergiques » (parce qu'ils agissent sur la sérotonine, un neurotransmetteur impliqué dans les états anxieux et dépressifs). Ces médicaments sont efficaces même si vous n'êtes pas déprimé : ils ont une action directe sur la phobie. À condition de le prendre régulièrement et pendant une durée suffisante, ce traitement peut diminuer l'intensité de votre phobie sociale, et vous permettre peu à peu de reconstruire une vie normale.

Il existe aussi des **psychothérapies** efficaces sur la phobie sociale : les thérapies comportementales et cognitives. Ces psychothérapies apprennent à mieux se confronter aux situations qui font peur, et à domestiquer l'angoisse associée. Elles apprennent aussi à critiquer les pensées négatives sur soi et la peur excessive du jugement d'autrui. Dans tous les cas, la psychothérapie est un travail conduit en commun : le thérapeute soutient son patient, le conseille, le guide, l'encourage, lui donne des informations ; en retour, le patient s'engage à suivre de son mieux les consignes du thérapeute, et à pratiquer les exercices que ce dernier lui demande d'effectuer entre les séances.

Pour conclure

La phobie sociale est une maladie anxieuse fréquente. Elle entraîne souvent une grande souffrance et un handicap social important. Des

traitements efficaces existent aujourd'hui, sous forme de médicaments et de psychothérapies adaptés. Mais les efforts de la personne
phobique sociale restent indispensables. Si vous suivez les conseils de
votre médecin, ou de votre thérapeute, vous arriverez certainement à
surmonter la plupart de vos difficultés.

Lutter contre la phobie sociale au quotidien : ce que vous devez savoir

Vous souffrez de phobie sociale.

Il est rare que la phobie sociale disparaisse d'elle-même. Une attitude active est nécessaire pour la faire reculer. On sait aujourd'hui quels sont les efforts à faire pour pouvoir surmonter et dépasser ce type de maladie psychologique. Voici quelques conseils, qui complèteront ceux délivrés par votre médecin ou votre thérapeute. N'hésitez pas à en reparler avec lui.

I) Ne plus accepter la phobie sociale

Lorsque la phobie sociale est identifiée, cela fait en général plusieurs années que la personne en souffre. Elle a pris souvent l'habitude de se résigner et d'accepter les évitements, la honte, la peur, comme s'il s'agissait d'une malédiction ou d'une défaillance de sa personnalité, de sa volonté, de son émotivité sur laquelle il n'y aurait rien à faire. Il arrive même que certaines personnes phobiques sociales pensent que le problème ne vient pas d'elles mais des autres (qui seraient trop agressifs, égoïstes, ironiques, etc.). Parfois même, la personne phobique ne se rend plus compte de ses évitements, tant elle en a pris l'habitude.

Dans tous les cas, on a alors tendance à se résigner et à accepter la maladie. Cette attitude doit être combattue : pour se débarrasser de la phobie sociale, il faut la considérer comme un hôte indésirable, qui se serait installé chez vous sans que vous l'ayez invité.

Développez le réflexe de ne plus accepter d'obéir aux « ordres » que vous donne la phobie sociale : éviter des situations parce qu'on ressent de l'anxiété, fuir les autres parce qu'on ressent de la honte...

Tout ceci doit se faire progressivement, inutile de vouloir tout résoudre en une seule fois.

II) Penser autrement

1) Les erreurs psychologiques dues à la phobie sociale

Les personnes souffrant de phobie sociale commettent souvent des erreurs dans leur façon d'analyser ce qui leur arrive. Elles ont souvent le sentiment que :
– leur malaise intérieur est totalement visible ;
– leurs interlocuteurs vont les juger négativement à cause de leur émotivité ou de leurs limites ;
– un éventuel jugement négatif sur elles est une catastrophe irrattrapable.
En fait :
– Le malaise que l'on ressent n'est pas toujours visible. Nos battements cardiaques ne s'entendent pas, et un éventuel rougissement ou tremblement n'est remarqué que si on se bloque sur lui au lieu de continuer la conversation.
– Même si l'interlocuteur s'aperçoit d'un léger malaise chez la personne phobique sociale, il est tout à fait capable de moduler son jugement et de se dire : « Cette personne est émotive, mais sympathique, compétente, etc. » On n'est pas forcément rejeté parce qu'on se montre ému ou troublé.
– Enfin, même si l'interlocuteur porte un jugement négatif (ce cas de figure est beaucoup plus rare que les phobiques sociaux ne le pensent), il ne faut pas le considérer comme une catastrophe irrattrapable. On ne peut pas être aimé et estimé toujours et par tout le monde !

2) Les exigences excessives dues à la phobie sociale

Les personnes souffrant de phobie sociale sont en général trop sévères et exigeantes avec elles-mêmes. Beaucoup plus que les personnes non phobiques sociales, qui acceptent de ne pas être parfaites, de ne pas pouvoir plaire à tout le monde, etc. On retrouve, à cause de la phobie sociale, des croyances excessives, comme par exemple :
– « je dois toujours avoir quelque chose d'original à dire, sinon on va me prendre pour quelqu'un d'inintéressant » ;

– « je ne dois jamais laisser voir que je suis mal à l'aise, sinon je serai rejeté » ;

– « la plupart des gens ne pensent qu'à humilier les faibles une fois qu'ils les ont repérés ».

Prendre conscience du caractère excessif de ces convictions et lutter contre elles est un aspect particulièrement important dans votre lutte contre la phobie sociale. Pour reprendre nos exemples, il faut « assouplir » ses croyances :

– « je dois accepter qu'il y ait parfois des blancs dans la conversation, ou que l'on parle de banalités, cela arrive à tout le monde » ;

– « même si on voit que je suis ému, on peut quand même m'apprécier » ;

– « les personnes agressives ne sont heureusement pas la majorité ».

III) Faire face aux émotions : la peur et la honte

1) Affronter sa peur :

La peur se manifeste le plus souvent avant et pendant les situations sociales.

Avant : on ressent de l'anxiété anticipatoire, on imagine à l'avance que cela va mal se passer, et on se projette un véritable film d'épouvante basé sur un « scénario catastrophe ».

Pendant : dès qu'on commence à ressentir de la peur, on se concentre excessivement sur celle-ci, avec des questions du genre « est-ce que ça se voit ? », « et si l'angoisse ne s'arrête pas de monter ? ». À partir de ce moment, la personne phobique sociale n'est plus attentive à la situation mais à son angoisse, à ce qu'elle ressent et à ce que les autres pensent peut-être. En fait, les autres n'ont rien repéré, du moins au début ; au bout d'un certain temps, ils finissent parfois par remarquer que la personne est comme absente, préoccupée, mal à l'aise... Celle-ci est tout simplement en train de se noyer toute seule dans son anxiété sociale.

Que faire ?

Il est difficile de ne pas ressentir d'anxiété sociale ; même les personnes non phobiques sociales en éprouvent régulièrement. Par contre, il est tout à fait possible d'apprendre à agir malgré l'anxiété, avec cette anxiété. À condition de ne pas se focaliser sur elle, et de se concentrer sur la situation en cours, peu à peu, l'anxiété deviendra simplement un bruit de fond désagréable, puis finira par disparaître.

308 LA PEUR DES AUTRES

2) Lutter contre la honte :

La honte est une émotion particulièrement pénible et fréquente dans la phobie sociale. Elle se manifeste le plus souvent pendant et après les situations sociales.

Pendant : on a le sentiment que tout ce que l'on dit, fait, montre… est ridicule et nous infériorise. Pour tenter de faire comprendre cette honte à des non-phobiques sociaux, il faut leur demander dans quel état ils seraient s'ils se retrouvaient complètement nus lors d'une soirée ou d'un entretien avec quelqu'un.

Après : on ressasse ses erreurs et ses bêtises supposées (« je n'aurais pas dû faire ça, dire ça, me comporter comme ça, tout le monde l'a vu, et en aura pensé du mal, on a dû me mépriser… »).

Que faire ?

Comme l'angoisse, la honte est difficile à supprimer au début. Il faut surtout se battre pour en limiter la portée et les conséquences.

En limiter la portée, c'est-à-dire ne pas accepter de « généraliser » à outrance : ce n'est pas parce qu'on a été mal à l'aise lors d'une soirée que « *tout* est fichu », que « *tout le monde* nous méprise », et que « *toute* notre personne est pathétique et minable ». Il est bon de se critiquer de façon constructive (« la prochaine fois, je dois essayer de parler davantage, à plus de monde, etc. »), pas de se « massacrer » soi-même. Comment parleriez-vous à un de vos meilleurs amis s'il se trouvait dans votre situation ? Sans doute en essayant de ne pas dramatiser, de lui rappeler aussi ses qualités, et de l'aider à mieux se préparer pour la prochaine fois. Et si vous en faisiez de même pour vous ?

Attention aussi aux conséquences de la honte : le réflexe d'une personne honteuse d'elle-même, c'est de s'isoler, de se cacher. Or, pour un phobique social, cela va aggraver son problème, puisqu'il va se couper encore plus des autres (par exemple, certaines personnes ne veulent plus revoir des gens devant lesquels elles ont rougi), et surtout s'isoler dans ses convictions : si on ne fait pas l'effort de recueillir d'autres points de vue que le sien, on restera persuadé qu'on a été lamentable, là où les autres nous auront trouvé normal, ou à peine gêné.

IV) Ne plus fuir

1) Les évitements

Fuir les situations qui nous mettent mal à l'aise peut paraître logique : on s'évite ainsi de souffrir. Pourtant, on sait aujourd'hui que chaque évitement aggrave ou maintient la phobie sociale. Plus je fuis les situations, plus je maintiens ma vulnérabilité face à celles-ci.

Il existe deux sortes d'évitements :

– les évitements de situations (ne pas aller à une soirée, éviter de déjeuner avec des collègues…) ;

– les évitements « subtils » ou discrets (dans les situations que l'on n'a pas pu éviter, tout faire pour éviter de montrer sa vulnérabilité, par exemple ne pas regarder dans les yeux, ne pas prendre la parole, ne pas saisir d'objet si on a peur de trembler…).

2) Affronter les situations sociales

Éviter aggrave ou chronicise. Se confronter permet peu à peu de prendre le dessus sur la phobie sociale. Encore faut-il respecter certaines règles lorsqu'on veut faire ce que les thérapeutes appellent des « exercices d'exposition » :

– S'exposer assez longtemps aux situations angoissantes ; c'est-à-dire, chaque fois que possible, au moins 30 à 45 minutes. En effet, une confrontation trop courte ne permet pas à l'anxiété de diminuer.

– S'exposer régulièrement. Une fois ne suffit pas, il faut que les confrontations soient répétées à de nombreuses reprises pour que l'anxiété recule nettement et durablement.

– S'exposer progressivement. Pour les phobiques sociaux, c'est très douloureux, pénible et épuisant de se confronter à leurs peurs. C'est pourquoi on leur recommande de commencer par des exercices assez simples, et d'augmenter progressivement la difficulté.

3) Comment s'exposer en pratique

Lorsque vous vous confrontez à des situations sociales angoissantes pour vous, pensez à certaines règles :

– ne vous concentrez pas sur votre anxiété, mais sur la situation ;

– rappelez-vous que même si vous ressentez très fortement votre malaise, les autres ne sont pas dans votre peau, et que souvent ils ne remarqueront pas votre anxiété ;

– après les exercices, ne vous jugez pas en tout ou rien, félicitez-vous d'avoir osé ou essayé, et réfléchissez à ce qui pourra être amélioré la prochaine fois.

Pour conclure

Tous les conseils donnés ici ne seront pas forcément faciles à appliquer dans votre cas. Il sera alors nécessaire de solliciter l'aide de votre médecin ou d'un psychothérapeute. De très nombreux patients dans le monde ont déjà bénéficié de ces techniques, et elles pourront vous aider vous aussi.

Pensez aussi tout simplement à prendre des résolutions pour modifier votre vie quotidienne. Si vous avez décidé de changer, concrétisez-le : téléphonez (ou écrivez, si c'est trop dur) à des amis que vous n'avez pas contactés depuis longtemps, remettez-vous à inviter des proches chez vous, faites l'effort d'échanger deux ou trois mots (pas plus au début !) avec commerçants et voisins, marchez la tête haute au lieu de fuir les regards... C'est cette somme de petits combats quotidiens (même si vous ne les gagnez pas toujours) qui va vous aider à faire reculer la phobie sociale.

Bon courage !

Pour en savoir plus

Christophe André et François Lelord
L'Estime de soi, Odile Jacob, 1999
  Les anxieux sociaux ont la plupart du temps d'importants
  problèmes d'estime de soi. Pour en apprendre davantage sur
  cette dimension fondamentale.

Christophe André et Muzo
Petites angoisses et grosses phobies, Seuil, 2002
  Un certain nombre de phobiques sociaux présentent aussi
  d'autres formes d'angoisses et de phobies. Un tour d'horizon
  complet et illustré avec humour par le dessinateur Muzo.

Christophe André
Les Thérapies cognitives, Bernet-Danilo, 1995
  L'essentiel de ce qu'il faut savoir sur les thérapies cognitives
  en seulement une heure de lecture.

Elaine Aron
Ces gens qui ont peur d'avoir peur, Le Jour, 1999
  L'hypersensibilité globale (qui concernerait une personne sur
  cinq) est souvent associée à la timidité et à la phobie sociale.

Un livre clair pour mieux comprendre et gérer cette hyper-sensibilité au quotidien.

Jean-Marie Boisvert et Madeleine Beaudry
S'affirmer et communiquer, Éditions de l'Homme, Québec, 1979
   Un classique de l'affirmation de soi, déjà lu par des générations d'anxieux sociaux.

Jean Cottraux
Les Thérapies cognitives, Retz, 1992
   De nombreux exemples de thérapies cognitives conduites dans différents types de troubles, dont les phobies sociales.

Charly Cungi
Savoir s'affirmer, Retz, 1996
   Un ouvrage pratique et convivial pour arriver à prendre sa place face aux autres.

Frédéric Fanget
Je m'affirme, Odile Jacob, 2000
   Changer ses pensées et sa façon de communiquer pour n'être plus ni hérisson ni paillasson. Nombreux conseils et exemples concrets.

Jerome Kagan
La Part de l'inné, Bayard, 1999
   Existe-t-il des prédispositions innées à avoir peur des autres ? Ce livre explique comment des tempéraments craintifs et anxieux face à la nouveauté, souvent présents dès l'enfance, peuvent exposer au développement ultérieur de l'anxiété sociale.

François Lelord et Christophe André
Comment gérer les personnalités difficiles, Odile Jacob, 1996 et 2000
   Des repères utiles aux anxieux sociaux pour mieux faire face à des interlocuteurs pas toujours faciles.

Jacques Van Rillaer
Les Thérapies comportementales, Bernet-Danilo, 1995
    L'essentiel de ce qu'il faut savoir sur les thérapies comportementales en seulement une heure de lecture.

Jacques Van Rillaer
Peurs, angoisses et phobies, Bernet-Danilo, 1997
    Les mécanismes psychologiques et comportementaux de l'angoisse clairement décrits en soixante pages.

Ouvrages destinés aux professionnels

Gisèle George et Luis Vera
La Timidité chez l'enfant et l'adolescent, Dunod, 1999
    Bonne synthèse des difficultés rencontrées par les enfants anxieux sociaux et des techniques pour les soigner.

Jean-Claude Jugon
Les Phobies sociales au Japon, ESF, 1998
    Essai d'ethnopsychologie, montrant l'universalité de l'anxiété sociale.

Richard Heimberg, Michael Liebowitz, Debora Hope et Richard Schneier (sous la direction de)
Social phobia : diagnosis, assessment and treatment, Guilford Press, 1995
    Ouvrage indispensable aux professionnels, où sont synthétisées toutes les connaissances nécessaires au traitement des phobiques sociaux.

Harold Leitenberg (sous la direction de)
Social and evaluation anxiety, Plenum Press, New York, 1990
    Ouvrage collectif, abordant de manière assez exhaustive toutes les dimensions de l'anxiété d'évaluation. Plutôt théorique que pratique.

Thérèse Lemperière (sous la direction de)
Les Phobies sociales, Masson, 2000
   Une brochette de spécialistes français pour l'ouvrage universitaire le plus complet et le plus pointu existant dans notre langue.

Dominique Servant et Philippe-Jean Parquet
Les Phobies sociales, Masson, 1997
   Ouvrage de synthèse sur la phobie sociale, notamment sur le développement du trouble chez l'enfant.

Louis Schmidt et Jay Schulkin (sous la direction de)
Extreme fear, shyness and social phobia : origins, biological mechanisms and clinical outcomes, Oxford University Press, 1999.
   Traité très spécialisé, notamment sur les aspects neurobiologiques de la phobie sociale. Pour spécialistes avertis.

Murray Stein (sous la direction de)
Social phobia : clinical and research perspectives, American Psychiatric Press, 1995
   Bon ouvrage, assez complet, par un des meilleurs spécialistes américains de la phobie sociale.

Notes

Introduction : « C'est à vous... »

1. Zimbardo P., *Shyness*, Reading, Addison-Wesley, 1977.
2. Schneier F. R. et coll., « Social phobia : comorbidity and morbidity in an epidemiologic sample », *Archives of General Psychiatry,* 1992, 49, p. 282-288.
3. Schlenker B. R., Leary M. R., « Social anxiety and self-presentation : a conceptualization and model », *Psychological Bulletin,* 1982, 92, p. 641-669.
4. Leitenberg H. ed., *Social and Evaluation Anxiety,* New York, Plenum Press, 1990, p. 1-8.

Première partie
NOS PEURS SOCIALES ET LEURS MANIFESTATIONS

Chapitre 1 : Des situations et des hommes

1. Sondage IFOP pour *Globe,* décembre 1993.
2. Janet P., *Les Névroses*, Paris, Flammarion, 1909, p. 137.
3. Holt C. et coll., « Situational domains of social phobia », *Journal of Anxiety Disorders,* 1992, 6, p. 63-77.
4. Lelord F., *Liberté pour les insensés. Le roman de Philippe Pinel,* Paris, Odile Jacob, 2000.
5. Boisvert J.-M., Beaudry M., *S'affirmer et communiquer,* Montréal, Éditions de l'Homme, 1979.
6. Hartenberg P., *Les Timides et la Timidité*, Paris, Alcan, 1910.

7. André C., Lelord F., Légeron P., *Chers patients. Petit traité de communication à l'usage des médecins*, Paris, Éditions du Quotidien du Médecin, 1997.

8. Claretie J., *Le Journal*, 5 juillet 1899, cité *in* Hartenberg, *op. cit.*, p. 156.

9. Zimbardo P., *op. cit.*

Chapitre 2 : Le tumulte du corps

1. Cheek J. M., Watson A. K., « The definition of shyness », *Journal of Social Behavior and Personality,* 1989, 4, p. 85-95.

2. Amies P. L. et coll., « Social phobia : a comparative clinical study », *British Journal of Psychiatry*, 1983, 142, p. 174-179.

3. Brantigan C. O. et coll., « Effects of beta-blockade and beta-stimulation on stage fright », *American Journal of Medicine*, 1982, 72, p. 88-94.

4. Trad. franç. par M. Laingui, *Le Concept de phobie sociale*, mémoire pour l'obtention du CES de psychiatrie, 1991, Université Paris-V-René Descartes.

5. Garnier M., Delamare V., *Dictionnaire des termes techniques de médecine*, Paris, Maloine, 1974.

6. Casper J. L., *Denkwürdigkeiten zur medicinischen Statistik und Staatsartzneikunde*, Berlin, Verlag von Duncker und Humblot, 1846.

7. Janet P., *op. cit.*

8. Sempé, *Marcellin Caillou*, Paris, Gallimard, 1982.

9. Hartenberg P., *op. cit.*

10. *Ibid.*

11. Gross M., « Indications et techniques de la chirurgie du système neurovégétatif intrathoracique par voie endoscopique », *Journal de Cœlio-Chirurgie*, 1996, n° 17, p. 35-38.

12. Lôo P., Lôo H., *Le Stress permanent*, Paris, Masson, 1995 (1999, 2e éd.).

13. Morris D., *Manwatching*, New York, Abrams Inc., 1977.

14. Hanin Y. L., « State-Trait research on sport in the USSR », *in* Spielberger C. D. et Diaz-Guerrero C. éd., *Cross-Cultural Anxiety*, vol 3., Washington DC, Hemisphere Publishing, 1986, p. 45-64.

15. Taylor J., « Predicting athletic performance with self-confidence and somatic and cognitive anxiety as a function of motor and physiological requirements in six sports », *Journal of Personality*, 1987, 55, p. 139-153.

16. *Télérama*, février 1995, n° 2351, p. 22.

17. Corraze J., *Les Communications non verbales*, Paris, PUF, 1980.

Chapitre 3 : Les désordres du comportement

1. *Le Nouvel Observateur*, juillet 1983.

2. Dantzer R., *L'Illusion psychosomatique*, Paris, Odile Jacob, 1989, p. 170.

3. Hartenberg, *op. cit.*

4. Wells A. et coll., « Social phobia : the role of in-situation safety behaviors in maintaining anxiety and negative beliefs », *Behavior Therapy,* 1995, 26, p. 153-161.

5. Cité par Jolibert B., *L'Éducation d'une émotion,* Paris, L'Harmattan, 1997.

6. Laborit H., *L'Inhibition de l'action,* Paris, Masson, 1981.

Chapitre 4 : Tempête sous un crâne

1. Leitenberg, *op. cit.,* p. 63.

2. Stopa L., Clark D., « Cognitive Process in Social Phobia », *Behaviour Research and Therapy,* 1993, 31, 3, p. 267-295.

3. Pardoen D. et coll., « Self-esteem in recovered bipolar and unipolar outpatients », *British Journal of Psychiatry,* 1993, p. 755-762.

4. Cheek J. M., Melchior L. A., « Shyness, self-esteem and self-consciousness », *in* Leitenberg, *op. cit.,* p. 74-82.

5. Fleming J., Courtney B., « The dimensionality of self-esteem », *Journal of Personality and Social Psychology,* 1984, 46, p. 404-421.

6. Elliott G., « Dimension of self-concept », *Journal of Youth and Adolescence,* 1984, 13, p. 285-307.

7. Wells A., Clark D. M., « Social phobia : a cognitive approach », in *Phobias, a handbook of theory, research and treatment,* G. C. L. Davey ed., Chichester, John Wiley and Sons, 1997, p. 16-18.

8. Veljaca K. A., Rapee R. M., « Detection of negative and positive audience behaviours by socially anxious subjects », *Behaviour Research and Therapy,* 1998, 36, p. 311-321.

9. Amin N., Foa E. B., Coles M. E., « Negative interpretation bias in social phobia », *Behaviour Research and Therapy,* 1998, 36, p. 945-957.

10. Winton E. C., Clark D. M., Edelman R. J., « Social anxiety, fear of negative evaluation and the detection of negative emotion in others », *Behaviour Research and Therapy,* 1995, 33, p. 193-196.

11. Rivière B. et coll., « Approche cognitive de l'anticipation dans les dépressions », *L'Encéphale,* 1991, 17, p. 449-456.

12. Sutter J., *L'Anticipation,* Paris, PUF, 1990, 2ᵉ éd. revue et corrigée.

13. Beck A. T., Emery G., *Anxiety Disorders and Phobias,* New York, Basic Books, 1985.

Deuxième partie
DES PEURS NORMALES AUX PEURS PATHOLOGIQUES

Chapitre 1 : Trac et appréhensions

1. Dictionnaire historique de la langue française, sous la direction d'Alain Rey, Paris, Robert, 1992.

2. Duneton C., *La Puce à l'oreille. Anthologie des expressions populaires avec leur origine*, Paris, Balland, 1990.

3. Smith R. E., Smoll F. L., « Sport performance anxiety », *in* Leitenberg, *op. cit.*, p. 417-454.

4. Mac Croskey J. C., Beatty M. J., « Oral communication apprehension », *in Shyness : Perspectives on Research and Treatment*, Jones W., Cheek J., Briggs S. ed., New York, Plenum Press, 1986, p. 279-293.

5. Stein M. B. et coll., « Setting diagnostic tresholds for social phobia : considerations from a community survey of social anxiety », *American Journal of Psychiatry*, 1994, 151, p. 408-412.

6. Stein M. B. et coll., « Public-speaking fears in a community sample », *Archives of General Psychiatry*, 1996, 53, p. 169-174.

7. Barbot P., *Télérama*, 17 août 1994.

8. James I. M., « Aspects pratiques concernant l'utilisation des bêta-bloquants dans les états d'anxiété : l'anxiété de situation », *Psychologie médicale*, 1984, 16, p. 2555-2564.

9. *Textes de scène*, Paris, Seuil, 1988.

10. Levin A. P. et coll., « Responses of generalized and discrete social phobics during public speaking », *Journal of Anxiety Disorders*, 1993, 7, p. 207-221.

11. *Le Nouvel Observateur*, juillet 1983.

12. Davidson J. R. et coll., « The epidemiology of social phobia », *Psychological Medicine*, 1993, 23, p. 709-718.

13. Bruce T. J., Barlow D. H., « The nature and role of performance anxiety in sexual dysfonction », *in* Leitenberg, *op. cit.*, p. 357-384.

14. Tignol J., Martin C., Pujol H. et coll., « Prévalence de la timidité, de la phobie sociale, et de la personnalité évitante dans les dysfonctions érectiles », *Sexologies*, 1998, 7, p. 31-32.

Chapitre 2 : La timidité

1. André C., *La Timidité*, Paris, Presses Universitaires de France, 1997.

2. Turner S. M. et coll., « Social phobia : relationship to shyness », *Behaviour Research and Therapy*, 1990, 28, p. 497-505.

3. Zimbardo P., *op. cit.*

4. *L'Express*, 6 juillet 1995, p. 30-35.

5. Pilkonis P. A., « The behavioral consequences of shyness », *Journal of Personality*, 1977, 45, p. 596-611.

6. *L'Événement du jeudi*, n° 471, 1993, p. 61.

7. *Caractères*, VII, 83, VI, in *Moralistes du XVIIᵉ siècle*, Paris, Laffont, collection Bouquins, p. 783.

8. Stevenson-Hinde J., Hinde R. A., « Changes in association between characteristics and interactions », *in* Plomin R., Dunn J. ed., *The Study of Temperament : Changes, Continuities and Challenges*, Hillsdale, N.-J., Erlbaum, 1986, p. 115-129.

9. Amiel, *Journal intime*, Genève, Georg et Cie, 1897, t. I, p. 152.

10. Sarcey F., *Revue Bleue*, 20 juillet 1895.

11. Pilkonis P. A. et coll., « Social anxiety and psychiatric diagnosis », *Journal of Nervous and Mental Diseases*, 1980, 168, p. 13-18.

12. Caspi A. et coll., « Moving away from the world : life course patterns of shy children », *Developmental Psychology*, 1988, 24, p. 824-831.

13. *Top Santé*, n° 53, février 1995.

14. Jones W. A. et coll., « Loneliness and social anxiety », *in* Leitenberg, *op. cit.*, p. 247-266.

15. Sondage IFOP avril 1992 pour *Top Santé*.

16. Leitenberg, *op. cit.*

17. Kagan J., « Temperamental contributions to social behavior », *American Psychologist*, 1989, 44, 4, p. 668.

Chapitre 3 : La personnalité évitante

1. Turner S. M. et coll., « Social phobia : a comparison of specific and generalized subtypes and avoidant personality disorder », *Journal of Abnormal Psychology*, 1992, 101, p. 326-331.

2. Herbert J. et coll., « Validity of the distinction between generalized social phobia and avoidant personality disorder », *Journal of Abnormal Psychology*, 1992, 101, p. 332-339.

3. Jansen M. et coll., « Personality disorders and features in social phobia and panic disorder », *Journal of Abnormal Psychology*, 1994, 103, p. 391-395.

4. De Girolamo G., Reich J. H., « Personality disorders », *World Health Organisation*, Genève, 1993.

5. Faravelli C., Zucchi T., Viviani B. et coll., « Epidemiology of social phobia : a clinical approach », *European Psychiatry*, 2000, 15, p. 17-24.

6. Holt C. S. et coll., « Avoidant personality disorder and the generalized subtype of social phobia », *Journal of Abnormal Psychology*, 1992, 101, p. 318-325.

Chapitre 4 : La phobie sociale

1. Lepine J.-P., « Aspects épidémiologiques actuels des phobies sociales », *Journal de thérapie comportementale et cognitive*, 1994, 4, 4, p. 105-107.

2. Pélissolo A., André C., Moutard-Martin F. et coll., « Social phobia in the community : relationship between diagnostic treshold and prevalence », *European Psychiatry*, 2000, 15, p. 25-28.

3. Martin C., Maurice-Tison S., Tignol J., « Les troubles anxieux en médecine générale : enquête auprès du réseau sentinelle Aquitaine », *L'Encéphale*, 1998, 24, p. 120-124.

4. Davidson J. R. et coll., « The Boundary of Social Phobia : Exploring the Treshold », *Archives of General Psychiatry*, 1994, 51, p. 975-983.

5. André C., Légeron P., « La Phobie sociale : approche clinique et thérapeutique », *L'Encéphale*, 1995, 21, 1, p. 1-13.

6. Weinshenker N. J. et coll., « Profile of a large sample of patients with social phobia : comparison between generalized and specific social phobia », *Depression and Anxiety,* 1996/1997, 4, p. 209-216.

7. Brown E. J. et coll., « Social phobia subtype and avoidant personality disorder : effect on severity of social phobia, impairment, and outcome of cognitive behavioral treatment », *Behavior Therapy,* 1995, 26, p. 467-486.

8. Liebowitz M. R., Heimberg R. G., Travers J., Stein M. B., « Social phobia or social anxiety disorder : what's a name ? », *American Journal of Psychiatry,* 2000, 57, p. 191-192.

9. Lepine J.-P., Pélissolo A., « Epidemiology and comorbidity of social anxiety disorder », in S*ocial anxiety disorders,* Westenberg H. G. M., Den Boer J. A. (eds), Amsterdam, Syn-Thesis, 1999, p. 29-45.

10. Schneier, *op. cit.*

11. Van Ameringen M. et coll., « Relationship of social phobia with other psychiatric illness », *Journal of Affective Disorders,* 1991, 21, p. 93-99.

12. Scholing A., Emmelkamp P., « Social Phobia : nature and treatment », *in* Leitenberg, *op. cit.,* p. 269-324.

13. Lepine J.-P., Pélissolo A., « Social phobia and alcoholism : a complex relationship », *Journal of Affective Disorders,* 1998, 50, p. S23-S28.

14. Cox B. J. et coll., « Social desirability and self-report of alcohol abuse in anxiety disorder patients », *Behaviour Research and Therapy,* 1994, 32, p. 175-178.

15. Himle J. A. et coll., « Effect of alcohol on social phobic anxiety », *American Journal of Psychiatry,* 1999, 156, p. 1237-1243.

16. Sonntag H., Wittchen H. U., Höffler M. et coll., « Are social fears and DSM-IV social anxiety disorder associated with smoking and nicotine dependence in adolescents and young adults ? », *European Psychiatry,* 2000, 15, p. 67-74.

17. Myrick H., Brady K. T., « Social phobia in cocaine-dependant individuals », *American Journal on Addictions,* 1997, 6, p. 99-104.

18. Kessler R. C. et coll., « Lifetime co-morbidities between social phobia and mood disorders in the US National Comorbidity Survey », *Psychological Medicine,* 1999, 29, p. 555-567.

19. Alpert J. E. et coll., « Social phobia, avoidant personality and atypical depression : co-occurrence and clinical implications », *Psychological Medicine,* 1997, 27, p. 627-633.

20. Légeron P., André C., « Thérapies comportementales et cognitives de la dépression », *in Les Maladies dépressives,* Olié J.-P. et Poirier M.-F., Lôo H., éd., Paris, Flammarion, 1995, p. 424-433.

21. André C., « Une dépression qui n'en finit pas », *Abstract Neuro-Psy,* 1995, n° 130.

22. Davies F. et coll., « The relationship between types of anxiety and depression », *Journal of Nervous and Mental Diseases,* 1995, 183, p. 31-35.

23. Wittchen H. U., Belloch E., « The impact of social phobia on quality of life », *International Clinical Psychopharmacology,* 1996, 11 (suppl.), p. 15-23.

24. Schneier F. R. et coll., « Functional impairment in social phobia », *Journal of Clinical Psychiatry,* 1994, 55, p. 322-331.

25. Wittchen H. U. et coll., « Social fears and social phobia in a community sample of adolescents and young adults : prevalence, risks factors and co-morbidity », *Psychological Medicine,* 1999, 29, p. 309-323.

26. De Witt D. J. et coll., « Antecedents of the risk of recovery from DSM-III-R social phobia », *Psychological Medicine,* 1999, 29, p. 569-582.

27. D'après André C., « Le premier entretien avec un patient phobique social », *Journal de Thérapie comportementale et cognitive,* 1996, 6, p. 35-36.

Troisième partie
MAIS POURQUOI DONC AVONS-NOUS PEUR DES AUTRES ?

Chapitre 1 : La mécanique du psychisme

1. Beck A. T., Emery G., *op. cit.*

2. Marc Aurèle, *Pensées,* Paris, A. I. Trannoy, 1953.

3. Lazarus R., Falkman S., *Stress, Appraisal and Coping,* New York, Springer, 1984.

4. Watzlawick P., *Faites vous-même votre malheur,* Paris, Le Seuil, 1984.

5. Beck A. T., *Cognitive Therapy and the Emotional Disorders,* New York, International Universities Press, 1976.

6. Stopa L., Clark D. M., « Social phobia and interpretation of social events », *Behaviour Research and Therapy,* 2000, 38, p. 273-283.

7. Ellis A., *Reason and Emotion in Psychotherapy,* New York, Birch Lane, 1994.

8. Piaget J., *Six études de psychologie,* Genève, Gonthier, 1964.

9. O'Banion K., Arkowitz H., « Social anxiety and selective memory for affective information about the self », *Social Behaviour and Personality,* 1977, 5, p. 321-328.

10. Schlenker B. R., Leary M. R., « Social anxiety and self-presentation : a conceptualisation and model », *Psychological Bulletin,* 1982, 92, p. 641-669.

11. Stopa L., Clark D. M., *op. cit.*

12. Dugas L., *La Timidité,* Paris, Alcan, 1898, p. 17.

13. Cheek J. et Melchior L., « Shyness, Self-Esteem and Self-Consciousness », *in* Leitenberg, *op. cit.,* p. 47-82.

14. Hackmann A. et coll., « Seeing yourself through other's eyes : a study of spontaneously occurring images in social phobia », *Behavioural and Cognitive Psychotherapy,* 1998, 26, p. 3-12.

15. Wells A., Clark D. M. et Ahmad S., « How do I look with my mind eye : perspective taking in social phobic imagery », *Behaviour Research and Therapy,* 1998, 36, p. 631-634.

16. Wells A. et Papageorgiou C., « The observer perspective : biased imagery in social phobia, agoraphobia and blood/injury phobia », *Behaviour Research and Therapy,* 1999, 37, p. 653-658.

17. Musa C. Z. et Lepine J.-P., « Cognitive aspects of social phobia : a review of theories and experimental research », *European Psychiatry,* 2000, 15, p. 59-66.

Chapitre 2 : Les origines

1. Hudson J.-L., Rapee R. M., « The origins of social phobia », *Behavior Modification,* 2000, 24, p. 102-129.

2. Schneier F. R., Liebowitz M. R., Abi-Dargham A. et coll., « Low dopamine D2 receptor binding potential in social phobia », *American Journal of Psychiatry,* 2000, 157, p. 457-459.

Nutt D.J., Bell C. J., Malizia A. L., « Brain mechanisms of social anxiety disorder », *Journal of Clinical Psychiatry,* 1998, 59 (suppl. 17), p. 4-9.

3. Poth. N. et coll., « Levels of urinary free corticol in social phobia », *Journal of Clinical Psychiatry,* 1993, 54, 12, p. 41-42.

4. Tupler L. A., Davidson J. R., Smith R. D. et coll., « A repeat proton magnetic resonance spectroscopy study in social phobia », *Biological Psychiatry,* 1997, 42, p. 419-424.

Stein M. B., Leslie W. D., « A brain single photon-emission computed tomography (SPECT) study of generalized social phobia », *Biological Psychiatry,* 1996, 39, p. 825-828.

5. Schneider F., Weiss U., Kessler C. et coll., « Subcortical correlates of differential classical conditioning of aversive emotional reactions in social phobia », *Biological Psychiatry,* 1999, 45, p. 863-871.

6. Baylé F. J., Millet B., André C., « Biologie des phobies sociales », *L'Encéphale,* 1999, 25, p. 345-352.

7. Kagan J., *La Part de l'inné,* Paris, Bayard, 1999.

8. Kagan J., « Temperamental contributions to social behavior », *American Psychologist,* 1989, 44, p. 668-674.

9. *L'Événement du jeudi,* 1993, n° 471.

10. Kagan J., Snidman N., « Temperamental factors in human development », *American Psychologist,* 1991, 46, p. 856-862.

11. Suomi S. J., « Genetic and maternal contributions to individual differences in rhesus monkey behavioral development », *in* Krasnegor S. A., Blass E. M., Hofer M. A. ed., *Perinatal Development : A Psychological Perspective,* New York, NY Academic Press, 1987, p. 397-419.

12. Kendler K. S. et coll., « The genetic epidemiology of phobias in women », *Archives of General Psychiatry,* 1992, 49, p. 273-281.

13. Seligman M. E. P., « Phobias and preparedness », *Behavior Therapy,* 1971, 2, p. 307-320.

14. Trower P. et coll., « Social anxiety, evolution and self-presentation : an interdisciplinary perspective », *in* Social and Evaluation Anxiety, Leitenberg H. ed., New York, Plenum Press, 1990.

15. Kagan J., Snidman N., *op. cit.*

16. Garcia C. et coll., « Behavioral inhibition in young children », *Child Development,* 1984, 55, p. 1005-1019.

17. Kerr M. et coll., « Stability of inhibition in a swedish longitudinal sample », *Child Development,* 1994, 65, p. 138-146.

18. Rosenbaum J. F. et coll., « Behavioral inhibition in childhood : a risk factor for anxiety disorders », *Harvard Rev. Psychiatry,* 1993, 1, p. 2-16.

19. Myers J. K. et coll. « Six months prevalence of psychiatric disorders in three communities », *Archives of General Psychiatry,* 1984, 41, 10 : p. 959-967.

20. Gough H. G., Thorne A. « Positive, negative and balanced shyness : self-definitions and reactions of others », *in* Jones W., Check J., Biggs S. (ed.), *Shyness,* New York, Plenum Press, 1986 : p. 205-225.

21. Kerr M., *op. cit.*

22. Friedman P. G., *Shyness and reticence in students,* National Education Association, Washington DC, 1980.

23. Fyer A. J. et coll., « A direct interview family study of social phobia », *Archives of General Psychiatry,* 1993, 50, p. 286-293.

24. Rosenbaum J. F. et coll., « Behavioral inhibition in children : a possible precursor to panic disorder or social phobia », *Journal of Clinical Psychiatry,* 1991, 52, 11, p. 5-9.

25. Cooper P. J., Eke M., « Chidhood shyness and maternal social phobia : a community study », *British Journal of Psychiatry,* 1999, 174, p. 439-443.

26. Zimbardo P., *op. cit.*

27. Kleinknecht R. et coll., « Cultural variation in social anxiety and Phobia : A study of *Taijin Kyofusho* », *The Behavior Therapist,* 1994, 17, p. 175-178.

28. Ota et coll., « La phobie sociale : quelques remarques cliniques japonaises et occidentales », *Annales de Psychiatrie,* 1989, 4, p. 222-224.

29. Jugon J. -C., *Phobies sociales au Japon,* Paris, ESF, 1998.

30. Lee S., *Social Phobia in Korea,* Séoul, The East Asian Academy of Cultural Psychiatry, 1987.

31. Kagan J. et coll., *Infancy : Its Place in Human Development,* Cambridge, Harvard University Press, 1978.

32. Chan D. W., « Components of assertiveness : their relationships with assertive rights and depressed mood among chinese collegue students in Hong Kong », *Behavior Research and Therapy,* 1993, 31, p. 529-538.

Quatrième partie
COMMENT VAINCRE LA PEUR DES AUTRES

Introduction

1. Stein M. B., « How shy is to shy ? », *Lancet,* 1996, 347, p. 1131-1132.
2. De Saint-Mars D., Bloch S., *Max est timide,* Paris, Calligram, 1992.

Chapitre 1 : Médicaments ou psychothérapie ?

1. Zarifian É., *Des paradis plein la tête,* Paris, Odile Jacob, 1994.
2. Laingui M., Légeron P., « Chimiothérapies et abords cognitivo-comportementaux des phobies sociales », *Synapse,* 1993, 99, p. 70-79.
3. Granville-Grossman K. L., Turner P., « The effect of propanolol on anxiety », *Lancet,* 1966, 1, p. 788-790.
4. Laverdure B. et coll., « Médications bêtabloquantes et anxiété », *L'Encéphale,* 1991, 17, p. 481-492.
5. James I. M. et coll., « The effect of oxprenolol on stage fright in musicians », *Lancet,* 1977, 2, p. 952-954.
6. Brantigan C. O. et coll., *op. cit.*
7. Krishnan G., « Oxprenolol in the treatment of examination stress », *Current Medical Research and Opinion,* 1976, 4, p. 421.
8. Hartley L. R. et coll., « The effects of beta-adrenergics blocking drugs on speaker's performance and memory », *British Journal of Psychiatry,* 1983, 142, p. 512-517.
9. Liebowitz M. R., « Pharmacotherapy of social phobia », *Journal of Clinical Psychiatry,* 1993, 54, p. 31-35.
10. James I. M. « Aspects pratiques concernant l'utilisation des bêtabloquants dans les états d'anxiété : l'anxiété de situation », *Psychologie médicale,* 1984, 16, p. 2555-2561.
11. *Dictionnaire Vidal,* Paris, 2000.
12. Fishbein M. et coll., « Medical problems among ICSOM musicians : overview of a national survey », *Med. Probl. Performing Artists,* 1988, 3, p. 1-8.
13. Gossard D. et coll., « Use of beta-blocking agents to reduce the stress of presentation at an international cardiology meeting : results of a survey », *American Journal of Cardiology,* 1984, 54, p. 240-241.
14. Cottraux J., *Les Thérapies comportementales et cognitives,* Paris, Masson, 1990.
15. Bruce T., « Effects of alprazolam, propanolol, and placebo on extinction and its transfer in a socially phobic individual », communication au 27ᵉ congrès annuel de l'AABT, 1993, Atlanta.
16. Bisserbe J.-C., Weiller E., Boyer P., Lépine J.-P., Lecrubier Y., « Social phobia in primary care : level of recognition and drug use », *International Clinical Psychopharmacology,* 1996, 11 (suppl. 3), p. 25-28.

17. Liebowitz M. R. et coll., « Social phobia : review of a neglected anxiety disorder », *Archives of General Psychiatry*, 1985, 42, p. 729-736.

18. Versiani M., Nardi A. E., Mundim F. D. et coll., « Pharmacotherapy of social phobia : a controlled study with moclobemide and phenelzine », *British Journal of Psychiatry*, 1992, 161, p. 353-360.

19. Millet B., André C., Deligne H., Olié J.-P., « Potential treatment paradigms for anxiety disorders », *Expert Opinion in Investigational Drugs*, 1999, 8, p. 1589-1598.

20. Schneier F. R. et coll., « Placebo-controlled trial of moclobemide in social phobia », *British Journal of Psychiatry*, 1998, 172, p. 70-77.

21. Davidson J. R. T., « Pharmacotherapy of social anxiety disorder », *Journal of Clinical Psychiatry*, 1998, 59 (suppl.), p. 47-51.

22. Katzelnick D. J. et coll., « Sertraline for social phobia : a double-blind, placebo-controlled crossover study », *American Journal of Psychiatry*, 1995, 152, p. 1368-1371.

23. Stein M. B. et coll., « Fluvoxamine treatment of social phobia (social anxiety disorder) : a double-blind, placebo-controlled study », *American Journal of Psychiatry*, 1999, 156, p. 756-760.

24. Stein M. B. et coll., « Paroxetine in the treatment of generalized social phobia : open-label treatment and double-blind placebo-controlled discontinuation », *Journal of Clinical Psychopharmacology*, 1996, 16, p. 218-222.

25. Stein M. B. et coll., Paroxetine treatment of generalized phobia (social anxiety disorder) : a randomized-controlled trial. JAMA, 1998, 280, p. 708-713.

26. Baldwin D. et coll., « Paroxetine in social phobia/social anxiety disorder », *British Journal of Psychiatry*, 1999, 175, p. 120-126.

27. Georges P., « Le martyre du timide », *Le Monde*, 7 octobre 1997, p. 32.

28. Kelsey J. E., « Venlafaxine in social phobia », *Psychopharmacology Bulletin*, 1995, 31, p. 767-771.

29. Liebowitz M. R. et coll., *op. cit.*

30. André C., Légeron P., « Thérapies cognitives de l'anxiété sociale et de la phobie sociale », *Psychologie française*, 1993, 38, 3/4, p. 231-240.

31. Marks I., *Traitement et prise en charge des malades névrotiques*, Chicoutimi, Gaëtan Morin, 1985, p. 262-264.

32. Lipsitz J. D. et coll., « Open trial of interpersonal psychotherapy for the treatment of social phobia », *American Journal of Psychiatry*, 1999, 156, p. 1814-1816.

33. Turner S. M. et coll., « Two-years follow-up of social phobics treated with social effectiveness therapy », *Behaviour Research and Therapy*, 1995, 33, p. 553-555.

34. Schoenberger N. E. et coll., « Hypnotic enhancement of a cognitive behavioral treatment for public speaking anxiety », *Behavior Therapy*, 1997, 28, p. 127-140.

35. Taylor S., « Meta-analysis of cognitive-behavioural treatments for social phobia », *Journal of Behaviour Therapy and Experimental Psychiatry,* 1996, 27, p. 1-9.

36. Van Rillaer J., *La Gestion de soi,* Liège, Mardaga, 1992.

37. Shear M. K., Beidel D. C., « Psychotherapy in the overall management strategy for social anxiety disorder », *Journal of Clinical Psychiatry,* 1998, 59 (suppl.), p. 39-44.

38. Gould R. A. et coll., « Cognitive-behavioral and pharmacological treatment for social phobia : a meta-analysis », *Clinical Psychology and Scientific Practice,* 1997, 4, p. 291-306.

39. Heimberg R. G. et coll., « Cognitive behavioural group therapy vs phenelzine therapy for social phobia », *Archives of General Psychiatry,* 1998, 55, p. 1133-1141.

Chapitre 2 : Ne plus fuir

1. Hope D. A., Heimberg R. H., « Social phobia and social anxiety », *in* Barlow D., *op. cit.*

2. Hope D. A., « Exposure and social phobia : assessment and treatment considerations », *Behavior Therapist,* 1993, 16, p. 7-12.

3. Eckman P. S., Shean G. D., « Habituation of cognitive and physiological arousal and social anxiety », *Behaviour Research and Therapy,* 1997, 35, p. 1113-1121.

4. Woody S. R. et coll., « Self-focused attention in the treatment of social phobia », *Behaviour Research and Therapy,* 1997, 35, p. 117-129.

5. Edelman R. E., Chambless D. L., « Adherence during sessions and homework in cognitive-behavioral group treatment of social phobia », *Behaviour Research and Therapy,* 1995, 33, p. 573-577.

6. Scholing A., Emmelkamp P.M.G., « Treatment of generalized social phobia : results at long-term follow-up », *Behaviour Research and Therapy,* 1996, 34, p. 447-452.

7. Newman M. G. et coll., « Does behavioral treatement of social phobia lead to cognitive changes ? », *Behavior Therapy,* 1994, 25, p. 503-517.

8. Feske U., Chambless A. L., « Cognitive Behavioral versus exposure only treatment for social phobia : a meta-analysis », *Behavior Therapy,* 1995, 26, p. 695-720.

9. Cottraux J., Note I., Albuisson E. et coll., « Cognitive behavior therapy versus supportive therapy in social phobia : a randomized controlled trial », *Psychotherapy and Psychosomatics,* 2000, 69, p. 137-146.

Chapitre 3 : Mieux communiquer

1. Azaïs F., Granger B., « Troubles de l'assertivité et anxiété sociale », *Annales médico-psychologiques,* 1995, 153, p. 667-675.

2. Liberman R. P., *Personal Effectiveness,* Champaign, Illinois Research Press, 1975.

3. Azaïs F., Granger B., Debray Q. et coll., « Approche cognitive et émotionnelle de l'assertivité », *L'Encéphale*, 1999, 25, p. 353-357.

4. Légeron P., « L'entraînement à l'affirmation de soi », *Cahiers médicaux*, 1981, 6, 22, p. 1433-1436.

5. Fanget F., « Thérapies cognitivo-comportementales de patients présentant des phobies sociales et des troubles de la personnalité », *Synapse*, 1999, n° 158, p. 47-55.

6. Lelord F., *Les Contes d'un psychiatre ordinaire*, Paris, Odile Jacob, 1993, p. 248-251.

7. Fanget F., Chambon O., « Groupes d'affirmation de soi : méthodologie », *Journal de thérapie comportementale et cognitive*, 1994, 4, 4, p. 116-126.

8. Guérin J., « L'animation de groupes d'entraînement à l'affirmation de soi », *Revue francophone de Clinique comportementale et cognitive*, 1998, 3, p. 1-6.

9. Guérin J. et coll., « L'affirmation de soi en groupe dans les phobies sociales et les troubles de la personnalité », *Journal de thérapie comportementale et cognitive*, 1994, 4, 4, p. 108-115.

Chapitre 4 : Penser autrement

1. André C., *Les Thérapies cognitives*, Paris, Bernet-Danilo, 1995.

2. Cottraux J., *Les Thérapies cognitives*, Paris, Retz, 1992.

3. Mirabel-Sarron C., Rivière B., *Précis de thérapie cognitive*, Paris, Dunod, 1993.

4. Taylor S., « Meta-analysis of cognitive-behavioral treatments for social phobia », *Journal of Behavior Therapy and Experimental Psychiatry*, 1996, 27, p. 1-9.

5. Scholing A., Emmelkamp P.M.G., « Exposure with and without cognitive therapy for generalized social phobia : effects of individual and group therapy », *Behaviour Resarch and Therapy*, 1993, 7, p. 667-681.

6. Hofmann S. G., « Treatment of social phobia : potential mediators and moderators », *Clinical Psychology*, 2000, 7, p. 3-16.

Chapitre 5 : Faut-il soigner les phobiques sociaux ?

1. Pélissolo A., Lépine J.-P., « Les phobies sociales : perspectives historiques et conceptuelles », *L'Encéphale*, 1995, 21, p. 15-24.

2. Chambless D. L. et coll., « Predictors of response to cognitive-behavioral group therapy for social phobia », *Journal of Anxiety Disorders*, 1997, 11, p. 22-240.

3. André C., « Anxieux, mais groupés ! », *Journal de Thérapie comportementale et cognitive*, 1998, 8, p. 41-42.

4. Weiller E. et coll., « Social phobia in general healthcare : an unrecognized undertreated disabling disorder », *British Journal of Psychiatry*, 1996, 168, p. 169-174.

5. Olfson M., Guardino M., Struening E. et coll., « Barriers to the treatment of social anxiety », *American Journal of Psychiatry*, 2000, 157, p. 521-527.

6. Goisman R. M. et coll., « Psychosocial treatment prescriptions for generalized anxiety disorder, panic disorder and social phobia, 1991-1996 », *American Journal of Psychiatry*, 1999, 156, p. 1819-1821.

7. Huber W., *Les Psychothérapies : quelle thérapie pour quel patient ?*, Paris, Nathan, 1993, p. 154.

8. Mendlowicz M. V, Stein M. B., « Quality of life in individuals with anxiety disorders », *American Journal of Psychiatry*, 2000, 157, p. 669-682.

9. Ross J., « Social Phobia : The Consumer's Perspective », *Journal of Clinical Psychiatry*, 1993, 54, 12, p. 5-9.

10. Guelfi J.-D., « La mesure de la qualité de vie », *Annales médico-psychologiques*, 1992, 150, p. 671-677.

11. Davidson J. et coll., *op. cit.*, p. 317.

12. Zarifian É., *La Force de guérir*, Paris, Odile Jacob, 1999, p. 129.

13. Barlow D. H., Lehman C. L., « Advances in the psychosocial treatment of anxiety disorders », *Archives of General Psychiatry*, 1996, 53, p. 727-735.

14. Marshall J., « Social Phobia : an Overview of Treatment Strategies », *Journal of Clinical Psychiatry*, 1993, 54, 4, p. 165-171.

15. World Health Organisation, *Treatment of Mental Disorders : a review of effectiveness*, Washington DC, American Psychiatric Press, 1993.

16. Pantalon M. V. et coll., « Use and effectiveness of self-help books in the practice of cognitive and behavioral therapy », *Cognitive and Behavioral Practice*, 1995, 2, p. 213-228.

17. Marks I., « Vers des standards européens communs mesurant le rapport coût-bénéfice des traitements comportementaux et des autres traitements de routine en santé mentale », *Journal de Thérapie comportementale et cognitive*, 1994, 4, 1, p. 3-5.

18. Post F., « Creativity and Psychopathology : A study of 291 world-famous men », *British Journal of Psychiatry*, 1994, 165, p. 22-34.

19. Erickson M., *Ma voix t'accompagnera*, Paris, Hommes et Groupes, 1984.

20. Haley J., *Tacticiens du pouvoir*, Paris, ESF, 1987.

Conclusion : « Imaginez que vous êtes tout nu... »

1. Wittchen H. U., Fuetsch M., Sonntag H. et coll., « Disability and quality of life in pure and comorbid social phobia. Findings from a controlled study », *European Psychiatry*, 2000, 15, p. 46-58.

2. Heimberg R. G., Stein M. B., Hiripi E., Kessler R.C., « Trends in the prevalence of social phobia in the United States : a synthetic cohort analysis of change over four decades », *European Psychiatry*, 2000, 15, p. 29-37.

Table

Préface 9

Introduction : « C'est à vous... » 15

Première partie
NOS PEURS SOCIALES
ET LEURS MANIFESTATIONS

Chapitre 1 : Des situations et des hommes 21
Des situations sociales dérangeantes, 24. – Une vieille
histoire, 25. – Les situations en cause, 27. – L'anxiété de
performance, 27. – Les situations d'échange et de contact,
33. – Les situations où il faut s'affirmer, 39. – Le regard
d'autrui, 41. – Une hiérarchie de nos peurs sociales ?, 44.
– Un mécanisme commun, 46.

Chapitre 2 : Le tumulte du corps 49
Les mots de l'angoisse, 50. – Un inventaire à la Prévert,
51. – Ce qui se voit et ce qui ne se voit pas, 53. – La
trahison du corps, 56. – Tu as rougi !, 58. – Les réactions
physiologiques d'émotivité ont-elles un sens ?, 65.

Chapitre 3 : Les désordres du comportement 69
Panique à bord !, 71. – Courage, fuyons !, 73. – Le
hérisson et le paillasson, 78. – Des chaînes invisibles…,
80.

Chapitre 4 : Tempête sous un crâne 83
Le hit-parade des pensées négatives, 86. – Un jugement
négatif sur soi, 87. – La peur du jugement d'autrui, 89. –
La crainte des réactions d'autrui, 91. – L'anticipation
anxieuse, ou comment se raconter des films catastrophes
à longueur de journée, 92. – Anxiété toujours !, 94. –
Quand la peur influence la réalité, 98.

Deuxième partie
DES PEURS NORMALES
AUX PEURS PATHOLOGIQUES

Chapitre 1 : Trac et appréhensions 107
Trac ou phobie de la prise de parole en groupe ?, 110. –
Dites-moi ce qui vous gêne, 111. – J'ai rendez-vous avec
vous, 112. – Trac ou phobie sociale ? Faites votre autodiagnostic, 115.

Chapitre 2 : La timidité 117
Qu'est-ce que la timidité ?, 120. – De quoi ont peur les
timides ?, 121. – Comment se manifeste la timidité ?, 123.
– Les qualités du timide…, 125. –… et ses souffrances,
126. – Timides de tous les pays, unissez-vous !, 128. –
Êtes-vous seulement timide ou carrément phobique
social ? Faites votre autodiagnostic, 129.

Chapitre 3 : La personnalité évitante 131
Une pathologie à part entière, 135. – Une vie sous
contrôle, 136. – Un monde cruel et injuste ?, 137. – Êtes-
vous phobique social ou souffrez-vous aussi d'une personnalité évitante ? Faites votre autodiagnostic, 140.

TABLE 331

Chapitre 4 : La phobie sociale.................................... 141
L'anxiété sociale à son maximum, 145. – Les différentes
façons d'être phobique social, 148. – Un quotidien semé
d'embûches, 150. – Éloge de la fuite, 152. – Masques et
malentendus, 153. – Une maladie à soigner, 156. – Un
rapide questionnaire pour évaluer la phobie sociale, 160.

Troisième partie
MAIS POURQUOI DONC
AVONS-NOUS PEUR DES AUTRES ?

Chapitre 1 : La mécanique du psychisme 163
Le cerveau ordinateur, 163. – Des cognitions plein la tête,
165. – La double évaluation, 168. – Les erreurs de
logique, 169. – Des diktats silencieux, 173. – Image de
soi et désir de plaire, 175. – Une conscience de soi excessive et douloureuse, 176.

Chapitre 2 : Les origines 179
Un trouble et plusieurs causes, 180. – L'inné et l'acquis,
181. – L'espèce humaine et ses phobies, 183. – Un déve-
loppement progressif, 186. – L'inégalité des sexes, 188. –
L'environnement familial, 190. – Conseils aux parents
d'enfants timides, 191. – Des événements marquants, 192.
– Un trouble universel mais inégalement répandu…, 193.
– De l'exigence sociale à l'anxiété sociale, 195.

Quatrième partie
COMMENT VAINCRE LA PEUR DES AUTRES

Chapitre 1 : Médicaments ou psychothérapie ? 207
Du bon usage des psychotropes, 208. – Les bêtabloquants,
209. – Les tranquillisants, 212. – Les antidépresseurs,
213. – Les thérapies cognitivo-comportementales, 216. –
Peut-on associer psychothérapies et médicaments ?, 218.

– Comment se déroulent, en pratique, les thérapies cognitivo-comportementales ?, 219.

Chapitre 2 : Ne plus fuir 221
Être concret, 222. – Faire face, 224. – Les peurs d'Alain,
226. – En savoir plus sur les techniques d'exposition, 230.

Chapitre 3 : Mieux communiquer 235
Développer ses compétences sociales, 236. – S'affirmer,
237. – La gêne d'Anita, 238.

Chapitre 4 : Penser autrement 245
Comment procède le thérapeute pour aider son patient ?,
246. – Les doutes de Philippe, 249. – Dialoguer, 251. –
Noter ses pensées, 253. – Modifier ses pensées, 254.

Chapitre 5 : Faut-il soigner les phobiques sociaux ? 261
Le trac de Jean-Michel, 265. – Les joues rouges de
Patricia, 268. – Faut-il traiter les « petits » problèmes, et
comment ? 273. – Thérapie efficace ou thérapie
orthodoxe ?, 274. – Des thérapies pragmatiques, 276. – La
psychothérapie au service de la performance individuelle ?, 277.

Conclusion : « Imaginez que vous êtes tout nu... » 281

Annexes 285
Évaluez votre peur des autres, 287. – Critères diagnos-
tiques de la phobie sociale, 293. – Critères diagnostiques
de la personnalité évitante, 295. – Comprendre la phobie
sociale : ce que vous devez savoir, 299. – Lutter conte la
phobie sociale au quotidien : ce que vous devez savoir,
305. – Pour en savoir plus, 311.

Notes 315

Remerciements

Nous remercions Jean-Luc Fidel, pour ses précieux conseils éditoriaux.

Merci également à Odile Jacob, pour l'intérêt régulièrement porté à notre travail.

Toute notre gratitude aux Professeurs Henri Lôo et Jean-Pierre Olié, pour leur soutien constant et amical à notre pratique psychothérapique au sein du service hospitalo-universitaire de l'hôpital Sainte-Anne.

DANS LA COLLECTION « POCHES ODILE JACOB »

N° 1 : Aldo Naouri, *Les Filles et leurs mères*
N° 2 : Boris Cyrulnik, *Les Nourritures affectives*
N° 3 : Jean-Didier Vincent, *La Chair et le Diable*
N° 4 : Jean François Deniau, *Le Bureau des secrets perdus*
N° 5 : Stephen Hawking, *Trous noirs et bébés univers*
N° 6 : Claude Hagège, *Le Souffle de la langue*
N° 7 : Claude Olievenstein, *Naissance de la vieillesse*
N° 8 : Édouard Zarifian, *Les Jardiniers de la folie*
N° 9 : Caroline Eliacheff, *À corps et à cris*
N° 10 : François Lelord, Christophe André, *Comment gérer les personnalités difficiles*
N° 11 : Jean-Pierre Changeux, Alain Connes, *Matière à pensée*
N° 12 : Yves Coppens, *Le Genou de Lucy*
N° 13 : Jacques Ruffié, *Le Sexe et la Mort*
N° 14 : François Roustang, *Comment faire rire un paranoïaque ?*
N° 15 : Jean-Claude Duplessy, Pierre Morel, *Gros Temps sur la planète*
N° 16 : François Jacob, *La Souris, la Mouche et l'Homme*
N° 17 : Marie-Frédérique Bacqué, *Le Deuil à vivre*
N° 18 : Gerald M. Edelman, *Biologie de la conscience*
N° 19 : Samuel P. Huntington, *Le Choc des civilisations*
N° 20 : Dan Kiley, *Le Syndrome de Peter Pan*
N° 21 : Willy Pasini, *À quoi sert le couple ?*
N° 22 : Françoise Héritier, Boris Cyrulnik, Aldo Naouri, *De l'inceste*
N° 23 : Tobie Nathan, *Psychanalyse païenne*
N° 24 : Raymond Aubrac, *Où la mémoire s'attarde*
N° 25 : Georges Charpak, Richard L. Garwin, *Feux follets et champignons nucléaires*
N° 26 : Henry de Lumley, *L'Homme premier*
N° 27 : Alain Ehrenberg, *La Fatigue d'être soi*
N° 28 : Jean-Pierre Changeux, Paul Ricœur, *Ce qui nous fait penser*
N° 29 : André Brahic, *Enfants du Soleil*
N° 30 : David Ruelle, *Hasard et Chaos*
N° 31 : Claude Olievenstein, *Le Non-dit des émotions*
N° 32 : Édouard Zarifian, *Des paradis plein la tête*
N° 33 : Michel Jouvet, *Le Sommeil et le Rêve*
N° 34 : Jean-Baptiste de Foucauld, Denis Piveteau, *Une société en quête de sens*
N° 35 : Jean-Marie Bourre, *La Diététique du cerveau*
N° 36 : François Lelord, *Les Contes d'un psychiatre ordinaire*
N° 37 : Alain Braconnier, *Le Sexe des émotions*

N° 38 : Temple Grandin, *Ma vie d'autiste*
N° 39 : Philippe Taquet, *L'Empreinte des dinosaures*
N° 40 : Antonio R. Damasio, *L'Erreur de Descartes*
N° 41 : Édouard Zarifian, *La Force de guérir*
N° 42 : Yves Coppens, *Pré-ambules*
N° 43 : Claude Fischler, *L'Homnivore*
N° 44 : Brigitte Thévenot, Aldo Naouri, *Questions d'enfants*
N° 45 : Geneviève Delaisi de Parseval, Suzanne Lallemand, *L'Art d'accommoder les bébés*
N° 46 : François Mitterrand, Elie Wiesel, *Mémoire à deux voix*
N° 47 : François Mitterrand, *Mémoires interrompus*
N° 48 : François Mitterrand, *De l'Allemagne, de la France*
N° 49 : Caroline Eliacheff, *Vies privées*
N° 50 : Tobie Nathan, *L'Influence qui guérit*
N° 51 : Éric Albert, Alain Braconnier, *Tout est dans la tête*
N° 52 : Judith Rapoport, *Le Garçon qui n'arrêtait pas de se laver*
N° 53 : Michel Cassé, *Du vide et de la création*
N° 54 : Ilya Prigogine, *La Fin des certitudes*
N° 55 : Ginette Raimbault, Caroline Eliacheff, *Les Indomptables*
N° 56 : Marc Abélès, *Un ethnologue à l'Assemblée*
N° 57 : Alicia Lieberman, *La Vie émotionnelle du tout-petit*
N° 58 : Robert Dantzer, *L'Illusion psychosomatique*
N° 59 : Marie-Jo Bonnet, *Les Relations amoureuses entre les femmes*
N° 60 : Irène Théry, *Le Démariage*
N° 61 : Claude Lévi-Strauss, Didier Éribon, *De près et de loin*
N° 62 : François Roustang, *La Fin de la plainte*
N° 63 : Luc Ferry, Jean-Didier Vincent, *Qu'est-ce que l'homme ?*
N° 64 : Aldo Naouri, *Parier sur l'enfant*
N° 65 : Robert Rochefort, *La Société des consommateurs*
N° 66 : John Cleese, Robin Skynner, *Comment être un névrosé heureux*
N° 67 : Boris Cyrulnik, *L'Ensorcellement du monde*
N° 68 : Darian Leader, *À quoi penses-tu ?*
N° 69 : Georges Duby, *L'Histoire continue*
N° 70 : David Lepoutre, *Cœur de banlieue*
N° 71 : Université de tous les savoirs 1, *La Géographie et la Démographie*
N° 72 : Université de tous les savoirs 2, *L'Histoire, la Sociologie et l'Anthropologie*
N° 73 : Université de tous les savoirs 3, *L'Économie, le Travail, l'Entreprise*
N° 74 : Christophe André, François Lelord, *L'Estime de soi*

N° 75 : Université de tous les savoirs 4, *La Vie*
N° 76 : Université de tous les savoirs 5, *Le Cerveau, le Langage, le Sens*
N° 77 : Université de tous les savoirs 6, *La Nature et les Risques*
N° 78 : Boris Cyrulnik, *Un merveilleux malheur*
N° 79 : Université de tous les savoirs 7, *Les Technologies*
N° 80 : Université de tous les savoirs 8, *L'Individu dans la société d'aujourd'hui*
N° 81 : Université de tous les savoirs 9, *Le Pouvoir, L'État, la Politique*
N° 82 : Jean-Didier Vincent, *Biologie des passions*
N° 83 : Université de tous les savoirs 10, *Les Maladies et la Médecine*
N° 84 : Université de tous les savoirs 11, *La Philosophie et l'Éthique*
N° 85 : Université de tous les savoirs 12, *La Société et les Relations sociales*
N° 86 : Roger-Pol Droit, *La Compagnie des philosophes*
N° 87 : Université de tous les savoirs 13, *Les Mathématiques*
N° 88 : Université de tous les savoirs 14, *L'Univers*
N° 89 : Université de tous les savoirs 15, *Le Globe*
N° 90 : Jean-Pierre Changeux, *Raison et Plaisir*
N° 91 : Antonio R. Damasio, *Le Sentiment même de soi*
N° 92 : Université de tous les savoirs 16, *La Physique et les Éléments*
N° 93 : Université de tous les savoirs 17, *Les États de la matière*
N° 94 : Université de tous les savoirs 18, *La Chimie*
N° 95 : Claude Olievenstein, *L'Homme parano*
N° 96 : Université de tous les savoirs 19, *Géopolitique et Mondialisation*
N° 97 : Université de tous les savoirs 20, *L'Art et la Culture*
N° 98 : Claude Hagège, *Halte à la mort des langues*
N° 99 : Jean-Denis Bredin, Thierry Lévy, *Convaincre*
N° 100 : Willy Pasini, *La Force du désir*
N° 101 : Jacques Fricker, *Maigrir en grande forme*
N° 102 : Nicolas Offenstadt, *Les Fusillés de la Grande Guerre*
N° 103 : Catherine Reverzy, *Femmes d'aventure*
N° 104 : Willy Pasini, *Les Casse-pieds*
N° 105 : Roger-Pol Droit, *101 expériences de philosophie quotidienne*
N° 106 : Jean-Marie Bourre, *La Diététique de la performance*
N° 107 : Jean Cottraux, *La Répétition des scénarios de vie*
N° 108 : Christophe André, Patrice Légeron, *La Peur des autres*
N° 109 : Amartya Sen, *Un nouveau modèle économique*

N° 110 : John D. Barrow, *Pourquoi le monde est-il mathématique ?*
N° 111 : Richard Dawkins, *Le Gène égoïste*
N° 112 : Pierre Fédida, *Des bienfaits de la dépression*
N° 113 : Patrick Légeron, *Le Stress au travail*
N° 114 : François Lelord, Christophe André, *La Force des émotions*
N° 115 : Marc Ferro, *Histoire de France*
N° 116 : Stanislas Dehaene, *La Bosse des maths*
N° 117 : Willy Pasini, Donato Francescato, *Le Courage de changer*
N° 118 : François Heisbourg, *Hyperterrorisme : la nouvelle guerre*
N° 119 : Marc Ferro, *Le Choc de l'Islam*
N° 120 : Régis Debray, *Dieu, un itinéraire*
N° 121 : Georges Charpak, Henri Broch, *Devenez sorciers, devenez savants*
N° 122 : René Frydman, *Dieu, la Médecine et l'Embryon*
N° 123 : Philippe Brenot, *Inventer le couple*
N° 124 : Jean Le Camus, *Le Vrai Rôle du père*
N° 127 : Laurent Cohen-Tanugi, *L'Europe et l'Amérique au seuil du XXIe siècle*
N° 128 : Aldo Naouri, *Réponses de pédiatre*
N° 129 : Jean-Pierre Changeux, *L'Homme de vérité*
N° 130 : Nicole Jeammet, *Les Violences morales*
N° 131 : Robert Neuburger, *Nouveaux Couples*
N° 132 : Boris Cyrulnik, *Les Vilains Petits Canards*
N° 133 : Christophe André, *Vivre heureux*
N° 134 : François Lelord, *Le Voyage d'Hector*
N° 135 : Alain Braconnier, *Petit ou grand anxieux ?*
N° 136 : Juan Luis Arsuaga, *Le Collier de Néandertal*
N° 137 : Daniel Sibony, *Don de soi ou partage de soi*
N° 138 : Claude Hagège, *L'Enfant aux deux langues*
N° 139 : Roger-Pol Droit, *Dernières nouvelles des choses*
N° 140 : Willy Pasini, *Être sûr de soi*
N° 141 : Massimo Piatelli Palmarini, *Le Goût des études ou comment l'acquérir*
N° 142 : Michel Godet, *Le Choc de 2006*
N° 143 : Gérard Chaliand, Sophie Mousset, *2 000 ans de chrétientés*
N° 145 : Christian De Duve, *À l'écoute du vivant*
N° 146 : Aldo Naouri, *Le Couple et l'Enfant*
N° 147 : Robert Rochefort, *Vive le papy-boom*

N° 148 : Dominique Desanti, Jean-Toussaint Desanti, *La liberté nous aime encore*
N° 149 : François Roustang, *Il suffit d'un geste*
N° 150 : Howard Buten, *Il y a quelqu'un là-dedans*
N° 151 : Catherine Clément, Tobie Nathan, *Le Divan et le Grigri*
N° 152 : Antonio R. Damasio, *Spinoza avait raison*
N° 153 : Bénédicte de Boysson-Bardies, *Comment la parole vient aux enfants*
N° 154 : Michel Schneider, *Big Mother*
N° 155 : Willy Pasini, *Le Temps d'aimer*
N° 156 : Jean-François Amadieu, *Le Poids des apparences*
N° 157 : Jean Cottraux, *Les Ennemis intérieurs*
N° 158 : Bill Clinton, *Ma vie*
N° 159 : Marc Jeannerod, *Le Cerveau intime*
N° 160 : David Khayat, *Les Chemins de l'espoir*
N° 161 : Jean Daniel, *La Prison juive*
N° 162 : Marie-Christine Hardy-Baylé et Patrick Hardy, *Maniaco-dépressif*
N° 163 : Boris Cyrulnik, *Le Murmure des fantômes*
N° 164 : Georges Charpak, Roland Omnès, *Soyez savants, devenez prophètes*
N° 165 : Aldo Naouri, *Les Pères et les Mères*
N° 166 : Christophe André, *Psychologie de la peur*
N° 167 : Alain Peyrefitte, *La Société de confiance*
N° 168 : François Ladame, *Les Éternels Adolescents*

Imprimé en France sur Presse Offset par

BRODARD & TAUPIN

GROUPE CPI

La Flèche (Sarthe), le 05-07-2005
N° d'impression : 30881

Nº d'édition : 7381-1236-2
Dépôt légal : juillet 2003